A CACCIA DI OMBRE

Titolo originale dell'opera *The Shadow Hunter*
Opera tradotta dall'edizione pubblicata da Thomas & Mercer,
Las Vegas, NV, USA, 2012

Edizione italiana pubblicata da
AmazonCrossing, Amazon Media EU S.à.r.l.
5 rue Plaetis, L-2338, Luxembourg
Marzo 2017

Realizzazione a cura di Grandi & Associati, Milano
Progetto grafico a cura di PEPE *nymi*, Milano
In copertina (c) Mike Harrington (c) GrabillCreative (c) Jason Cameron (c) Dmitry Vereshchagin/Getty Images; (c) Andrey_Kuzmin (c) errorfoto (c) kzww/Shutterstock

Stampato da una delle seguenti società:

Amazon Distribution GmbH,
Amazonstraße 1,
04347 Leipzig,
Germany

Amazon.co.uk, Ltd.
Marston Gate Distribution Centre, Badgers Rise,
Ridgmont, Bedfordshire MK430ZA,
UK

Amazon Fulfillment Poland Sp. z o.o.,
Logistyczna 6, 5
5-040, Bielany, Wrocławskie,
Polen
Si veda ultima pagina per l'indicazione della società.

Prima edizione digitale 2017
ISBN: 9781503941090
www.apub.com

Il libro

Abby Sinclair si definisce un "pesce pilota", uno di quei piccoli pesci che nuotano insieme agli squali e ne raccolgono i residui di cibo. Come consulente per un'agenzia di sicurezza di Los Angeles, lei fa lo stesso, solo che i pesci insieme a cui nuota sono stalker, come Raymond Hickle, e i residui che racimola sono frammenti di informazioni essenziali per comporre i profili psicologici dei soggetti come lui. Abby si insinua nella vita di Hickle per scoprire se la fissazione di questo individuo solitario per la conduttrice televisiva Kris Barwood possa sfociare in una minaccia per la vita di lei. Ha imparato a sue spese che il confine tra amore e ossessione può essere sottile e che la verità, a volte, viene a galla quando ormai è troppo tardi. Ma su Raymond Hickle i suoi dubbi svaniscono presto. In un'adrenalinica corsa contro il tempo e contro nemici spietati e imprevedibili, Abby dovrà mettere in campo tutta la sua esperienza e la sua audacia per salvare Kris e se stessa.

L'autore

Michael Prescott è nato e cresciuto nel New Jersey e ha frequentato la Wesleyan University, laureandosi in scienze cinematografiche. Dopo gli studi si è trasferito a Los Angeles per intraprendere la carriera di sceneggiatore. Ha scritto sei thriller con lo pseudonimo di Brian Harper e altri dieci come Michael Prescott, vendendo oltre un milione di copie. *A caccia di ombre* è il primo della serie di romanzi con protagonista Abby Sinclair, la "stalker degli stalker".

MICHAEL PRESCOTT

A CACCIA DI OMBRE

TRADUZIONE DI RICCARDO BETTINI

Per mio padre

PROLOGO

Aveva una pistola in borsa ed era pronta.

«Odio gli uomini» disse Sheila Rogers trangugiando il suo Daiquiri. «Sai cosa voglio dire, vero?»

La tizia con i capelli scuri annuì. «Sì, lo so.»

«Sono dei porci, ecco cosa sono. Ti usano e poi ti buttano via.»

«È vero.»

«Cioè, prendi il tipo di cui ti parlavo. Quello che c'era tra noi era qualcosa di davvero speciale e poi, di colpo, è tutto finito. Non vuole nemmeno parlarmi.»

«Brutta storia. Veramente.»

La donna dai capelli scuri aveva un nome, glielo aveva detto prima quando si erano incontrate al *Roxbury*, un locale sulla Strip, ma Sheila se l'era già dimenticato. Con i nomi era un vero disastro.

Chissà poi perché le si era incollata addosso. Era tutta la notte che giravano per locali, prima al *Rox*, poi al *Viper Room*, al *Babylon*, al *Teaszer* e per ultimo al *Lizard Maiden* alla fine della Sunset Strip. Lungo la strada Sheila aveva ingollato ogni genere di intruglio, scegliendo poi il Daiquiri come drink della serata. L'alcol le aveva annebbiato la mente e aveva la vaga impressione di parlare troppo. Ma non riusciva a fermarsi.

«Era davvero un ragazzo fantastico» disse all'improvviso, senza una ragione precisa, appoggiandosi al bancone di mogano. «Cioè, era un porco... si è rivelato un vero porco... ma quando stavamo insieme era tutto così meraviglioso... Sembravamo fatti l'uno per l'altra.»

«Già.»

1

«Era scritto nelle dannate stelle. Ecco cos'era. O almeno così pensavo.» Sheila mosse la testa lentamente. «Ma immagino di avertelo già detto, vero? Al *Viper Room* o da qualche altra parte, giusto?»

«Tranquilla. Puoi ripetermi tutto. A volte fa bene sfogarsi.»

«Ma tu chi sei? Madre Teresa?»

«Sono solo un'amica.»

«Be', proprio quello di cui ho bisogno, cazzo. Ultimamente sono stata parecchio incasinata.»

«In che senso?»

«Penso sempre a lui. Lui… Non so, non riesco a togliermelo dalla testa. E dire che sono passati già due mesi. Ormai avrei dovuto dimenticarlo, il figlio di puttana. Avrei…»

«Forse non vuoi dimenticare.»

«No. Non voglio.» Sheila si avvicinò alla donna seduta sullo sgabello accanto al suo. «Posso dirti un segreto?»

«Certo.»

Sheila voleva sussurrare, ma ovviamente non poteva. Il *Lizard Maiden*, il *Liz* per gli affezionati, non era posto per conversazioni sommesse. Era uno dei locali più pacchiani di tutta la Strip, un covo di luci psichedeliche e di assordante musica dal vivo. La pista da ballo era perennemente gremita di corpi barcollanti scossi da movimenti inconsulti, mentre al bancone del bar e ai tavoli vicini alle pareti i clienti abituali dovevano gridare per farsi sentire.

«Il fatto è che passando da un locale all'altro spero di incontrarlo per caso» disse Sheila.

«Frequenta questo posto?»

«A volte. Il venerdì sera o il sabato.» Quella sera era un venerdì. «È uno che bazzica molti locali, quindi non so mai dove potrebbe essere. Sta sempre in giro per club. Ci siamo conosciuti lungo la Strip, alla *House of Blues*.» Sheila ridacchiò malinconica. «*Blues*, tristezza… Sembra fatto apposta, non è vero?»

«Ma pensi che vederlo potrebbe aiutarti?»

Sheila distolse lo sguardo. «Credo proprio di sì.» Strinse la borsa in grembo avvertendo il peso della pistola.

«Se incontrassi qualcun altro, magari ti scorderesti di lui. Ci sono tanti ragazzi là fuori.»

«Ma nessuno come lui. Non era uno dei tanti. È famoso. Di sicuro lo conosci anche tu, tutti lo conoscono.»

«Dimmi come si chiama, allora.»

Sheila esitava, non voleva rivelare troppo. Si mise a studiare la ragazza. Era più grande di lei di qualche anno, poteva averne ventisette o ventotto. Né alta né bassa, slanciata e con un atteggiamento pacato e composto. Il viso pallido e spigoloso incorniciato da un caschetto di scuri capelli castani, gli zigomi alti e pronunciati. I freddi occhi color nocciola non tradivano il ben che minimo accenno di rimprovero.

«Devin Corbal» disse alla fine. «Ecco come si chiama.»

«L'attore?»

«Te l'avevo detto che è famoso. Ha fatto tipo sei film. Sei. E ha solo ventitré anni.»

«E tu ci uscivi?»

«Per due settimane intere» rispose Sheila, cupa. «È stato bellissimo. Io e Devin eravamo anime gemelle. Be', almeno lo siamo stati per due settimane.»

Buttò giù quello che rimaneva del Daiquiri.

«Due settimane» ripeté.

La donna dai capelli scuri scese dallo sgabello. «Tienimi il posto, d'accordo? Devo fare un salto in bagno.»

Sheila annuì, il pensiero rivolto a Devin. Si accorse a stento che l'altra se n'era andata, inoltrandosi in mezzo alla pista fra la folla scatenata.

«Un altro giro?»

Alzò lo sguardo e si accorse del barista, uno che conosceva di vista ma di cui non ricordava il nome.

«Ma sì, dai. E che cazzo.»

Il barista le preparò un altro Daiquiri. «Chi è la tua amica?»

«Nessuno.»

«È la prima volta che la vedo.»

«È soltanto una con cui sto andando in giro per locali.»

«Mi ricordo quando anche tu e Dev battevate tutti i club» disse servendole il drink. «Vi vedete ancora?»

«E a te che ti frega?» chiese Sheila scontrosa.

«A me niente» disse il barista. «Solo che stasera è qui.»

Sheila sollevò lentamente la testa. «Lui è qui? Devin è qui?»

«Magari ti faceva piacere saperlo» rispose quello con un'alzata di spalle.

* * *

Il bagno unisex del *Lizard Maiden* si trovava in un angolo buio vicino all'entrata. La donna dai capelli scuri oltrepassò la porta, fiancheggiando una fila di telefoni a pagamento, poi si fermò davanti a quello che doveva essere un armadietto per le scorte del locale.

Non c'era anima viva. Dalla borsa prese il cellulare e, in tutta fretta, chiamò il primo numero della rubrica. La musica lì non era così assordante e poteva parlare con un tono di voce quasi normale.

«Paul, sono Abby» disse.

«Sei ancora al *Babylon*?» chiese Paul Travis.

«No, ci siamo spostate. È tutta la notte che saltiamo da un locale all'altro. Sta iniziando a sbottonarsi, finalmente.»

«Sul cliente?»

«Già. È arrabbiata e potrebbe avere cattive intenzioni. Continua a toccare la borsa in un modo che mi fa pensare che dentro non abbia solo mascara e rossetto.»

«Se fosse così, mi raccomando, stai molto attenta.»

Abby sorrise. «Come sempre. Senti, devo tornare da lei ora. Ti aggiorno appena posso. Adesso siamo in un locale lungo la Strip, il *Lizard Maiden*.»

«*Lizard Maiden*?»

«Tutti lo chiamano il *Liz*. È subito dopo un bar che si chiama…»

«So dov'è. *Lui* è lì.»

Abby ci mise un po' a capire quello che Travis le aveva appena detto. «Che cosa?»

«Il cliente è lì. Al *Lizard Maiden*. È arrivato mezz'ora fa. È nel privé, porca puttana.»

«Guardie del corpo?»

«Due.»

«Chiamale e avvisale che abbiamo un codice rosso. Se c'è un modo per farlo uscire dal locale senza essere visti, assicurati che lo facciano. Non farli passare per la sala principale, altrimenti Sheila potrebbe riconoscerlo. Chiaro?»

«Chiaro.»

«Io non mi staccherò da lei. Se vede il cliente, ci penso io.»

«Conto su di te, Abby.»

Abby rimise il cellulare nella borsa accanto alla *Smith* a canna corta calibro .38 che portava sempre con sé quando era in servizio.

Corbal era lì. E certo non poteva che essere lì e non in qualsiasi altro locale della città.

«Con tutti i bar del mondo…» mormorò tornando verso il casino.

Comunque non era un grosso problema. Una complicazione, certo, ma finché non avesse perso di vista Sheila, non sarebbe successo niente di male.

Sheila Rogers aveva ventidue anni, era di una magrezza anoressica e decisamente sbronza. Dal punto di vista fisico, non avrebbe avuto nessuna possibilità contro Abby. Se Sheila avesse cercato di prendere la pistola, lei non avrebbe dovuto fare altro che bloccare il flusso sanguigno dell'arteria carotide alla base del collo per metterla KO. Lo aveva già fatto, in circostanze simili.

Girò attorno alla pista da ballo e si avvicinò al bar. La paura arrivò in quell'istante.

Sheila non c'era più. Lo sgabello dove l'aveva lasciata era vuoto. Brutto segno.

Abby si appoggiò al bancone e fece un cenno al barista. Appena la vide l'uomo sfoderò un sorriso da predatore.

«Ehi, dolcezza.»

Lei lo ignorò. «Dov'è la ragazza con cui stavo parlando?»

«Sheila?» chiese abbozzando un sorrisetto. «Credo sia andata a salutare un amico.»

Il battito di Abby accelerò. «Quale amico?»

Il barista le si avvicinò. «Senti, lasciala perdere. È una sfigata. Non sei costretta a uscirci. Pensa che volevo liberarmi di lei, così io e te magari potevamo conoscerci un po' meglio.»

«Quindi le hai detto che Devin Corbal è qui?»

«Ma tu come fai a…»

«Lascia stare. Dov'è il privé?»

«Mi spiace ma tu ma non puoi entrarci. È riservato ai VIP. Comunque io stacco fra un paio d'ore…»

Abby afferrò il polso destro del barista, esercitando una forte pressione sull'osso scafoide al di sotto del pollice. «*Dov'è?*» sibilò.

Quello impallidì. «Là dietro» disse poi con una smorfia di dolore. «Da quella parte.» Le indicò la direzione con un cenno della testa.

Lei mollò la presa e lui si massaggiò il polso, respirando affannosamente.

«Cristo, ragazza, ma che cazzo ti è preso?»

Abby però non rispose. Stava già attraversando la sala, facendosi largo tra la folla, pregando che non fosse troppo tardi.

* * *

Sheila sentiva il cuore pulsarle forte nelle orecchie, le palpebre si rifiutavano di battere e una nausea strisciante la stava attanagliando.

Sapeva quello che doveva fare. L'aveva studiato, immaginato, ma nelle sue fantasie non aveva mai tremato dal terrore né aveva provato quelle fitte allo stomaco, né la musica era così alta e la folla così vicina e rumorosa.

Aveva la pistola. Era pronta. Doveva essere pronta.

Era di sicuro nel privé. Stava sempre lì quando andava in quel locale. Una notte aveva portato anche lei là dentro. Se lo ricordava bene. Una stanzetta sul retro del *Liz*, senza finestre, le tende tirate. Non poteva nascondersi né scappare.

Mentre lasciava la pista, Sheila infilò la mano nella borsa e impugnò una Llama calibro .45, carica e senza sicura.

Il privé era davanti a lei, anonimo. L'ingresso oltre le tende tirate.

Sarebbe entrata in quella stanza e avrebbe sparato al cuore bugiardo di Devin Corbal. Gli avrebbe dato una bella lezione per averla trattata come una puttana. Gli avrebbe dimostrato che non stava scherzando quando gli aveva detto che se ne sarebbe pentito.

Se solo avesse avuto un po' di tempo per farsi un po' di coca. Nella borsa aveva una siringa per l'insulina e una bustina di polvere bianca. Avrebbe potuto fare un salto in bagno, mischiare la coca con l'acqua, riempire la siringa e iniettarsi la dose nel braccio…

Ma sapeva benissimo che avrebbe perso la concentrazione. Doveva uccidere Devin, adesso, prima di pensarci troppo. Non poteva aspettare.

«Ora o mai più» mormorò a se stessa per darsi coraggio.

Fallo.

Sheila prese un bel respiro e scostò le tende, poi entrò nel privé con la pistola in mano.

La stanza era vuota.

Sui tavolini c'erano dei bicchieri pieni sparpagliati qua e là e dei sandwich ancora caldi su piatti di plastica. Due sedie erano capovolte in posizioni strane, come se qualcuno fosse andato via di fretta.

«L'hanno fatto uscire» mormorò mettendo insieme i pezzi del puzzle. «Era qui... e l'hanno fatto scappare.»

Però non poteva essere uscito dall'ingresso principale passando dalla pista da ballo, l'avrebbe sicuramente notato.

Hanno fatto il giro da dietro.

Lasciò il privé e lanciò un'occhiata al corridoio. Sul fondo lampeggiava una scritta luminosa. L'uscita d'emergenza.

Si mise a correre in quella direzione. La musica si faceva via via più lontana. Aprì una porta metallica e si ritrovò in cima a una rampa di scalini di legno che portavano a un vicolo. Vide muri di mattoni, i crinali scoscesi delle colline di Hollywood che svettavano verso nord, la foschia dello smog mischiato alle luci al neon che offuscava le stelle e, a una distanza di dieci metri, vide Devin Corbal che si allontanava di corsa.

Lo inquadrò con chiarezza mentre passava sotto un'insegna luminosa. Era alto e snello, indossava una camicia aperta sul collo e dei jeans scoloriti. Due individui in abito scuro e dall'aspetto truce lo stavano scortando a tutta velocità fuori dal vicolo. Dovevano essere le guardie del corpo.

Non si erano voltati. Non l'avevano notata.

Da quella posizione, riusciva a vedere la schiena larga di Devin: un bersaglio perfetto.

Sollevò la pistola. Il dito sul grilletto.

Una delle guardie si accorse di lei. Troppo tardi.

Sheila sparò uno, due colpi, poi qualcosa la colpì forte alla schiena, facendola rotolare per le scale in un groviglio di arti che si dimenavano.

Riuscì a scorgere dei capelli scuri e un paio di occhi nocciola inferociti prima di sentire un gomito schiantarsi alla base della propria mandibola. Si sentì avvolgere da una debolezza infinita e poi più nulla.

* * *

Abby sfilò la pistola dalle dita inerti di Sheila e la lanciò lontano, quindi la sospinse contro il marciapiede alla fine delle scale. La tenne stretta finché non fu certa che il colpo alla mandibola l'avesse resa incosciente.

A quel punto guardò Devin Corbal. Era a terra, immobile. Una delle guardie del corpo stava cercando di rianimarlo mentre l'altro urlava al cellulare. «Porta la macchina qui, subito!»

«Ci serve un'ambulanza!» gridò la prima guardia.

«Con l'ambulanza ci mettiamo troppo. Lo portiamo noi al pronto soccorso.» Poi, sempre urlando al cellulare: «Dove cazzo è quella macchina?».

Ma la macchina non sarebbe servita, né un'ambulanza e neppure una sala operatoria. Non c'era più niente da fare. Abby lo sapeva.

Vide una grossa chiazza di sangue rosso scuro attorno alle scapole di Devin. Vide i suoi occhi, fissi e spalancati.

Sheila aveva sparato due colpi. Uno era andato a vuoto ma l'altro, per abilità o per fortuna, aveva centrato Devin Corbal in mezzo alla schiena, uccidendolo all'istante.

La guardia del corpo che stava tentando la rianimazione alla fine capì. Si alzò lentamente, scuotendo la testa.

«Lo abbiamo perso» disse. «È morto, porca puttana. Lo abbiamo perso.»

No, pensò Abby. Non lo avete perso voi.

Sono io che l'ho perso.

1

Hickle la guardava correre, affascinato dai suoi capelli.

Erano lunghi e dorati, scompigliati in vortici selvaggi dalla brezza marina. Le svolazzavano dietro le spalle come la coda di una cometa, una bionda scia di fuoco.

In quel momento gli stava passando davanti. D'istinto si ritrasse appena dietro al fogliame che lo schermava.

Lei lo superò, pestando con forza sui granelli di sabbia che i piedi scalzi sollevavano. Le lunghe gambe pompavano, la pancia magra ondeggiava a ogni respiro. Anche da una ventina di metri di distanza l'uomo riusciva a distinguere il sudore che luccicava sulla pelle abbronzata. Splendeva.

Alcuni mesi prima, quando l'aveva vista per la prima volta, si era chiesto se la radiosità che emanava fosse data da un effetto della telecamera. Ora che l'aveva vista di persona diverse volte, aveva capito che quel bagliore era reale. Lei risplendeva, come gli angeli. Era una creatura eterea, trattenuta sulla Terra da legami sottili.

Presto avrebbe reciso quei legami e lei non avrebbe più fatto parte del mondo.

Avrebbe potuto farlo in quell'istante, se avesse portato con sé il fucile. Ma non c'era fretta. La poteva uccidere in qualsiasi momento.

E poi guardarla gli piaceva.

Lei continuava a correre lungo la spiaggia, seguita dalla guardia del corpo che l'accompagnava tutte le volte che faceva jogging. Il tizio non aveva mai rivolto lo sguardo, neppure una singola occhiata, allo stretto varco tra due case sul lungomare, dove i graticci ricoperti di bouganvillee proiettavano un'ombra abbastanza profonda da nascondere un uomo accucciato.

«Non dovresti affidargli la tua vita, Kris» mormorò Hickle. «Non sei al sicuro come pensi.»

* * *

C'erano il sole, gli spruzzi del mare e il cielo blu. L'impeto del suo corpo, il ritmo dei passi sulla sabbia. Il suo respiro, i battiti del cuore.

C'era solo quello. Nient'altro. L'unico momento lontano dal resto della sua vita, l'unico in cui non doveva pensare alle minacce e alle misure di sicurezza, al bodyguard dietro di lei, alla postazione di controllo nella dépendance di casa sua...

Accidenti.

Kris Barwood rallentò il passo. I pensieri erano tornati. L'incantesimo si era infranto.

Il suo allenamento quotidiano, una corsa di sei chilometri lungo la striscia di spiaggia semi privata che circondava la Malibu Reserve, era sempre stato il suo momento di tregua dallo stress continuo della vigilanza e dalla paura. In quella spiaggia si sentiva al sicuro. Era un luogo speciale. Le persone giocavano con i loro cani e facevano volare gli aquiloni nella brezza salata. Da un lato l'Oceano Pacifico, punteggiato di scogli spazzati dalle onde, dall'altro una serie di case meravigliose, alcune delle quali dotate di sfarzose piscine che si spingevano fino a pochi passi dal segno dell'alta marea. Le case, lunghe e strette, si estendevano ben oltre la spiaggia. Sebbene fossero incredibilmente vicine, si percepiva uno strano senso di privacy e le feste rumorose erano rare. La maggior parte dei proprietari lavorava tutto il giorno in settori altamente competitivi. Quando rientravano, volevano rilassarsi, esattamente come lei, ma per Kris non c'era più nessun luogo dove potesse rilassarsi.

«Kris? Stai bene?» le chiese Steve Drury, il suo bodyguard, un bell'uomo con un fisico da nuotatore e i capelli a spazzola attraversati da colpi di sole. Quando facevano jogging, Steve indossava pantaloncini, maglietta e un marsupio per la Beretta M9.

Si accorse che aveva smesso di correre. «Bene» disse. «Oggi sono più stanca del solito.»

«Recupererai domani, faremo tre chilometri in più. D'accordo?»

«Affare fatto» disse Kris, riuscendo a sorridere.

Attraversarono la spiaggia fino a casa, un edificio moderno su tre piani con ampie finestre che lasciavano entrare la magica luce di Malibu. Si separò da Steve alla doccia esterna ed entrò dalla porta al piano superiore per non disturbare suo marito nella sala giochi, dove trascorreva una quantità malata di ore. Flipper, modellini di ferrovie, automobiline telecomandate e il suo preferito: un tappeto erboso da golf elettronico. Ultimamente Howard sembrava più affezionato a quegli acquisti che a lei.

La camera padronale era al terzo piano, sul retro della casa, affacciata sul mare e sulla costa tortuosa. Kris si spogliò, mentre aspettava che l'acqua della doccia si scaldasse. Sotto il getto bollente si insaponò i lunghi capelli biondi.

Edward, il suo parrucchiere, le aveva più volte ricordato che stava entrando in quell'età in cui i capelli stanno meglio corti. Alla fine lei gli aveva detto di smetterla. I suoi capelli le piacevano lunghi. Comunque a quarant'anni non si è vecchi, e in molte situazioni lei passava ancora per una trentacinquenne. Alla luce del sole si potevano vedere delle rughe agli angoli degli occhi, piccole pieghe intorno alla bocca e un accenno di cedimento nelle guance. Ma quando era in onda il suo viso era illuminato da luci a diffusione e ricoperto da uno strato di trucco che, anno dopo anno, diventava sempre più pesante.

Detestava doversi preoccupare del proprio aspetto. Era un pensiero stupido e superficiale, e poi aveva altre risorse, dopotutto. Sapeva fare una ripresa e occuparsi del suono, maneggiare qualsiasi strumentazione di una cabina di montaggio, scrivere un testo per un servizio, improvvisare magistralmente durante un'edizione straordinaria. Ma ben poche di queste capacità erano necessarie nella posizione che ricopriva adesso. Era diventata una celebrità, nel bene e nel male.

Avvolta nell'accappatoio, si asciugò e spazzolò i capelli davanti al grande specchio appeso sopra al piano in marmo del bagno. Il volto che ricambiava il suo sguardo aveva lineamenti decisi e scandinavi. Il suo nome da nubile era Kris Andersen. I suoi occhi erano tra il grigio e il blu e avevano la capacità di sembrare più grandi e intensi di quelli di chiunque altro. I denti erano perfettamente dritti e bianchi. Con la bocca riusciva a dare vita a un'incredibile varietà di sorrisi, uno dei tanti trucchi che l'avevano resa degna di interesse. Sapeva benissimo che quando avesse cessato di essere interessante, tutta l'attenzione per lei sarebbe svanita. Di certo avrebbe fatto volentieri a meno dell'attenzione di uno spettatore in particolare…

Si bloccò, la spazzola immobile nella mano.

Dalla stanza era giunto un rumore. Un fruscio, appena udibile. Potevano essere Steve o Courtney, la domestica, ma una parte irrazionale di lei era sicura che fosse *lui*.

Lo sentì di nuovo. Un leggero fruscio, come di due tessuti che sfregano tra loro.

Si voltò. La spazzola era la sua unica arma. Fece il gesto assurdo di sollevarla come fosse una mazza e uscì dal bagno. Con lo sguardo saettò da destra a sinistra finché non lo vide, accanto alla finestra, il profilo stagliato contro la…

«Kris? Tutto bene?»

La tensione si sciolse appena sentì la voce di Howard. La spazzola cadde sul pavimento. «Cavolo» disse tornando a respirare. «Non farlo mai più.»

«Fare cosa?»

Scosse la testa senza rispondere. «Pensavo fossi lui» disse. Il marito attraversò la stanza e le prese la mano. «Avanti, è una follia.»

«Ho sentito qualcuno qui in camera. Ho pensato che potesse essere… insomma, che sarebbe potuto essere…»

«No. È impossibile.»

Da un punto di vista strettamente razionale era probabile che Howard avesse ragione. Ma come faceva a spiegargli che la razionalità serviva a ben poco contro le sue paure e i suoi incubi, contro i falsi allarmi e i momenti di panico che la facevano voltare a ogni rumore insolito o a ogni guizzo tra le ombre?

«Hai ragione» disse sentendosi sciocca. «Sono un po' troppo agitata.»

Lui si chinò e raccolse la spazzola, riponendola con delicatezza tra le sue mani come se fosse una bambina. «Non devi preoccuparti. Non devi preoccuparti di niente.»

«Più facile a dirsi che a farsi.»

Howard le rivolse un sorriso caloroso che gli illuminò il viso squadrato e abbronzato. Dopo essere andato in pensione l'anno prima, a cinquant'anni, aveva preso l'abitudine di girovagare per casa e mangiare troppo. Una maniglia di ciccia gli circondava la pancia e il collo gli era diventato grosso e floscio. «Non sei brava a prendere ordini» disse. «Invece io sono bravissimo. Travis mi ha detto di non preoccuparmi e così ho fatto.»

«La tua fiducia è commovente.»

«Vero, non credi?» Il suo sorriso svanì. «A proposito di Travis, faremo tardi all'incontro se non partiamo subito.»

«Dammi un altro minuto per vestirmi.»

«Va bene. Vedi quanto sono bravo a prendere ordini? Ho un talento naturale» disse dirigendosi verso il corridoio.

Lei lo fermò. «Mentre aspetti, puoi controllare alla dépendance?»

«Devo proprio?»

«Voglio sapere se ha chiamato.»

«Ammettiamo che l'abbia fatto. In che modo potrebbe esserti d'aiuto saperlo?»

«Io devo saperlo. Se non lo fai tu, lo faccio io.»

«Mi spieghi lo scopo di tenere i ragazzi di Travis se continui a preoccuparti?»

«Il loro scopo non è farmi felice. Il loro scopo è tenermi in vita.»

«Ti stai di nuovo agitando.»

Il suo tono di superiorità la fece infuriare. «Ho il diritto di agitarmi. Quello mi dà la caccia. O è un'altra cosa a cui non dovrei pensare?» disse voltandosi. A un tratto si sentiva stremata. «Controlla alla dépendance, ok? Devo vestirmi.»

Andò in bagno e finì di spazzolarsi i capelli con più vigore del necessario. Quando tornò in camera, Howard era sparito.

Indossò un tailleur. Agli studi si sarebbe messa qualsiasi cosa il costumista avesse scelto per lei, solitamente qualcosa di blu per esaltare i suoi occhi.

Prima di uscire dalla camera, andò alla finestra per un ultimo sguardo alla spiaggia. La marea stava calando. I gabbiani volteggiavano e zigzagavano tra rischiose correnti d'aria. Avrebbe voluto mettersi a sedere e restarsene a guardare gli uccelli, senza dover andare a quella riunione che Travis aveva organizzato, senza pensare a niente.

La vita era più semplice quando aveva ventidue anni e lavorava come giornalista radiofonica a Duluth, in Minnesota. A quel tempo non c'erano soldi né per mangiare né per pagare l'affitto, ma era troppo impegnata per preoccuparsene. Forse sarebbe dovuta rimanere a Duluth, sposare il junior manager della stazione radio. C'erano delle volte in cui avrebbe voluto non essere così ostinata e ambiziosa, così affamata di incarichi importanti. Più soldi, più pressioni. Ma c'era sempre stata una parte di lei che sapeva sarebbe morta se non avesse avuto fama e successo, se non avesse potuto vedere degli estranei voltarsi al suo passaggio. Ora aveva tutto questo, e proprio a causa di questo, in particolare a causa di uno sconosciuto di cui aveva attratto lo sguardo, sarebbe comunque potuta morire.

La vita era una giungla. La sua, almeno. Ma forse anche quella di tutti gli altri.

Scese le scale e vide Courtney spolverare le palle da golf autografate nella vetrinetta di Howard. «Stanno aspettando nella Lincoln» le disse. «Il signor Drury e il signor Barwood.»

15

Kris lanciò un'occhiata all'orologio. Era in ritardo. Dire a Steve di portare fuori la macchina dal garage e aspettare nel vialetto con il motore acceso era il modo di Howard per farglielo notare.

Un sentiero delimitato da cespugli di rose, oleandri bianchi e fiori di sterlizia conduceva dall'edificio principale alla dépendance per gli ospiti adiacente il garage. Una Lincoln Town Car grigia, modello Cartier, la attendeva. Al volante c'era Steve Drury. La macchina era di Kris, ma il piacere di guidarla era una delle cose che Hickle le aveva rubato.

Steve scese e le aprì lo sportello posteriore. Anche lui si era cambiato. Indossava dei pantaloni, una camicia abbottonata fino al collo e una giacca a nascondere la Beretta. Kris scivolò sul sedile, accanto a Howard, mentre Steve si metteva al volante prima di regolare il volume dell'impianto audio *Alpine*. Inserì il CD del *Flauto Magico* di Mozart, il preferito di Kris. La tranquillizzava.

La *Lincoln* uscì dal vialetto e si diresse verso una stradina ai cui lati torreggiavano alti alberi di eucalipto. Al cancello della Reserve, delle guardie fecero un cenno mentre la Town Car passava. Poi la berlina accelerò sulla Pacific Coast Highway, sfrecciando sul ponte che passava sopra il Malibu Creek. Nella laguna alimentata dall'estuario, gli uccelli della costa si libravano nel sole pomeridiano.

«Hai controllato?» chiese a Howard con voce piatta.

Il marito si voltò a malapena. «Sì. Niente d'importante.»

«Cioè?»

«Ha telefonato un paio di volte stamattina. E basta. Nessuna chiamata nel pomeriggio. Forse sta perdendo interesse.»

«Sì. Forse.»

Lei però sapeva benissimo che finché fosse rimasta in vita Raymond Hickle non avrebbe perso interesse per lei.

* * *

Hickle era seduto sul ciglio della strada, un cappello gli copriva il viso e guardava la Town Car uscire dal cancello della Malibu Reserve. La guardò a lungo mentre si immetteva sull'autostrada lungo la costa. La macchina era vicina; riusciva a vedere la propria immagine riflessa sui pannelli lucidi. Dai vetri fumé del finestrino posteriore si intravedeva il profilo indefinito di una silhouette.

Era impossibile che Kris o il guidatore potessero notarlo. Seduto a gambe incrociate sul cordolo della strada, il cappello abbassato, poteva essere uno dei tanti anonimi disgraziati che vagavano per Malibu e altre città della costa californiana. Poteva starsene lì, a guardare Kris che andava e tornava, e nessuno se ne sarebbe mai accorto.

Il suo sguardo seguì la macchina finché non sparì. Continuò a fissare a lungo il punto in cui la vettura era scomparsa. Poi si alzò e si diresse verso la propria auto, una Golf parcheggiata in una strada secondaria a un chilometro e mezzo di distanza dalla Malibu Reserve.

Non aveva intenzione di raggiungere Kris. Il guidatore era un agente di sicurezza, addestrato a riconoscere un veicolo all'inseguimento. L'avrebbe seminato.

E comunque si aspettava di arrivare al cancello degli studi televisivi prima di lei. Era partita in anticipo rispetto al solito, ma la strada che aveva preso (direzione sud sulla Pacific Coast Highway, verso West Los Angeles) non era la via più veloce per Burbank.

Immaginò che avesse un appuntamento. Sarebbe stata occupata per una mezz'ora o più. Quando fosse arrivata agli studi, lui sarebbe già stato lì, vicino all'entrata del parcheggio.

In macchina c'era il suo borsone. Dentro, il fucile. Immaginava di stringerlo tra le braccia, di sentire la sua superficie liscia e levigata, di azionare la pompa e premere il grilletto e poi godere del rinculo appagante mentre il rimbombo del colpo letale si dissolveva nell'aria.

«Bang» disse Hickle. E sorrise.

2

Abby Sinclair era in ritardo e uscì dall'ascensore a passo sostenuto. Si trovava al diciottesimo piano del Century City, un edificio molto alto che ospitava la suite riconvertita in ufficio della Travis Protective Services. Si era sistemata i capelli alla meglio, ma t-shirt, jeans e Nike non erano esattamente l'abbigliamento ideale per presentarsi a una riunione di lavoro. Si fermò alla fine del corridoio, davanti a una doppia porta con il logo della TPS. Essendo a vetri poté appurare che, nonostante tutto, era presentabile. I freddi occhi nocciola dell'immagine riflessa le ricambiarono lo sguardo, rivelando ben poco di ciò che sentiva dentro. Era meglio che nessuno sapesse cosa provava ultimamente.

Entrò e passando sotto un metal detector si diresse verso la reception, dove consegnò un trolley all'agente di sicurezza. «Arrivo adesso dall'aeroporto. Tienilo al sicuro per me, ok?»

L'uomo aggrottò la fronte. «Non sapevo che lavorassi ancora per Travis.»

«Sono stata via per un po', ma adesso sono di nuovo in sella.»

Il cipiglio non accennò ad andarsene. «Be', non proprio una gran notizia.»

Abby non era sorpresa dalla reazione ostile né dagli sguardi freddi che l'accolsero mentre attraversava di corsa il labirinto di corridoi. Alla TPS erano in pochi a conoscere le disastrose dinamiche del caso Devin Corbal, ma tutti in agenzia sapevano benissimo che lei era in qualche modo coinvolta e che il suo coinvolgimento aveva causato la morte del cliente.

Superò le sale riunioni, le postazioni di lavoro in angusti cubicoli e gli uffici singoli o multipli. Con una specie di senso di colpa notò che circa la metà dei locali era vuota. La TPS stava tagliando in modo massiccio il personale per ridurre le spese che ormai dissanguavano l'agenzia. Solo i dipendenti essenziali avevano conservato il loro posto, coloro i cui incarichi rappresentavano la spina dorsale della TPS: valutazione delle minacce, protezione personale e missioni investigative. Ma a breve forse anche loro sarebbero stati licenziati, e in quegli uffici si sarebbero installati assicuratori o broker. Non voleva neanche pensarci.

Giunta davanti all'ufficio di Travis, fece un cenno alla sua segretaria, Rose, che la gelò con lo sguardo. «Sei in ritardo» disse in un tono che le fece capire che quello sarebbe stato l'ultimo dei suoi peccati.

«Digli che sono qui.»

«Un momento.» Rose impiegò più del necessario per attivare l'interfono. «Signor Travis? La signorina Sinclair è arrivata.»

Dall'apparecchio scadente Abby sentì la voce metallica di Travis che diceva di farla entrare.

«Sì, signore.» Rose la guardò. «Puoi andare.»

«Grazie mille.»

Abby attraversò l'anticamera. Stava girando la maniglia quando Rose le disse: «Questa è una cliente molto importante. Potresti sforzarti di tenerla in vita?».

Diverse risposte le sfrecciarono nella testa, ma le soffocò tutte. A volte il silenzio era la scelta migliore.

Entrò nell'ufficio di Travis e vide che stava parlando con una donna bionda che Abby riconobbe immediatamente: Kris Barwood. Accanto a lei c'era un uomo più anziano, robusto, che doveva essere il marito.

«Meglio tardi che mai» disse Travis emergendo da dietro la scrivania.

Tu quoque, Paul? pensò Abby. «Il mio volo era in ritardo.» Lo sguardo si estese a tutti. «Mi dispiace avervi fatto aspettare.»

Era il momento delle presentazioni. Howard Barwood aveva una stretta di mano vigorosa e ferma. Kris, com'era prevedibile, aveva lo stesso aspetto che mostrava in TV. Dopo aver conosciuto un certo numero di celebrità, nel corso degli ultimi due anni, Abby aveva capito che quelle belle lo erano per davvero. La storia che la telecamera trasformasse come per magia le persone normali in superstar era il contentino per le masse di invidiosi.

«Arriva da un viaggio fuori città?» chiese Howard.

«Sì... E questo spiega il mio abbigliamento decisamente poco professionale. In valigia avevo solo abiti casual.»

«Spero che non abbiamo interrotto la sua vacanza.»

«No, a dire il vero ero impegnata con un altro cliente. Missione compiuta ieri notte.»

«Pensavo che la TPS lavorasse solo con clienti di Los Angeles.»

«Non era un caso della TPS. Non lavoro per la TPS...» "... da Devin Corbal" stava per dire, ma si trattenne in tempo. «... da un paio di mesi. Sono una freelance. Lavoro con diverse agenzie in tutto il Paese. Paul mi ha lasciato un messaggio ieri sul cercapersone. Stamattina l'ho subito chiamato e mi ha spiegato brevemente la situazione in cui vi trovate.»

«Situazione.» Kris Barwood si sporse in avanti sulla sedia, posando delicatamente le mani sulle ginocchia, una posizione che doveva aver imparato durante qualche intervista in favore di telecamera. «È un bel termine da usare.»

«So che sembra una crisi» disse Abby, «ma la possiamo risolvere.»

Howard sbuffò. «Lo vada a raccontare a Devin Corbal.»

Per un momento Abby si chiese sorpresa come avesse fatto a scoprire il suo coinvolgimento nel caso Corbal. Poi si accorse che Howard stava guardando Travis.

Lei e Travis furono salvati da quel silenzio quando Kris si intromise con gentilezza. «Quando è arrivata, Paul ci stava spiegando quello che lei farà per me.»

«Il mio lavoro è piuttosto insolito, signora Barwood.»

«Dammi pure del tu. Io sono Kris.» La conduttrice sfoggiò un sorriso tutt'altro che artificiale.

«Ok, Kris. Io mi chiamo Abby.»

Howard prese di nuovo la parola. «Posso chiederti quanti anni hai, Abby?»

«Ventotto.»

L'uomo inarcò le sopracciglia, assumendo un'espressione scettica. «Non sei un po' troppo giovane per essere una psicologa abilitata?»

«Non sono una psicologa.»

«Il signor Travis qui...» Howard indicò con il pollice la scrivania. «... ha detto che sei un consulente psicologico.»

«È uno dei modi per descrivere il lavoro che faccio. Io mi definisco un "perito del rischio dinamico interpersonale". Ma c'è un modo ancora più semplice per farvi capire. Sono un pesce pilota.»

Kris e Howard si scambiarono uno sguardo stupito.

«Un pesce pilota» ripeté Abby. Lanciò la borsa su una sedia ma rimase in piedi. «Avete presente quei piccoli pesci che nuotano dietro agli squali? Raccolgono residui di cibo. Io faccio la stessa cosa, solo che i pesci con cui nuoto sono tizi come Raymond Hickle e i resti che racimolo sono pezzi di informazioni.»

Oltrepassò la scrivania di Travis, mettendosi davanti alle grandi finestre da cui si godeva una vista panoramica.

«Vedete, quando parliamo di valutazione della minaccia, i servizi di protezione personale devono disporre di un quadro di insieme e di un'analisi comportamentale che tracci il profilo dell'individuo in questione. La cosa migliore è conoscere davvero la persona coinvolta. Non è possibile farlo a distanza. Bisogna instaurare un rapporto intimo e personale.»

«Quanto intimo?» domandò Kris. «Quanto personale?»

«Se tutto va per il verso giusto, diventerò la miglior amica di Hickle.»

Per un attimo scese il silenzio, poi Kris disse: «Quest'uomo potrebbe non avere amici».

«Ma ne vuole uno. Tutti vogliono un amico. Sai cosa cercano le persone in un amico? Qualcuno con cui parlare. Qualcuno che li ascolti.» Abby sorrise. «E io sono un'ottima ascoltatrice.»

«Vuoi dire che lo analizzerai senza che lui se ne accorga?»

«Non si tratta di un'analisi psicologica. Devo studiare quest'uomo dal punto di vista della sicurezza. Determinare le sue intenzioni, capire i suoi orari. Devo tenerlo d'occhio, così se deciderà di agire sarò lì ad attenderlo al varco.»

«Pensi di essere in grado di fare tutto questo?»

«L'ho già fatto, molte volte.» E ho fallito solo in un caso, pensò.

Howard si stiracchiò sulla sedia. «Fammi capire bene. Stai parlando di un'operazione sotto copertura?»

«Sì, una specie.»

«Quindi fai la sua conoscenza, ti presenti con un nome falso, diventate amici. Poi rimarrai insieme a lui da sola?»

«Esatto.»

«Ma se lui desse di matto o mangiasse la foglia, ci sarebbero uomini armati nei dintorni, in contatto radio, vero?»

«No. Lavoro da sola. Porto con me solo un cellulare e una pistola.»

«Da sola? Accidenti… e perché mai?»

Fu Travis a rispondere a quella domanda. «Lei sta praticamente suggerendo di sorvegliare Raymond Hickle ventiquattr'ore su ventiquattro. Ma questo genere di operazioni non funziona mai.»

«Quando la polizia lavora sotto copertura» disse Kris, «solitamente dispone di una squadra di supporto in contatto radio.»

«Sì» ribatté Travis, «in un'operazione di venti minuti per beccare uno spacciatore. Noi vogliamo inserire Abby nella vita di Hickle per giorni, o anche settimane. Non è la stessa cosa. Un'operazione di sorveglianza richiede uno o due agenti appostati in una macchina davanti alla casa del soggetto. In un quartiere residenziale qualcuno noterebbe l'auto parcheggiata e gli uomini al suo interno nel giro di un paio d'ore. Chiamerebbero la polizia, ci sarebbe del trambusto e il nostro uomo intuirebbe la situazione.»

«Tanto per cominciare gli uomini come Hickle sono paranoici» aggiunse Abby. «Scattano per un nonnulla.»

Howard scosse la testa. «Allora non fateli rimanere seduti in una macchina. Piazzateli nel palazzo di fronte e fatelo sorvegliare da lì.»

«Il rischio è sempre troppo alto» disse Travis. «È molto difficile che l'operazione di appostamento abbia successo, se effettuata in un arco di tempo prolungato. Qualcuno noterebbe i binocoli o potrebbe intercettare le trasmissioni radio, o inizierebbe a insospettirsi per le consegne di cibo in un appartamento vuoto. Qualcuno potrebbe sentire dei rumori attraverso i muri. I vicini parlano, le voci girano e prima di rendertene conto, l'intera operazione della squadra è già saltata.»

«E se salta la loro copertura» disse Abby, «salta anche la mia.»

«C'è un altro fattore» continuò Travis. «Lei sta dando per scontato che Hickle se ne stia sempre buono in casa. Supponiamo che lui e Abby escano insieme. Dovremmo seguirli. È una manovra che non può essere eseguita con un solo veicolo, né con due o tre. Per avere una visuale di Hickle a trecentosessanta gradi senza essere scoperti, avremmo bisogno di almeno sei macchine per pedinarlo. A volte tenute a debita distanza nel traffico, a volte posteggiate nel luogo in cui crediamo si diriga.»

«E se mi portasse in qualche luogo affollato, diciamo sulla Promenade di Santa Monica un sabato sera» disse Abby, «la TPS avrebbe bisogno di una ventina di agenti per coprire ogni uscita o strada secondaria. Hickle potrebbe perdere l'inseguimento senza nemmeno provarci e io non avrei comunque saputo di essere senza protezione. Inoltre, nella maggior parte dei casi, se le cose si mettessero davvero male, tutto succederebbe così velocemente che i rinforzi al di là della strada non farebbero comunque in tempo a raggiungermi.»

«Allora le cose… si mettono davvero male qualche volta?» domandò Kris, in apparenza più curiosa che preoccupata.

L'immagine di uno sparo in un vicolo esplose nella testa di Abby, una voce le risuonò nella mente: *L'abbiamo perso.*

«Ogni tanto capita» disse senza far trapelare alcuna emozione. «Dipende dalla zona.»

Howard scosse di nuovo la testa. «Come pensi di proteggerti da uno psicopatico come Hickle?»

«Sono un'esperta di autodifesa. Se un soggetto diventa violento, so come reagire.»

«Abby sa badare a se stessa» confermò Travis. «È una delle specialiste più competenti con cui abbia mai lavorato.»

Lei rimase sorpresa. Lanciò una rapida occhiata a Travis e gli rivolse un tacito cenno di riconoscenza.

«Be'» disse Howard, «lo spero per lei.» L'uomo le piantò lo sguardo addosso. «Quanti casi hai seguito fino a ora?»

«Più di venti in due anni.»

«Immagino tu voglia smettere, adesso che sei al top.»

«Vuoi dire adesso che sono viva?» Sorrise.

Kris la stava studiando. «E per quanto riguarda Devin Corbal? Lavoravi a quel caso?»

Abby aveva previsto la domanda e aveva la risposta pronta. «No, ero a San Francisco a proteggere un presentatore radio che si era fatto troppi nemici.»

Odiava dover mentire a una cliente, ma se avesse detto la verità le avrebbero tolto il caso e, cosa ancora più probabile, Travis avrebbe perso la Barwood. E lei sapeva benissimo che la TPS non poteva permettersi di perdere una cliente come Kris.

In ogni caso nessuno avrebbe scoperto la bugia. Era scappata prima che la polizia potesse mettere in sicurezza la scena del crimine. I bodyguard della TPS non avevano spifferato nulla su di lei. Sheila Rogers, tenuta in custodia e in attesa del processo, aveva subìto una commozione cerebrale durante la caduta dalle scale e non si ricordava dell'attacco di Abby. Il barista aveva dichiarato che Sheila era seduta al bancone con una donna che lui non conosceva, ma aveva tralasciato la parte in cui si erano parlati, ovviamente perché non voleva confessare che era stato lui a indicare a Sheila la posizione di Corbal. In poche parole non c'era niente che potesse ricollegarla a quel caso.

Niente, a parte la sua coscienza, che la assaliva ogni notte con immagini di Devin Corbal accasciato sul marciapiede in una pozza di sangue.

«Comunque...» Howard incrociò le braccia, rivolgendo lo sguardo a Travis. «Voglio che venga messo a verbale che sono contrario a questa operazione.»

«La mia cliente è sua moglie» disse Travis in tono piatto.

«Questo lo so. È la sua vita a essere in pericolo, quindi la decisione spetta a lei. Ma se fosse per me...» Non riuscì a terminare la frase.

«Howard» intervenne Abby, «apprezzo molto la tua preoccupazione, ma questo è il mio mestiere. È di questo che mi occupo.»

«Sei un pesce pilota. Sì, me lo ricordo.» La guardò tutt'altro che divertito. «A volte però quei pesci si avvicinano un po' troppo allo squalo. A volte vengono mangiati.»

Abby sostenne il suo sguardo. «È l'altra faccia della medaglia.»

Nell'ufficio si sentiva solo il suono ovattato del condizionatore.

«Kris» chiese Travis, «abbiamo la tua autorizzazione a procedere?»

«Sì» disse Kris guardando Abby.

Howard si girò dall'altra parte. Le braccia incrociate sul petto e le mani posate sui bicipiti, aveva assunto il classico atteggiamento di sfida.

Abby annuì alla conduttrice. «Grazie.»

«Dovrei essere io a ringraziarti» ribatté Kris con dolcezza. «Sei tu a correre tutti i rischi.»

3

Al termine della riunione e una volta che i Barwood se ne furono andati, Abby si concesse di sedersi. Sprofondò su una poltrona in un angolo dell'ufficio di Travis e gli chiese: «Com'è andata?».

«Un successo senza precedenti» rispose lui.

«Dici sul serio?»

«Assolutamente. Li hai stregati.»

Travis si alzò e fece il giro della scrivania. Era un uomo alto, di quarantaquattro anni, con i capelli corvini leggermente diradati sulla fronte spaziosa. Sotto una giacca blu scuro indossava una camicia elegante con il colletto sbottonato, un paio di pantaloni marrone chiaro senza cintura e mocassini neri. Ogni indumento del suo look era prevedibile: possedeva una dozzina di giacche blu scuro, una dozzina di camicie, una dozzina di pantaloni marrone chiaro e altrettanti mocassini neri. Ogni giorno indossava lo stesso abbinamento. Era una delle sue manie. Non gli piaceva sprecare tempo prezioso a riflettere su come vestirsi.

«È bello riaverti qui, Abby» disse.

«Non ero sicura che volessi ancora lavorare con me dopo quello che è successo l'ultima volta. A proposito, grazie per aver detto che sono competente.»

«Lo credo davvero. Sono quattro mesi che ti colpevolizzi per il caso Corbal. Buttati tutto alle spalle adesso.»

Abby distolse lo sguardo. «Non avrei dovuto allontanarmi da lei.»

«Dovevi telefonare per comunicare la tua posizione.»

«Dovevo trovare il modo di farlo senza perderla di vista.»

Travis si sedette sul bracciolo. «Una piccola distrazione.»

«In questo business non possiamo permetterci nessuna distrazione.»

«Abby, se continuerai a fare questo tipo di mestiere, dovrai fronteggiare qualche imprevisto di quando in quando.»

«Un imprevisto? È di questo che si è trattato con Corbal?»

«Corbal era un idiota. Noi non volevamo che andasse al *Lizard Maiden* né in qualsiasi altro locale lungo la Strip. Gli avevamo detto di smettere di bazzicare per un po' i club abituali. Le possibilità che potesse incontrare Sheila Rogers erano troppo alte.»

«Il mio compito era impedire che qualcosa di simile succedesse.»

«Quello che voglio dire è che Corbal era un tipo cocciuto. Non ci dava ascolto. Insisteva, dicendo che voleva rischiare, e alla fine ha pagato per la sua testardaggine. Comunque sarebbe riuscito a scappare, se il privé fosse stato evacuato più velocemente. C'erano troppi amici insieme a lui e i nostri hanno impiegato troppo tempo a farli uscire tutti. Sono passati dalla pista da ballo e ci è voluta un'infinità, dato che il locale era affollatissimo. Poi gli agenti del nostro staff hanno dovuto portare Corbal sul retro del...»

«Perché io ho suggerito di usare la porta sul retro.»

«Era la cosa giusta da fare. E comunque non è che adesso sarebbe meno morto se fosse uscito dall'ingresso principale. Sheila gli avrebbe sparato sulla pista.»

«Forse no. Forse in tutta quella confusione non l'avrebbe visto. O forse... forse l'avrei potuta fermare.»

«Ce l'avevi quasi fatta.»

«Peccato che Corbal non sia *quasi* morto.»

«Hai fatto tutto quello che potevi. Non è colpa tua.»

Abby rimase in silenzio.

«Come sei venuta dall'aeroporto?» chiese Travis.

Lei batté le palpebre, sorpresa da quel cambio di discorso. «In taxi.»

«Allora ti serve un passaggio a casa.»

«Ne chiamo un altro.»

«No. Ti accompagno io. Durante il viaggio ti posso fornire informazioni più dettagliate sul caso Barwood. Stamattina al telefono non ho avuto abbastanza tempo per darti i particolari.»

«Ok, Paul. Grazie.»

Non si scambiarono più una parola finché non uscirono dagli uffici della TPS. Prima ritirarono il trolley di Abby alla reception, quindi presero l'ascensore e scesero fino al parcheggio sotterraneo. Una volta lì, Abby chiese a Travis: «Come vanno le cose? Intendo dire gli affari».

Paul si strinse nelle spalle. «Potrebbero andare meglio. Venerdì ci ha scaricato un altro cliente. La stessa vecchia storia. Non si fida più dei servizi della TPS.»

«A causa di Devin Corbal.» *A causa mia*, avrebbe voluto dire.

«Non è tanto per l'incidente in sé, quanto per la copertura mediatica. Si direbbe che finalmente hanno trovato qualcos'altro di cui parlare. La scorsa settimana il *Times* ha pubblicato un articolo bomba su di noi… scritto dal solito giornalista che giudica con il senno di poi e sputa sentenze come un vecchio bavoso. I nostri clienti l'hanno letto e la metà di loro sono pronti ad abbandonare la nave.»

«Molti l'hanno già fatto» disse lei, mesta, pensando alle scrivanie vuote, ai tagli del personale. Sapeva che Travis si era sempre vantato di aver mantenuto il suo business un servizio esclusivo. Non c'erano mai stati più di cinquanta nomi sulla lista di clienti della TPS. Era una politica che lasciava pochi margini di errore. Da quando i clienti avevano iniziato ad andarsene, mese dopo mese, Travis doveva però fronteggiare la fine dell'agenzia che aveva fondato.

«Abbiamo subìto delle perdite» ammise. «Ma ne usciremo. Alla fine torneremo più forti di prima.»

Sembrava crederci davvero. Anche lei avrebbe voluto essere così sicura.

La Mercedes C43 di Travis era nel parcheggio. L'uomo mise il trolley di Abby nel bagagliaio e la fece sedere sul sedile del passeggero.

Prima di chiudere la portiera, si chinò e le diede un bacio, un bacio breve ma intenso che le fece accelerare il battito cardiaco.

Non l'aveva baciata nel suo ufficio. Una delle loro regole era nascondere ogni gesto di intimità in presenza dei dipendenti della TPS o dei clienti.

Ora Travis teneva una mano sul volante, l'altra era stretta in quella di Abby. Guidava la berlina nel traffico della Avenue of the Stars. «Come ci si sente a essere tornati in città?» le domandò.

«Niente male. Oggi fa caldo.» Il finestrino era leggermente abbassato e l'aria le investiva la faccia.

«Siamo sui venti gradi. Più caldo che nel New Jersey, scommetto.»

«Ho dovuto comprare un cappotto. L'ho usato per un paio di giorni, poi l'ho regalato. Non entrava nel trolley.»

«E la pistola? Come l'hai trasportata?»

«Me la sono fatta spedire con FedEx dall'aeroporto di Newark questa mattina. Spedizione in giornata. Dovrebbe essere già stata consegnata a casa mia.»

«Per chi lavoravi là?»

«Gil Harris. Si è trasferito da San Diego un paio di mesi fa. Dirige un'agenzia di sicurezza a Camden. Uno stabilimento manifatturiero del luogo gli ha fatto un contratto quando hanno capito che il servizio di security interno non era in grado di gestire un ex dipendente di nome Frank Harrington. Non smetteva di minacciare la compagnia. Volevano che scoprissi se faceva sul serio.»

Travis svoltò su Santa Monica Boulevard, in direzione ovest. «E faceva sul serio?»

«Cavolo, sì. Ho trovato una lettera d'addio nell'hard disk del suo PC. Aveva intenzione di sfondare il cancello della fabbrica e fare fuoco con un paio di carabine automatiche ad alto potenziale.»

«Come sei riuscita a entrare nel suo computer?»

«Per prima cosa mi sono fatta rimorchiare da Frank in un bar. Lui mi ha portata a casa sua e abbiamo bevuto il bicchiere della staffa. Gli ho messo una pastiglia di Roipnol nel bicchiere, che l'ha steso in un secondo. Dopo ho setacciato l'appartamento, ho trovato la lettera e l'ho stampata. L'ho lasciata dove la polizia l'avrebbe sicuramente trovata. Poi ho chiamato il 911, denunciando un'effrazione all'indirizzo di Frank. Stava ancora dormendo quando me la sono squagliata.»

«Qualche rischio?»

«La polizia è arrivata un po' prima di quanto mi aspettassi. Sono dovuta uscire da una porta sul retro. Per il resto, tutto liscio come l'olio.» Sorrise. «Un'altra giornata di lavoro.»

«Qual era la data sulla lettera d'addio?»

«Mercoledì 23 marzo.»

«Domani.»

«Esatto.»

«L'hai fermato in tempo.»

«Così pare.»

«Hai salvato molte vite, Abby.»

«Già. Forse, se ne salverò abbastanza, potrò compensare per quella che non ho salvato.» Sospirò. «Allora, com'è questa storia, Paul? Parlami di Raymond Hickle.»

«Ha trentaquattro anni, bianco, celibe. Vive da solo, niente animali, basso reddito. Lavora da *Zack's Donut Shack*.»

«Cassa o cucina?»

«Tutte e due, ma soprattutto alla cassa.»

«Capacità sociali accettabili, quindi.»

«Sì, nei limiti. Non va in giro borbottando fra sé e neanche a fotografare bambini al parco.»

«Peccato. Altrimenti potevamo toglierlo dalla strada.»

«Non sarà facile. È molto ben considerato dai suoi ex datori di lavoro, almeno da quelli che siamo riusciti a rintracciare, e ne abbiamo trovati un bel po'. Quelli con cui abbiamo parlato ci hanno detto che Hickle è il miglior dipendente che abbiano mai avuto.»

«E allora perché l'hanno licenziato?»

«È lui che se n'è andato. È sempre stato lui a decidere.»

«Perché?»

«Perché gli avevano offerto una promozione. Sembra essere il nodo della questione.»

«Che tipo di promozione?»

«Supervisore. Questo tizio ha paura di prendersi delle responsabilità, a quanto pare.»

Abby scosse la testa. «No, non credo. Parlami di questi altri lavori.»

«Ha sempre occupato posizioni di basso livello. Assistente all'autolavaggio, maschera a teatro, lavapiatti in un bar, impiegato in un negozio di fotografia, inserviente in un palazzo di uffici.»

«Denominatore comune: mestieri in cui non si deve pensare troppo. Impari le basi e poi passi ai fatti. Se ti promuovono a supervisore, devi iniziare a pensare.»

«Non credo sia uno stupido.»

«Non ho detto questo. Sto dicendo che vuole tenere la mente libera di pensare a qualcos'altro invece che al suo lavoro. O a qualcuno come Kris Barwood, la conduttrice numero uno di Los Angeles e... unico vero amore di Hickle.»

«E anche l'unica cliente che la TPS non può permettersi di perdere.»

«Dici? Perché?»

«Perché ora come ora è l'unico personaggio mediatico che è rimasto dalla nostra parte. *Channel Eight* non ci ha voltato le spalle. Grazie a lei. Continua a dire che l'agenzia è stata vittima di accuse infondate. Ha rilasciato una dichiarazione pubblica. Se ci scarica anche lei, siamo fritti.»

Abby continuò per lui. «E se la TPS risolve il caso senza incidenti e se *Channel Eight* fa le cose in grande...»

«Darà un enorme contributo all'agenzia, infoltendo la nostra lista di clienti. Sì» disse Travis aggrottando la fronte, come se quel discorso l'avesse messo in imbarazzo.

«Quindi dammi più dettagli. Non tralasciare nulla.»

«Hickle ha iniziato a spedire a Kris delle lettere personali circa cinque mesi fa. Il nostro sistema di controllo le ha intercettate. All'inizio non sembravano pericolose. Le solite lettere dei fan, niente di speciale.»

«Erano firmate?»

«Sì. Ha sempre firmato con il suo nome. Ha inviato anche una sua foto, come faresti per un'agenzia di appuntamenti. Non ha mai cercato di nascondere il proprio aspetto.»

«E per questo non è meno pericoloso.» Abby sapeva che quelli che facevano stalking alle celebrità raramente rimanevano nell'anonimato. Al contrario, volevano che il loro bersaglio sapesse benissimo chi fossero. E volevano che tutto il mondo sapesse, in caso di un attacco violento.

«Chiedeva sempre una foto della conduttrice» disse Travis, «allora abbiamo permesso all'emittente di spedirgliene una di Kris con un autografo falso, senza dedica. Non volevamo incoraggiarlo in alcun modo, non volevamo che lo interpretasse come una risposta personale.»

«Ok.» Fino a quel punto era tutto nella norma.

«Purtroppo non è andata come speravamo. Ha iniziato a scrivere lettere più lunghe e più profonde, raccontandole il genere di cose che diresti a un amico intimo. Sono diventate piuttosto intense. Ha cominciato a mandarle persino dei regali.»

«Che tipo di regali?»

«Gioielli, soprattutto. Bigiotteria scadente. Una volta le ha mandato delle candele profumate perché aveva letto che pratica l'aromaterapia.»

«Qual è la sua storia? Casi di violenza?»

«No.»

«È stato mai internato o ricoverato?»

«No.»

«Arresti? Questioni con la polizia?»

«Non posso escludere un diverbio con la polizia, ma non ci sono denunce contro di lui.»

Abby annuì. Gli stalker imparavano a odiare in età precoce, ma non come i criminali comuni. Imparavano a dominarsi, riuscivano a tenere l'acredine sotto controllo. Pochi di quelli pericolosi, quelli con la mentalità dell'assassino, passavano guai con le forze dell'ordine. Erano attenti e distaccati. Rimanevano in attesa, aspettando il momento giusto.

«Ha smesso di scriverle tre settimane fa» disse Travis, «ma continua a chiamarla.»

«Ha il suo numero...» Non era una domanda, la cosa non la stupiva.

Travis annuì. «Di casa e del lavoro, anche se nessuno dei due è sull'elenco telefonico. All'inizio le chiamate non erano controllate e lui è riuscito a mettersi in contatto con lei. Kris ha cercato di parlargli e così ha commesso un errore madornale. Non ha fatto altro che aggravare la situazione.»

«Certo. Lui cerca il contatto.»

«Gliel'ho spiegato. Le ho fatto installare una seconda linea a casa e abbiamo monitorato tutte le chiamate che riceveva sulla prima grazie a una segreteria telefonica, ma non ha funzionato. In qualche modo Hickle ha intuito che avesse una seconda linea e ha trovato anche quel numero.»

«Ostinato, il pazzoide.»

«E intelligente.» Travis svoltò su Westwood Boulevard, in direzione nord. «Kris gli ha chiesto come ha fatto ad avere il suo indirizzo e lui gliel'ha detto. Ha cercato su Internet il nome di suo marito, Howard Barwood, e ha trovato l'ordine del giorno della California Coastal Commission dell'aprile 1999. Pubblicano sul loro sito i verbali di tutte le assemblee. Uno degli argomenti discussi allora era la richiesta di Howard Barwood di Malibu di far costruire un cottage, una dépendance, accanto al garage. Il suo indirizzo era indicato nel riepilogo della domanda.»

Abby sospirò. La privacy non esisteva più. «La domanda venne approvata?»

«Come no. Quel cottage si è rivelato molto utile. Ci abbiamo installato la nostra postazione di controllo.»

«Quanto spesso telefona Hickle?»

«Sei volte al giorno, in media.»

«Ha cercato il contatto fisico?»

«Ripetutamente. Da un lato però siamo fortunati. Kris vive nella Malibu Reserve. Si è trasferita lì qualche anno fa per motivi di sicurezza, una precauzione comprensibile per una nella sua posizione. È un luogo pressoché perfetto. Hickle non è mai riuscito a superare le guardie all'ingresso. Stessa cosa all'emittente. La KPTI è dotata di recinzione e cancello, e quelli della sicurezza hanno la foto di Hickle.»

«Ha mai cercato di entrare in casa o al lavoro? Quante volte in tutto?»

«Più di una ventina di tentativi.»

«Con frequenza in aumento?»

«Sì.»

«Male.»

Su Wilshire Boulevard, Travis svoltò verso est. Il viale, ampio e trafficato, era fiancheggiato su entrambi i lati da alti condomini e da alcuni grattacieli di uffici. Abby abitava in una traversa a metà della strada.

«Prima dicevi che Kris Barwood è ancora dalla tua parte» disse Abby mentre si iniziava a intravedere casa sua. «Come si è sentita dopo l'incidente con Corbal?»

«Impaurita, agitata. Anche se è con la TPS da anni, stava quasi per lasciarci. Howard era pronto a strappare il contratto, ma Kris ha avuto l'ultima parola. L'ho dissuasa dal farlo.»

«E adesso è la tua cheerleader preferita. Devi averle fatto proprio un bel discorsetto di incoraggiamento.»

«Diciamo che so essere persuasivo, quando voglio.»

La Mercedes entrò nel viale che portava al piazzale del prestigioso palazzo in cui viveva Abby, il Wilshire Royal.

«Vuoi salire?» chiese lei in tono vago.

Travis esitò. «Meglio di no. Ho un sacco di cose da fare oggi.»

«Già, direi che anch'io ho la mia bella mole di lavoro da sbrigare.»
Era brava a nascondere il disappunto.

Scesero dalla macchina e Travis le prese il trolley. Aprì la sua valigetta e diede a Abby una busta che conteneva uno spesso fascicolo di fogli. «La tua copia del caso.»

«La lettura della buona notte» disse Abby, infilando la busta nella valigia. «Grazie per lo strappo, Paul. E... grazie per avermi dato un'altra possibilità.»

«Non ti ho mai ritenuta responsabile, Abby. Mai.»

«E se la TPS fallisse, continueresti a pensarla così?»

«Non fallirà e le cose si sistemeranno.»

«Certo. Lo so.»

Abby fece per voltarsi, ma lui la afferrò per le spalle e la baciò, un bacio intenso e impetuoso anche se troppo breve. Quando si staccò dalle sue labbra, Travis aveva un'aria accigliata. «Sai, credo di averti dato l'impressione sbagliata.»

Lei rimase confusa per un momento. Poi capì che si stava riferendo al caso e non alla loro relazione. «Come mai?»

«Ho messo l'accento sugli aspetti più sinistri di Hickle, ma c'è anche un lato positivo. È un dipendente affidabile senza precedenti penali, nessuna malattia mentale accertata, nessun atteggiamento violento riscontrato. Non ha mai spedito minacce formali a Kris. Lo so che tutte queste cose non ci danno alcuna certezza, ma mettendole insieme inizia a sembrarmi sempre meno un pazzo assassino e sempre più un tizio innocuo, un tipo con comportamenti stravaganti.»

«Forse hai ragione tu.»

«Non voglio che affronti il caso con dei pregiudizi.»

«Non lo farò. Devo conoscerlo. Sarà lui a dirmi chi è veramente e quali sono le sue intenzioni. Valutazione del rischio, è il mio campo. Raccogliere informazioni e analizzarle.»

«A sentire te sembra un lavoro banale.»

Abby sorrise. Ma era un sorriso triste, carico di saggezza. «Lo è... quando va tutto liscio.»

4

Alle 15.15 Hickle parcheggiò la macchina in una strada secondaria vicino all'entrata degli studi di *Channel Eight*. Da quella posizione godeva di una chiara visuale del cancello di sicurezza.

Sul sedile posteriore c'era il suo borsone. Lo prese, aprì la zip ed estrasse un fucile calibro .12 completamente carico.

Lo appoggiò sulle gambe. La lunga canna d'acciaio era fredda al tatto. Gli piaceva scorrerci le dita sopra, sentire la superficie liscia. A volte si immaginava di far scivolare la canna nella bocca di Kris Barwood, di farle assaporare quel fucile mentre guardava i suoi occhi al di sopra del metallo luccicante. Sarebbe bastato premere il grilletto una sola volta e niente più occhi, niente più bocca, niente più Kris.

Bang.

Percepì una sensazione di eccitamento all'inguine. Non era la prima volta. Dal primo giorno in cui l'aveva vista, aveva avuto pensieri passionali su Kris Barwood. Da allora lei era costantemente con lui, almeno nella sua testa. A letto la stringeva fra le braccia, e l'odore dei suoi capelli e della sua pelle lo inebriavano fino a farlo addormentare. Durante il giorno, mentre era al lavoro o a sbrigare commissioni, inventava delle conversazioni con lei, dialoghi fantastici in cui lui era sempre allegro e arguto, e lei scoppiava a ridere alle sue battute. Per molti mesi erano stati sposati. Lei lo aspettava nel suo appartamento. Cenavano insieme e lei lo guardava profondamente negli occhi.

Ma nelle ultime settimane le sue fantasie erano svanite, andate in fumo come l'illusione che erano sempre state. Aveva protetto quel sogno il più a lungo possibile, ma un giorno la realtà l'aveva mandato in frantumi.

Lei non lo amava.

Non voleva parlare con lui né leggere le sue lettere, né accettare i suoi regali. Le aveva chiesto gentilmente di indossare i gioielli che le aveva regalato quando era in onda. Non l'aveva mai fatto. Le aveva telefonato un numero infinito di volte e nelle rare occasioni in cui era riuscito a parlarle, lei si era dimostrata ostile e distaccata.

Non era giusto. Lui meritava il suo amore. Nessuno avrebbe potuto fare di più per lei. Non le aveva forse dedicato tutta la sua vita? Non custodiva per lei un posto speciale nel suo cuore? Aveva trascorso ore infinite a scovare anche il più piccolo frammento di notizie sulle riviste e nei ritagli di giornale, imparando la sua storia, memorizzando ogni singolo dettaglio della sua vita.

Sapeva che i suoi genitori l'avevano mandata a un corso di nuoto a nove anni, dopo aver fatto costruire una piscina nel giardino della loro casa a Minneapolis. Sapeva che era stata la reginetta del ballo alle superiori. Aveva frequentato l'università del Minnesota, laureandosi in giornalismo, e dopo la laurea si era trovata un'occupazione a tempo pieno alla radio di Duluth. L'anno successivo aveva avuto la sua grande occasione, un lavoro come giornalista televisiva a Fort Wayne, Indiana. Hickle aveva scoperto un negozietto specializzato in oggetti rari e cimeli e per 35 dollari aveva acquistato una foto di Kris con la scritta: GRAZIE PER IL VOSTRO SOSTEGNO. CONTINUATE A SEGUIRMI!

Sapeva che da Fort Wayne, che occupava la posizione 102 nella classifica dei 210 mercati televisivi degli Stati Uniti, era passata a Columbia, nel South Carolina, alla posizione 87. Da lì era andata a Albuquerque, al cinquantaduesimo posto, e poi a Cincinnati, al trentesimo. Nel 1987 era arrivata a Los Angeles. In poco tempo la KPTI aveva iniziato a collezionare riconoscimenti e a conquistare telespettatori. Hickle sapeva, *tutti* lo sapevano, che il motivo di questo successo era da attribuire a Kris. L'unica che valeva la pena guardare su

Channel Eight o su qualsiasi altro canale, a dirla tutta. C'era solo Kris. Quando la KPTI era riuscita ad aggiudicarsi il prestigioso Golden Mike Awards e a registrare indici d'ascolto più elevati, lo stipendio di Kris era aumentato. Il primo contratto, nel 1992, ammontava a un milione di dollari. Due milioni di dollari per tre anni nel 1997. E adesso il nuovo contratto, il più ricco nella storia dei notiziari radiotelevisivi di LA. «La donna da sei milioni di dollari», così recitava il titolo di un articolo pubblicato dal *Los Angeles Times*.

Aveva dedicato ogni minuto, ora, giorno, settimana e mese della sua vita a Kris Barwood, nata Kristina Ingrid Andersen presso il Meeker County Memorial Hospital a Litchfield, in Minnesota... Sì, sapeva perfino il nome dell'ospedale, indicato sul certificato di nascita che aveva ricevuto via email per una cifra irrisoria.

Amava sciare (*Redbook*, luglio 1999), la pasta (*Los Angeles Magazine*, marzo 1998) e la cioccolata (commenti estemporanei mentre era in onda, notiziario delle 18, trasmissione del 21 dicembre 1997). Aveva assistito alla prima di *Toy Story* e il film d'animazione le era piaciuto molto (*Entertainment Weekly*, 25 novembre 1995).

Si era interamente dedicato a lei. Aveva donato la sua vita a Kris Barwood. A lungo aveva nutrito la speranza che un giorno sarebbero stati insieme. Sì, è vero, lei aveva un marito, Howard Barwood, che aveva incontrato alla raccolta fondi di Brentwood a favore della paralisi cerebrale. Howard Barwood, che aveva guadagnato più di venti milioni di dollari grazie al mercato immobiliare del Westside. Aveva acquistato vecchie case su lotti di varia natura, le aveva buttate giù e aveva costruito ville che valevano tre volte il prezzo iniziale. Tutte informazioni raccolte da un'intervista al signor Barwood nell'aprile del 1996 sulla rivista *Success*.

Ma Howard Barwood non era l'uomo giusto per lei. Era solo un evento accidentale nella sua vita, mentre Hickle era il suo destino.

Avrebbe dovuto capirlo. Glielo aveva spiegato spesso nelle lettere e nei messaggi telefonici, ma lei non voleva sentire ragioni. Si rifiutava di trattarlo con un minimo di cortesia o gentilezza. Lo aveva respinto malamente. Era stata scortese. Lei...

Un momento.

In fondo alla strada era spuntata un lunga macchina grigia. Una Lincoln Town Car? Sì.

L'auto di Kris.

Si dirigeva lentamente verso il cancello degli studi e di colpo si arrestò, il motore acceso.

Hickle sollevò il fucile. Con un dito accarezzava il grilletto.

Avrebbe potuto ucciderla da quella distanza? Non ne era sicuro. Il rimbombo dello sparo si sarebbe sentito in lontananza. Di certo avrebbe mandato in frantumi il finestrino laterale, ma forse non l'avrebbe colpita. Si sarebbe messa al riparo, l'autista avrebbe ingranato la retro e sarebbero scappati...

Il cancello si aprì. La macchina lo oltrepassò. Hickle rimase a guardare.

Il suo piano non era mai stato spararle. Non lì. Al momento giusto avrebbe scelto il posto perfetto per l'imboscata. Non avrebbe commesso errori.

La Lincoln scivolò sino alla fine del parcheggio, fermandosi nel posto riservato a Kris Barwood accanto all'entrata secondaria dello studio A.

Hickle rovistò dentro il borsone ed estrasse un binocolo. Osservava la macchina attraverso le lenti. Il primo a uscire fu l'autista. Aprì la portiera di Kris, che emerse nella luce del sole, alta e bionda. Indossava un tailleur blu ma lui sapeva che si sarebbe cambiata prima di andare in onda.

Poi qualcun altro affiorò dal sedile posteriore della berlina. Un uomo. Hickle ne mise a fuoco il volto e lo riconobbe: Howard Barwood.

Non lo aveva mai visto dal vivo. Di solito Kris non era accompagnata dal marito quando si recava al lavoro. Hickle era sorpreso che l'uomo fosse lì quel giorno.

Si mise a studiare Howard, un idiota dai capelli grigi e con il doppio mento, che non smetteva di sorridere e che aveva vinto una donna che non meritava neanche lontanamente.

Hickle sentì la tensione salirgli nel petto. Con un gesto rapido della mano toccò il fucile, ma chiaramente il bersaglio era troppo distante.

Comunque Howard per adesso poteva tenersi Kris, anche se non l'avrebbe avuta ancora per molto.

Questo pensiero lo tranquillizzò mentre osservava la guardia del corpo scortare i Barwood verso la porta dello studio televisivo. All'entrata, Howard si fermò per dire qualcosa a Kris, poi si avvicinò, la prese per la vita e la baciò.

La baciò.

«Pezzo di merda» disse Hickle con un sussurro roco, colmo di risentimento. «Non devi farlo. Tu non la devi neanche toccare. Non osare.»

Il bacio durò un attimo. Poi la porta si aprì e i Barwood entrarono. La porta si richiuse alle loro spalle.

Hickle continuò a lungo a puntare il binocolo sulla porta. Ma non vedeva la porta. Vedeva soltanto il ricordo di quel bacio.

Aveva guardato Kris in TV per mesi interi, registrato le sue trasmissioni e rivisto ogni inquadratura stoppando l'immagine sulle sue varie espressioni. Aveva ritagliato scatti dalle riviste e dai giornali. L'aveva guardata fare jogging sulla spiaggia e aveva sbirciato attraverso le finestre di casa sua.

Ma non l'aveva mai vista con il marito. Non lo aveva mai visto baciare la sua bocca perfetta.

Abbassò il binocolo. Le mani gli tremavano. Gli ci volle un momento per riconoscere che quella che provava era una rabbia profonda.

Kris apparteneva a lui, lo avesse accettato o no. Lei era sua, era il suo destino. Era sua, non di quell'uomo. Quello non aveva alcun diritto di abbracciarla. Alcun diritto di posare le proprie labbra sulle sue.

Hickle chiuse gli occhi ma non servì. Adesso li vedeva sul letto, il signor e la signora Barwood. Kris nuda, Howard sopra di lei, i corpi frementi, Howard che ci dava dentro, ansimando come un animale, e Kris in preda al piacere, insaziabile...

I suoi occhi si aprirono. Batté le palpebre alla luce del sole e al cielo blu. All'improvviso realizzò che doveva andare subito via di lì. E sapeva dove andare, sapeva cosa fare.

Avviò il motore e partì, evitando di passare davanti al cancello degli studi in modo che il sorvegliante non riconoscesse la sua macchina. Imboccò la Glendale Freeway e procedette verso nord in direzione della Angeles National Forest. Vicina alla cittadina di La Cañada, si trattava di una porzione appartata di bosco che lui aveva scoperto l'anno precedente durante un giro in macchina. L'acqua di un ruscello gorgogliava in una radura assolata al termine di una strada sterrata.

Parcheggiò. Quando scese dall'auto, prese il borsone con sé.

Camminò per una novantina di metri dentro al bosco, posò il borsone ed estrasse un paio di cuffie antirumore, il fucile e due scatole di cartucce.

Il primo sparo spaventò uno stormo di uccelli, che turbinarono in cielo. Dopo il secondo non si mosse nulla. L'unico suono era l'eco ovattata dello sparo.

Il fucile aveva una capacità di quattro cartucce. Lo svuotò e lo ricaricò, poi ripeté l'operazione.

I tronchi degli alberi caduti e i cumuli di piccoli sassi erano i suoi bersagli. Ma in realtà non aveva nessun bersaglio. Un fucile non era un'arma di precisione, era un'arma da puntare contro qualcosa... o qualcuno. La grande potenza dello sparo poteva spazzare via tutto ciò che si trovava a tiro.

Non lo interessava acquisire precisione, piuttosto familiarità con l'arma. Sentiva il bisogno di capire la gittata, la potenza, il rinculo. Il fucile doveva divenire parte di lui, l'estensione del braccio e della spalla. Quando fosse giunto il momento di utilizzarlo, avrebbe avuto una sola possibilità e non poteva fallire.

5

Il Wilshire Royal era uno dei palazzi più costosi di Westwood e il mutuo di Abby era follemente alto, considerando soprattutto quanto poco tempo trascorreva in casa. Ma quel posto offriva due vantaggi che lei apprezzava particolarmente: lusso e sicurezza.

Una grande fontana zampillante ornava il viale, pregiato marmo grigio decorava l'atrio. Un'eccellente riproduzione dell'*Eva* di Rodin impreziosiva l'ala che ospitava gli ascensori. La sicurezza era meno evidente. Il portiere che la salutò mentre si dirigeva verso il vialetto principale e che le prese il trolley non aveva l'aspetto di una guardia, ma sotto il blazer rosso un occhio esperto sarebbe stato in grado di individuare il rigonfiamento di una fondina da spalla. I due uomini in uniforme seduti al tavolo in mogano della reception tenevano le pistole in piena vista, ma la serie di schermi delle telecamere a circuito chiuso era nascosta sotto il tavolo.

«Ehi, Abby» disse uno dei due.

Lei sorrise. «Vince, Gerry, come andiamo?»

«Giornata fiacca. Com'è andata la trasferta?» Credevano che Abby facesse la rappresentante di un'azienda di software e per questo fosse spesso in viaggio.

«Redditizia.»

Chiese se c'era una pacco FedEx per lei con consegna in giornata e lo trovarono sotto il tavolo. Si mise il pacco sotto braccio. Era bello riavere la pistola. Senza si sentiva nuda.

«Grazie, ragazzi» disse con un sorriso e un cenno della mano. «Ci vediamo.»

L'ascensore che la portò al decimo piano era munito di telecamera nascosta. Il pannello di controllo faceva scattare un allarme silenzioso che avvisava la reception nel caso l'ascensore fosse stato bloccato deliberatamente tra due piani. C'erano delle telecamere nelle scale e nel garage sotterraneo, al quale si poteva accedere solo tramite l'inserimento di una tessera magnetica in un dispositivo che azionava il portone d'acciaio. Anche l'entrata era monitorata da una telecamera di sorveglianza. Mancava solo un fossato pieno di coccodrilli. Avrebbe potuto avanzare l'idea alla prossima riunione condominiale.

Non era sicura che tutte quelle precauzioni fossero effettivamente necessarie. Per gli standard di LA, Westwood era un quartiere tranquillo. Ma correva già troppi rischi sul lavoro. Le piaceva avere un rifugio in cui tornare.

Il suo appartamento era il 1015. Aprì la porta ed entrò nel salotto che occupava metà della metratura di tutto l'alloggio, di novanta metri quadrati. L'aria era stantia visto che era rimasto chiuso per una settimana. A parte quello, tutto era esattamente come l'aveva lasciato.

Posò la valigia e il pacco su una poltrona imbottita. L'arredamento era stato scelto per privilegiare la comodità, senza particolare attenzione allo stile. Amava avere una poltrona in cui poter sprofondare e un divano più soffice di un letto. Cuscini decorativi e trapunte colorate erano sparpagliati qua e là, insieme al classico orsetto polare di peluche e a un pappagallo finto che contribuivano a conferire alla casa un'impressione generale di disordine. Le sue doti di arredatore erano estremamente limitate, anche se era riuscita a trovare due quadri che le piacevano. Entrambi erano stampe pescate da un cesto di offerte speciali. Una era un'opera matura di Joseph Turner, un paesaggio che si dissolveva in un bagno di luce, l'altra una delle tante versioni del *Regno della pace* di Edward Hicks, predatore e preda alleati. L'opera di Turner possedeva una sfera spirituale capace di toccare una parte di lei che indagava raramente, mentre quella di Hicks, con il suo ingenuo ottimismo, la faceva semplicemente sorridere.

Spalancò le tende e la portafinestra che dava sul balcone per dare aria alla stanza. L'appartamento affacciava su Wilshire Boulevard. Era abbastanza in alto perché il rumore del traffico quasi non arrivasse fin lassù.

In cucina bevve due bicchieri d'acqua. L'aereo le lasciava sempre la gola secca. Nel freezer trovò mirtilli e pesche, li scongelò nel microonde e li mise nel frullatore insieme a un po' di yogurt alla vaniglia e a del latte scremato scaduto da due giorni. Dopo pochi secondi il frullatore aveva ridotto il contenuto in una poltiglia schiumosa e bluastra che lei versò in un bicchiere e bevve lentamente, interrompendosi per ingerire vitamine varie e integratori minerali.

Uscì dalla cucina, indossò un accappatoio di spugna bianco e fece scorrere l'acqua della vasca. Per un momento pensò di aggiungere degli oli da bagno, poi respinse quella prospettiva appagante. Stava per sfilarsi l'accappatoio quando il citofono suonò.

Rispose, il tono irritato. «Sì?»

«C'è il signor Stevens qui» disse una delle due guardie dell'atrio.

«Ok, Vince. Fallo salire.»

Stevens era il nome che Travis utilizzava quando andava a trovarla. Le guardie non dovevano sapere che Abby aveva dei legami nell'ambiente della sicurezza, e il nome di Travis ultimamente aveva ricevuto parecchia pubblicità.

Lo aspettò, chiedendosi perché fosse tornato.

Quando il campanello trillò, aprì la porta e lui entrò senza dire una parola.

«Ehi, Paul. Dimenticato qualcosa?»

«Non esattamente. Ho cambiato idea.»

«Su cosa?»

«Sull'urgenza di tornare in ufficio.»

Lei sorrise, rilassandosi e allo stesso tempo avvertendo una scarica di piacere. «Ah sì?»

«Sai come dice il proverbio: troppo lavoro e niente spasso, il morale scende in basso.» Diede un'occhiata all'appartamento. «Questo posto non è cambiato per niente.»

«Non è passato poi così tanto tempo dall'ultima volta che sei stato qui» disse Abby, ma subito si rese conto che si sbagliava. Erano passate settimane, e non solo perché era stata in viaggio. Negli ultimi mesi, anche quando era a LA, non vedeva Travis troppo spesso. Insomma… dal caso Devin Corbal.

Lui si diresse verso il balcone. «Vedo che la vista non è migliorata.» L'anno precedente avevano iniziato a costruire un palazzo di uffici dall'altra parte della strada, nero, orrendo e, fino a quel momento, deserto; qualche impedimento finanziario o legale aveva bloccato i lavori nella fase finale.

«Mi ci sono abituata» disse Abby, «anche se devo ammettere che è un peccato per il quartiere. Tutti quei posti vuoti…»

Si interruppe. Per un attimo rimasero entrambi in silenzio e lei sapeva che Travis stava pensando agli uffici vuoti della TPS. Si sarebbe data un ceffone.

Ma quando lui voltò le spalle al balcone, stava sorridendo. «Sento scorrere dell'acqua?»

«Stavo per farmi un bagno.»

«Intrigante.»

«Non credo ci sia abbastanza spazio per due.»

«Hai mai provato?»

«Veramente no.»

«Dovresti. Perché non vai a controllare se l'acqua è calda?»

«Già, perché no?»

Lo lasciò in salotto e s'incamminò verso il bagno. La vasca era mezza piena e la temperatura dell'acqua perfetta. L'aria, densa di vapore, era umida e seducente. Gli oli non sembravano più una brutta idea. Quando li rovesciò nella vasca, bianche bolle emersero dall'acqua, riflettendo la luce del soffitto in un arcobaleno di colori. Si tolse l'accappatoio, lo appese dietro la porta e si distese nella vasca. Lo spazio era esiguo e, da brava pessimista, pensò che aveva ragione: non c'era posto per due.

Poi entrò lui. Era senza vestiti e lei lo intravedeva attraverso il vapore. Si chinò su di lei e la baciò. Abby avvertì un fremito leggero quando lui fece scivolare la mano nell'acqua e le accarezzò il seno. Era una carezza lenta e circolare, il tocco delicato delle dita, la pressione più decisa del palmo, mentre con l'altra mano le accarezzava i capelli, il collo, le massaggiava le spalle perennemente in tensione.

«Mi sa che non ci entri» disse lei in tono malizioso.

«Vedremo.»

Travis allungò la mano dietro di lei e chiuse il rubinetto, poi accarezzò i muscoli tonici e sottili della sua schiena. L'acqua, arricchita dagli oli, era delicata e morbida, un liquido esotico, diverso dalla solita acqua.

«Mi sei mancata.»

Per un attimo rimase sorpresa. Non era mai romantico.

«Io...» Perché era così difficile dirlo? «Anche tu mi sei mancato.»

Il livello dell'acqua si alzò. Era entrato nella vasca, le gambe divaricate contro i suoi fianchi, mentre l'acqua ondeggiava lentamente intorno a loro e bolle vaganti si staccavano dalla massa oleosa esplodendo in piccoli *plop*. «Temo che le circostanze non permettano troppa eleganza» si scusò Travis.

Lei ridacchiò. «L'eleganza non è sempre necessaria.»

Si dondolarono gentilmente nell'acqua e nel vapore. Lei fece scivolare indietro la testa, una ciocca di capelli le faceva da cuscino contro la parete piastrellata. Sul soffitto l'aspiratore ronzava. Dell'acqua gocciolava dal rubinetto. Le batteva il cuore e sentiva il respiro di Travis.

«Abby» ansimò lui.

Lei chiuse gli occhi.

«Abby.»

Era dentro di lei.

«Abby...»

Travis si muoveva avanti e indietro, sempre più forte, spingendosi in profondità.

Abby inarcò la schiena, emergendo dall'acqua mentre i capelli le danzavano davanti al viso in un turbine nero. A un tratto ebbe la vaga sensazione di aver sbattuto la testa contro quelle maledette piastrelle, ma non importava.

Quando lui uscì da lei si strinsero, avviluppati tra le bolle, mentre i loro corpi emanavano spirali di vapore.

«Te l'ho detto che sarei entrato» disse Travis.

Non poté contraddirlo.

* * *

Nel tardo pomeriggio Abby si svegliò nella familiare penombra di camera sua. Si tirò su, appoggiandosi al gomito, per vedere dove fosse Travis. Ma lui se n'era già andato, ovviamente. Era tornato in ufficio. Pensò che era stato premuroso da parte sua non averla svegliata.

Si ricordò vagamente che avevano lasciato la vasca quando l'acqua era diventata fredda. Si erano asciugati a vicenda e la frizione vigorosa si era trasformata in un contatto più sensuale. Poi erano andati sul letto, avevano fatto saltare via le coperte e avevano ripreso da lì. Stavolta le circostanze avevano favorito una dose notevole di eleganza. Poi lei si era assopita e lui se n'era andato, raccogliendo i vestiti in salotto che sicuramente doveva aver piegato e sistemato con cura. Per lo meno l'aveva inserita nel suo programma della giornata. Aveva trovato un buco per lei tra il pranzo e gli appuntamenti pomeridiani.

Scosse la testa. Non era giusto. Ma cosa si aspettava da lui? Che cancellasse tutti gli impegni e trascorresse l'intera giornata con lei? Stava cercando di salvare la sua attività altamente compromessa e, nel frattempo, di mantenere vive alcune delle personalità più influenti di LA.

Comunque Abby non gli aveva mai chiesto di più. Le piaceva avere i suoi spazi e la sua libertà. Forse le piaceva troppo, per il suo stesso bene.

Si alzò dal letto e indossò una t-shirt e un paio di pantaloncini corti. A piedi nudi, andò in cucina e aprì una scatoletta di tonno. Schiacciato tra spesse fette di pane ai datteri, riusciva persino a diventare un sandwich piuttosto gustoso. Quando mangiava solitamente guardava la TV oppure leggeva, ma a quell'ora in televisione non c'era niente e l'unica lettura disponibile al momento era la relazione di Travis. Stava per estrarla dalla valigia, quando si bloccò. «Tutto lavoro e niente spasso» disse pensosa.

Era stato Travis a dirlo. Aveva ragione. Poteva concedersi una pausa. Eppure, mentre mangiava seduta al tavolo, si ritrovò a lanciare occhiate alla valigia.

«Sei una stacanovista» si rimproverò. «Questo mestiere ti ucciderà se non allenti la presa di tanto in tanto.» Sempre che quel mestiere non la uccidesse nel senso letterale del termine.

All'improvviso l'aria fu invasa da un'ondata di energia negativa. Inserì un CD nell'impianto stereo. Il disco, scelto a caso, era un vecchio album jazz di Kid Ory. Rimase ad ascoltare mentre Kid suonava il suo trombone in *Muskrat Ramble*. Ma Abby conosceva quella canzone troppo bene per stare ad ascoltare fino in fondo, e i suoi pensieri presero a vagare su altri lidi. L'università. Un temporale a gennaio e lei che, sotto la pioggia battente, rompeva con Greg Daly. Era diventato pressante, non la lasciava respirare. Anche allora aveva bisogno dei suoi spazi. Era sempre stato così per lei.

Una volta ne aveva parlato anche con suo padre. Riusciva a vederlo con chiarezza nei suoi ricordi, mentre strizzava gli occhi al sole dell'Arizona, un reticolo di rughe che gli incorniciava i sereni occhi nocciola. Aveva ereditato quegli occhi, quella esatta sfumatura, e forse il senso di distacco che comunicavano. Suo padre era un uomo riflessivo, incline alla contemplazione e al silenzio. Possedeva un ranch nel disabitato territorio pedemontano a sud di Phoenix. Una sera sedevano insieme davanti alle tonalità rossastre del tramonto nel deserto e osservavano eserciti di cactus trafiggere con i loro grossi rami quel cielo lucente. Gli aveva chiesto perché lei non piacesse ai ragazzi della scuola. Aveva dodici anni.

"Non è che non gli piaci" le aveva detto suo padre. "È che si sentono un po' scoraggiati. Intimiditi, credo."

Era rimasta sconcertata. "Cosa c'è che intimidisce in me?"

"Be', fammi pensare. Cosa c'è che intimidisce in una ragazza capace di arrampicarsi sugli alberi meglio di loro, di ferrare un cavallo o di mirare e sparare con un fucile come un professionista?"

Gli aveva fatto notare che la maggior parte di loro non l'aveva mai vista fare quelle cose.

"Ma loro ti guardano, Abigail." L'aveva sempre chiamata così, mai Abby o Constance, il suo secondo nome. "Guardano come ti comporti. E comunque non è che tu li incoraggi molto, giusto? Te ne stai per i fatti tuoi. Ti piace la solitudine e vuoi la tua privacy."

Aveva dovuto ammettere che era così.

"Noi ci somigliamo molto" aveva detto Henry Sinclair. "Tendiamo a sentirci in gabbia più facilmente degli altri." Lei gli aveva chiesto se fosse una cosa buona. "Sì, lo è" le aveva detto. "Se sai sfruttarla a tuo favore." Quando gli aveva chiesto come, lui aveva risposto: "Lo capirai da sola"..

L'aveva capito? Erano passati sedici anni da quella conversazione. Suo padre non c'era più, e neanche sua madre. Era più sola adesso di quanto non fosse stata quando era bambina, e tendeva ancora a sentirsi in gabbia più facilmente degli altri.

6

Alla sera, dopo una cena leggera, Abby si recò nella piccola palestra di fianco all'atrio (di solito faceva mezz'ora di step), poi andò a piedi fino a Westwood Village. Lì vagò per qualche libreria e comprò un libro di psicopatologia criminale e una raccolta dei vecchi fumetti di *Calvin e Hobbes*. Non aveva mai perdonato del tutto Bill Watterson per aver smesso di disegnare quella striscia.

Esaurimento nervoso, così aveva detto. Abby si chiese quanto sarebbe durato se avesse fatto il suo mestiere.

Fare un salto al Village era soprattutto una scusa per osservare la gente. Non lo faceva solo per lavoro, ma anche per passione. All'università si era specializzata in psicologia perché quella disciplina era in linea con il suo carattere. Voleva osservare le persone ed elaborare delle valutazioni senza che le fosse richiesto o senza ricevere il permesso di avvicinarsi.

Avesse continuato gli studi, sarebbe diventata una psicologa abilitata. Ma durante l'estate dopo il secondo anno del corso magistrale, tutto era cambiato. Aveva incontrato Travis.

Stava tenendo una conferenza a Phoenix all'Arizona Biltmore. Argomento: indicazioni di pericolo nella psicopatologia violenta. Non era uno psicologo, ma essendo a capo di un'agenzia di sicurezza leader nel settore possedeva un'esperienza sul campo che surclassava la teoria dei libri. Aveva letto una breve biografia di Travis su *Arizona Republic*, che continuava a essere consegnato al ranch di suo padre anche se lui non c'era più per leggerlo. Era morto a giugno di quell'anno, una settimana dopo la laurea di Abby, ed era stato sepolto vicino a sua madre nella tomba di famiglia. Abby era tornata per vendere il ranch, una faccenda che le aveva preso più tempo del previsto. Il dolore e lo spietato sole estivo l'avevano logorata e aveva cercato ogni scusa per andarsene. La conferenza di Travis, aperta al pubblico, era stata l'ancora di salvezza a cui si era aggrappata.

Anche senza abilitazione era abbastanza esperta da sapere quello che Sigmund Freud avrebbe detto a proposito degli sviluppi che erano seguiti. Aveva perso suo padre. Era alla ricerca di un altro uomo. Travis era più grande di lei, una figura dotata di autorità paterna, ed era arrivato al momento giusto.

Quale che fosse la ragione, aveva deciso di andare alla conferenza. Travis era affascinante. Non era una qualità che ostentava di frequente, ma quella sera la sua capacità espressiva era stata ammaliante. Aveva raccontato storie avvincenti tratte dai casi di cui si era occupato, mescolando senso dell'umorismo e capacità di tenere accesa l'attenzione, evitando che il pubblico dimenticasse come i rischi che si correvano in quel mestiere fossero spesso mortali.

Al termine della conferenza si era trattenuta insieme a un gruppo di partecipanti. Mentre la sala si svuotava, lei gli aveva sottoposto un'unica domanda. "Voi valutate i soggetti in base alle loro lettere e alle telefonate" aveva detto. "Io non riuscirei ad approntare una terapia in questi termini. Una diagnosi terapeutica richiede un contatto individuale, accompagnato solitamente da una lunga serie di sedute."

"Più lunghe sono, meglio è… parlando dal punto di vista del terapeuta e del suo conto corrente" aveva ribattuto Travis con un sorriso. In molti avevano riso.

Abby non aveva desistito. "Quindi, anche se dalle statistiche i vostri metodi sembrano funzionare, non siete in grado di raggiungere lo stesso grado di certezza di valutazione che riscontra un terapeuta, giusto?"

Non voleva sembrare agguerrita, ma Travis aveva raccolto la sfida e aveva continuato a difendere le sue metodologie. Aveva parlato a lungo.

Al termine, il gruppo di persone si era sciolto e Abby si era diretta verso l'atrio, con la sensazione di aver fallito o di aver perso un'occasione.

Stava aprendo la macchina nel parcheggio a fianco di uno dei canali che attraversavano la città, quando Travis l'aveva raggiunta. Era spuntato dall'oscurità, a passo veloce. Abby aveva pensato fosse un malintenzionato finché la luce di un lampione non gli aveva illuminato il volto.

"Mi hai posto un'ottima domanda, prima" le aveva detto con un tono più pacato rispetto a quando si era trovato in pubblico. "La verità è che non avevo una risposta altrettanto buona." Lei gli aveva detto che però se l'era cavata bene. Lui aveva riso e le aveva proposto di andare a bere una tazza di caffè.

Si erano trattenuti oltre la mezzanotte in un bar su Camelback Road e quando lui le aveva detto che sarebbe rimasto in città per un paio di giorni, lei lo aveva invitato al ranch. "Quella è la vera Arizona" aveva detto. "L'Arizona che stiamo perdendo."

"Non so perché, ma le cose sembrano sempre più reali una volta che le abbiamo perdute" aveva detto lui con dolcezza. Non sapeva nulla di suo padre, eppure era la sola cosa perfetta da dire in quel momento.

L'invito del giorno successivo si era protratto e Travis si era fermato per la notte. Abby non aveva avuto molti amanti. C'era stato Greg Daly, un secondo ragazzo... poi nessun altro fino a Travis. E mai nessuno come lui. Non era uno studente universitario. A quarant'anni era un uomo di mondo. E sì, possedeva molte delle qualità che aveva suo padre. Sapeva essere freddo e distaccato, persino scontroso. Sapeva essere duro. Ma se suo padre le aveva concesso di sbirciare nella sua vita interiore, Travis nascondeva il suo io più profondo. Era un uomo spigliato, senza grilli per la testa, o almeno così pareva. Ma la verità era che lei non poteva mai essere certa di chi lui fosse. La disorientava. Probabilmente lei rappresentava lo stesso mistero per lui. Nessuno dei due era bravo ad aprirsi e a rivelare molto di sé. Quando era tornato a LA erano rimasti in contatto. Lui spesso si recava a Phoenix mentre lei finiva di concludere la vendita del ranch. Poi era arrivato settembre e il momento di pensare al suo dottorato; ma stranamente gli studi la annoiavano. Abby aveva parlato a lungo con Travis dei vantaggi del contatto diretto e personale con gli stalker che la sua agenzia controllava da lontano. Aveva escogitato un modo per farlo. Durante un viaggio insieme verso LA, mentre si gustavano una cena a base di pesce, aveva intavolato il discorso.

"Sarebbe pericoloso, Abby" aveva detto Travis.

"Lo so."

"Dovresti essere addestrata. Dovresti acquisire un'enorme gamma di capacità."

"Alcune le ho già. Una struttura muscolare forte e scattante, al di sopra della media, e una personalità vincente. Senza parlare di una laurea in psicologia."

Travis aveva sorriso, non del tutto convinto. "Perché vorresti farlo? Hai già la qualifica di consulente. Finisci il dottorato, prendi l'abilitazione, apri uno studio privato e i soldi arriveranno a palate."

"Non è quello che voglio, non più."

"Ma perché?"

"Manca il brivido."

"Ci sono tanti punti a favore di una vita calma e tranquilla."

"Ma tu non vivi così."

"Quand'è che sarei diventato un mentore?"

Non rispose.

Era trascorso un po' di tempo prima che Travis tornasse a parlare. "Se vuoi che ti aiuti, lo farò. Ma non ti nascondo che ho delle riserve. Non voglio che tu soffra." Era la cosa più gentile che le avesse mai detto.

L'addestramento era durato due anni. Abby viveva in un piccolo appartamento in una zona decadente di LA. Grazie alla vendita del ranch aveva abbastanza soldi con cui campare e non chiedeva un centesimo a Travis. A nessuno dei due, poi, era mai passato per la mente che lei potesse trasferirsi da lui. Continuava a volere i suoi spazi. Quello che voleva Travis non lo sapeva.

L'aveva mandata in una scuola di autodifesa specializzata nella tecnica israeliana di combattimento chiamata *krav maga*. La maggior parte delle arti marziali prevedeva un piano di esercizi intensivo mescolato a passi di danza; l'utilità, in un combattimento corpo a corpo, era limitata. Il *krav maga* era diverso. Non c'era bellezza in quella tecnica. Era una capacità brutale che mirava a un singolo obbiettivo: l'immediata e incondizionata sconfitta dell'avversario. Abby non aveva mai usato la violenza contro qualcuno e la prima volta che aveva dovuto sferrare calci e pugni al paracolpi imbottito del suo istruttore, lo aveva fatto con riluttanza, la vista offuscata dalle lacrime. Dopo un po' aveva imparato a non piangere. Infliggere dolore era una crudeltà necessaria. Poteva affrontare quella realtà. Poteva essere tosta. Come Travis. Come suo padre. Aveva preso lezioni di recitazione a Hollywood. Girava nel furgoncino adibito alla sorveglianza di un detective privato, monitorando le frequenze radio. Aveva accettato tutta una serie di lavori, cameriera, cassiera, impiegata, cuoca, in parte per guadagnare qualche soldo ma soprattutto per acquisire una gamma di esperienze a cui rifarsi quando avesse lavorato sotto copertura.

Due anni dopo, a ventisei anni, era pronta. Il primo incarico lo aveva ricevuto dalla Travis Protective Services. Dopo di che erano arrivate altre proposte. Si alternava tra TPS e altre agenzie di sicurezza, mantenendo le distanze, come al solito. Era orgogliosa di essere una specialista indipendente. Indipendenza, era quella la parola chiave. Nessuno la possedeva. Nessuno la controllava. O almeno così le piaceva pensare.

Una volta comprati i libri che le interessavano, uscì dalla libreria e si fermò in un bar in fondo alla strada. Ordinò una Piña Colada, la sua unica debolezza. Solitamente quando era sola non beveva, ma il nuovo incarico alla TPS meritava un brindisi.

Mentre si gustava il suo drink, un ragazzo con baffi lanuginosi che a stento nascondevano uno sfogo di acne le sedette accanto. Ordinò una tequila mostrando la patente di guida, quindi lanciò uno sguardo al suo sacchetto. «Hai comprato dei libri?»

Abby rimase in silenzio.

«Sto leggendo molto Proust ultimamente. Lo conosci?»

Abby ignorò la domanda. Gli mostrò la pistola dentro la borsa. «Polizia di Los Angeles» mormorò seria. Quello guardò la pistola, battendo le palpebre. Non si capiva se fosse spaventato o eccitato. «Sta eseguendo una missione in borghese?»

Lei annuì. «Ci hanno informato che questo bar rilascia alcolici a studenti universitari con carta d'identità falsa.»

Il ragazzo impallidì. Biascicò qualcosa e se ne andò, lasciando lì la tequila. Abby sorrise, soddisfatta, ma poi udì una voce alle sue spalle: «Potrei farla arrestare».

Si voltò e vide un uomo a circa un metro da lei che la osservava. Aveva poco più di trent'anni, spalle larghe, capelli biondi scuri. Indossava abiti casual: un pullover nero e pantaloni di cotone. «Per quale motivo?» gli domandò.

«Per essersi finta un agente di polizia.»

Abby roteò sullo sgabello, dandogli le spalle, poi sollevò la Piña Colada. «Ci vada piano, però. È la prima volta per me.»

«Ne dubito.» L'uomo si mise a sedere sullo sgabello accanto al suo, posando le mani sul bancone. Aveva dita grosse e polsi robusti. Lei sorseggiò il suo drink. «Sta dicendo che sono una criminale?»

«Non salterei subito alle conclusioni. Potrebbe essere solo uno sbaglio. Ma non credo.»

«Cosa glielo fa credere?»

«Non ha l'aspetto innocente. Ma non si offenda. L'innocenza è noiosa.»

«Be', almeno non sono noiosa. Il pensiero di annoiarla mi uccide.»

«Tu non mi annoi mai, Abby. Mai.»

L'uomo ordinò una birra. Rimasero in silenzio per un po' mentre lui beveva la birra e lei finiva il suo drink.

«Allora, come va, Vic?»

«Potrebbe andare peggio. E tu?»

«Non mi lamento. Le strade sono più sicure?»

«Così dicono. Io non saprei.»

Abby conosceva Vic Wyatt da quasi un anno, dal caso Jonathan Bronshard. Bronshard era un broker che aveva creato un sito web con foto e immagini della sua famiglia e una descrizione della loro bella casa, con il risultato che aveva iniziato a ricevere minacce telefoniche. Così si era rivolto a Paul Travis. Di norma Travis si occupava esclusivamente di celebrità, ma per Bronshard aveva fatto un'eccezione. Il suo ufficio era in fondo allo stesso corridoio della TPS.

Le telefonate erano state rintracciate: provenivano da un telefono pubblico a Hollywood, che gli agenti della TPS avevano sorvegliato finché non era stata effettuata la chiamata successiva. A quel punto avevano seguito il soggetto fino a casa e avevano scoperto la sua identità: Emanuel Barth. Per qualche tempo era stato in prigione per vandalismo, furto con scasso e altri reati. Abby aveva parlato con il sergente di pattuglia responsabile dell'arresto di Barth. Il sergente si chiamava Vic Wyatt e operava nel distretto di Hollywood.

Era venuta a sapere che il signor Barth aveva una fissazione per le famiglie benestanti della classe media. Senza amici, scapolo e perennemente disoccupato, sfogava le sue frustrazioni prendendosela con quelli che avevano più di lui. Nel 1998 si era introdotto in una casa di un quartiere esclusivo di Toluca Lake e aveva distrutto l'intera proprietà. Le sue impronte digitali, registrate dalla polizia dopo gli arresti precedenti, avevano condotto le forze dell'ordine alla sua catapecchia a Hollywood. Un'ammissione di colpevolezza aveva ridotto la condanna e Barth era tornato a piede libero.

Wyatt aveva fornito a Abby tutti questi dettagli, e lei gli aveva fatto credere di essere una semplice analista per la TPS. Quelle informazioni si erano rivelate utili una volta che aveva deciso di entrare nella vita di Emanuel Barth. Alla fine era riuscita a trovare un modo per sbatterlo al fresco un'altra volta, assicurandogli dai tre ai cinque anni. Wyatt non si era occupato di quel secondo arresto; era venuto a saperlo ma non aveva mai scoperto il ruolo di Abby nella vicenda. O almeno era quello che lei si augurava.

Aveva contato sull'aiuto di Wyatt diverse altre volte. Rispetto ad altri distretti di LA, nell'area di Hollywood c'era un'elevata concentrazione di fuori di testa, e un poliziotto navigato come lui praticamente li conosceva tutti. Avrebbe persino potuto conoscere Hickle. Abby stava per tirare fuori il discorso ma poi ci ripensò. Non quella sera.

«Sei di poche parole stasera» disse Wyatt.

«Ho la testa da tutt'altra parte. Tu che ci fai qui?»

«Ci sono sere in cui vengo a Westwood. Sempre meglio di *Fecciawood*.» Si riferiva a Hollywood. «Tu dove stai?»

«Vivo in fondo alla strada. Al Wilshire Royal.»

«Posticino di classe. Quelle agenzie di sicurezza devono pagare bene i loro analisti.»

«Sopravvivo.»

«Per adesso» disse Wyatt in tono serio.

Abby distolse lo sguardo. Non gli aveva mai rivelato cosa facesse per guadagnarsi da vivere, ma Vic non era uno stupido. Erano anni che pattugliava le strade e conosceva tanta gente. Doveva aver scoperto qualcosa su di lei. Era sicura che se avesse saputo tutta la verità, avrebbe davvero potuto arrestarla, e questa volta sul serio.

Decise di spostare la conversazione su un terreno meno insidioso. «Io lo so perché sei qui.»

«Sentiamo.»

«Speri di rimorchiare un'universitaria. Alcune vanno matte per i poliziotti.»

«Ho più di trent'anni. Sono troppo vecchio per loro. E poi non voglio una ragazza.»

«Tranquillo, il tuo segreto è al sicuro con me. Non chiedere, non dire. Questa è la mia filosofia.»

«È una donna che voglio. Una donna adulta.»

«Ce ne sono tre milioni a LA.»

«Donne, sì, come no. Donne adulte? Non ne sarei così sicuro. È questo il problema di LA.» Wyatt sorseggiò la birra. «Qui la gente non sente la necessità di crescere. Può rimanere adolescente per sempre. L'altro giorno stavo parlando con una cassiera e questa mi racconta che le sue piante sanno leggerle nel pensiero. Se lei è triste, non fioriscono. Così, per tenerle in salute, lei pensa solo a cose belle. Manda pensieri positivi alle sue azalee.»

«Un futuro ingegnere aerospaziale» commentò Abby.

«Un futuro niente. Ha trentacinque anni. Già arrivata. Questa è l'aspirazione massima a cui può ambire.»

«Potrebbe avere qualità nascoste.»

«Non voglio qualcuno con qualità nascoste. Non voglio dover pensare alle qualità nascoste della persona che frequento.»

«Sei molto esigente.»

«Be', sì.»

«Forse nessuno sarà in grado di accontentarti.»

La guardò. «Secondo me qualcuno ci sarebbe.»

In fin dei conti quella conversazione non si era rivelata poi così sicura. «Sarà meglio che vada» disse Abby.

«Mi ha fatto piacere incontrarti.»

Lei scivolò dallo sgabello e raccolse la borsa. «Forse avrò bisogno di parlarti a proposito di una faccenda.»

«Di lavoro? No, non dirmelo. Si parla sempre di quello, tanto. Be', sai dove trovarmi, anche se speravo avessi smesso con quel genere di attività.»

«Ti riferisci alle ricerche?» disse Abby aggiustandosi la tracolla della borsa sulla spalla.

«No, non alle ricerche.»

«E allora a cosa?»

«Sto cercando di capirlo. Non ci dormo la notte.»

«Non perdere il sonno per me. Non ne vale la pena.»

«Di questo ne dubito.»

«Buonanotte, Vic.»

«Ci vediamo, Abby.»

Uscì dal bar ed emerse nella confusione del Westwood Village. Due tentativi di rimorchio in mezz'ora, un record. Ovviamente il ragazzo con il documento falso era solo... be', era solo un ragazzo. Quanto a Wyatt, invece, non sapeva bene come gestire la situazione. Era un uomo solo, immaginava. Forse anche lei era sola. Sola nonostante Travis o a causa di Travis. A causa della natura particolare della loro relazione, vissuta con distacco e diffidenza.

Allontanò il pensiero. Non aveva nessuna importanza. Era capace di gestire i suoi sentimenti. Era in grado di gestire tutto. Era forte.

* * *

Il jet lag non era mai stato un problema per Abby. Si addormentò a mezzanotte e si risvegliò, fresca e riposata, alle sette. Per colazione mangiò salsicce vegetariane e un'omelette di soli albumi. Non beveva caffè; essere nervosi non pagava nel suo mestiere. Preferiva un buon tè alle erbe.

Prima di fare la doccia, di solito faceva un po' di allenamento seguendo un programma del *YMCA Fitness Manual*, non quegli esercizi insensati come addominali, piegamenti, flessioni ecc. Il programma completo, dal riscaldamento allo stretching, durava una trentina di minuti. Alcuni giorni invece praticava *Tai Chi* o *Shadow Boxing*. C'erano tanti modi per restare in forma.

Solo dopo essersi messa addosso degli abiti puliti, con i capelli asciutti e ben pettinati, si permise di prendere in mano il fascicolo del caso. Attaccata con una graffetta all'ultima pagina, c'era una fotografia a colori, 20x25. La foto era stata scattata con un teleobiettivo, aveva poco contrasto e raffigurava un individuo su uno sfondo sfuocato. Probabilmente lo scatto era stato fatto da una macchina in movimento, in una tipica manovra dei servizi di sicurezza.

L'individuo ritratto era ovviamente Hickle. Immortalato mentre usciva da una porta, forse quella di casa sua o del negozio di dolci nel quale lavorava. Non si capiva, ma poco importava. Era l'uomo raffigurato l'elemento essenziale. Viso magro, sguardo sospettoso e occhi piccoli. Era decisamente magro e sembrava alto. I capelli neri erano una massa scompigliata e informe.

Cercò di trarre alcune conclusioni preliminari. A Hickle sembrava non importare granché della propria cura personale, spesso segno di un principio di depressione e alienazione sociale. La pelle pallida, quasi cerea, suggeriva che trascorresse la maggior parte del tempo in luoghi chiusi. Indossava una felpa marrone che gli stava larga e un paio di jeans slavati. Indumenti che non attiravano l'attenzione: non voleva spiccare tra la gente. Il linguaggio del corpo, testa bassa, occhi stretti, labbra contratte, gli conferiva un atteggiamento evasivo, guardingo, come quello di un cane randagio che aveva imparato a cavarsela per la strada.

Abby avvicinò la foto e osservò attentamente la faccia di Hickle. C'era qualcosa nei suoi occhi, nella forma della sua bocca…

Rabbia. Hickle era un uomo pieno di rabbia. La vita non gli aveva dato quello che credeva di meritarsi e stava cercando qualcuno a cui dare la colpa.

«Sbagliato» disse ad alta voce. «Non sta cercando qualcuno. L'ha già trovato.»

Trascorse la mattinata a studiare il caso, leggendo il fascicolo con attenzione. Una volta finito, tornò alla prima pagina, dove era indicato l'indirizzo di Hickle. Viveva a Hollywood, su Gainford Avenue, a sud di Santa Monica Boulevard. Appartamento 420, quarto piano. Doveva essere un edificio di grandi dimensioni. In quel quartiere il turnover degli inquilini era di sicuro frequente.

Quando era in città, Abby riceveva ogni mattina il *Los Angeles Times* davanti alla porta. Aprì il giornale ed esaminò le offerte di affitto. Quando trovò quello che stava cercando, esclamò «Bingo!», proprio come nei film.

C'erano degli appartamenti liberi nel condominio di Gainford Avenue. Anche se il numero dell'interno non era indicato, con un po' di fortuna uno degli appartamenti sarebbe stato al quarto piano. Erano tutti ammobiliati; poteva trasferirsi immediatamente.

Se tutto fosse andato per il verso giusto, entro la fine della giornata sarebbe diventata la nuova vicina di Raymond Hickle.

7

L'impasto era soffice ed elastico come il corpo di una donna. Le grandi mani callose e segnate dal tempo di George Zachareas lo lavoravano con un tocco premuroso. Spingeva e tirava, piegava e girava. Poco a poco i suoi movimenti acquisirono un certo ritmo, mentre braccia e spalle lavoravano insieme al tronco, dando vita a una danza lenta e cadenzata.

Zachareas (Zack per i conoscenti, proprietario del negozio di ciambelle *Zack's Donut Shack*) si ritrovò a sorridere mentre si godeva il piacere sensuale di quel lavoro.

«Grazie per esserti fermato dopo il tuo turno, lo apprezzo molto» disse all'uomo alto al suo fianco. Indossava grembiule e cappello rossi e stava lavorando allo stesso impasto.

«Nessun problema» disse Raymond Hickle.

Zack era da solo in cucina con Hickle, dato che aveva lasciato alla cassa Susie Parker, una ragazza semianalfabeta e incapace che aveva abbandonato la scuola. Aveva pensato che fosse meglio lasciarla da sola in quel momento della giornata. Il pomeriggio era tranquillo; i clienti si riversavano nel negozio soprattutto alla mattina e a notte fonda. Solitamente Zack non c'era mai di giorno, ma Hickle l'aveva chiamato una mezz'ora prima dicendogli che i novanta chili di pasta preparata dal fornaio durante la notte erano finiti. Zack alla fine aveva deciso di andare in negozio personalmente e prepararne altri venti chili. Il preparato poteva essere impastato anche da una macchina, inserendo un utensile apposito in uno dei mixer elettrici, ma Zack preferiva farlo a mano. Hickle si era offerto di aiutarlo.

«Sei un gran lavoratore, Ray» disse Zack con un tono di voce che avrebbe sovrastato una tromba bitonale. Da un po' di anni era diventato sordo e si rifiutava di ammetterlo. «Sei rimasto anche se non dovevi. Dopo otto ore di lavoro non ne potrai più di stare rinchiuso qui dentro.»

«Veramente no.»

«Fai qualcosa stasera?»

«No.»

«E nel weekend? Ormai ci siamo. Qualche programma?»

«Sabato lavoro, sostituisco Emilio.»

«Di nuovo?»

«Fa lo stesso. Qualche soldo in più.»

«C'è altro nella vita oltre il lavoro, Ray, soprattutto se lavori in un posto come questo.»

«Ieri avevo la giornata libera.»

«Già, è vero. Hai fatto qualcosa di divertente?»

«Sono andato in spiaggia.»

«Bella idea. Senti, non fraintendermi. Tu lavori bene, sei il migliore, ma non ti ci vedo a impastare ciambelle per tutta la vita. Non pensi al futuro?»

«A me va bene così.»

Zack scosse la testa. A sessantaquattro anni era un uomo alto ed energico, ma Hickle, più giovane di trent'anni, era persino più alto di lui, un metro e ottantacinque, con un fisico che gli avrebbe permesso di diventare un pugile, se si fosse applicato. Aveva una faccia giallognola, uno sguardo intenso, occhi pensierosi e una gran testa di capelli neri, voluminosi in alto e rasati all'altezza della nuca. Sarebbe potuto essere un bell'uomo, pensò Zack, ma c'era qualcosa in lui che non andava. Aveva una carnagione troppo chiara e gli occhi troppo piccoli, infossati sotto le sopracciglia pesanti. I tratti del viso erano leggermente sproporzionati, in un modo difficile da spiegare.

«Non dovresti accontentarti» gli disse Zack. «Che cavolo, sei un ragazzo intelligente.» Abbassò il tono della voce in un grido cospiratorio.

«Molto più in gamba di quei buffoni con cui lavoro a volte. Forse tra un paio di mesi si potrebbe parlare di passarti a supervisore...»

«No, grazie.»

Zack fece una pausa, smettendo di impastare. «Non vuoi una promozione?»

«Mi piace quello che faccio.»

Zack tornò ad affondare le grandi mani nella pasta. Non riusciva a capirlo, quel Raymond Hickle. Il ragazzo diceva di essere contento, ma com'era possibile? Non aveva ambizioni né una vita personale. Non aveva niente eccetto otto ore al giorno trascorse a lavorare come uno schiavo per clienti menefreghisti.

A volte stava alla cassa o a fare caffè, a scaldare muffin e a tostare panini. Altre in cucina tra lavandini di acciaio inossidabile e ingombranti elettrodomestici, oppure di fronte al recipiente in cui grossi blocchi di strutto venivano sciolti per formare una densa massa di grasso con cui friggere le ciambelle. Hickle aveva imparato a usare il filtro, un utensile dalla forma conica, con il quale si inserisce la marmellata nella ciambella fritta. Un altro dei suoi compiti era lavare le pale del mixer che mischiavano il latte e lo zucchero a velo, per ottenere la glassa per i dolci. Un lavoro del genere non era il sogno di nessuno. Eppure Hickle non si era mai lamentato, non aveva mai battuto la fiacca o mostrato segni di cedimento. Non era una cosa normale.

Ray Hickle gli piaceva, per davvero, e voleva che quel giovane uomo fosse ottimista nei confronti della vita. «Lo sai, Ray» disse d'impulso, «sei il miglior dipendente del mese.»

Hickle non alzò neppure lo sguardo. «Non sapevo che nominassi il dipendente migliore del mese.»

«Infatti è così, ma diciamo che lo sei lo stesso, ok?» Diede a Hickle una vigorosa manata sulle spalle e una nuvoletta di farina bianca fluttuò in aria. «Ti sei guadagnato cinquanta dollari extra.»

«Non è necessario.»

«Con tutti gli straordinari non pagati che ti fai, Ray, meriteresti dieci volte tanto. Te li aggiungo in busta paga venerdì. Non fare storie.»

«Ok, grazie, Zack.» Nella sua voce non c'era entusiasmo, solo vuota accettazione.

«Come pensi di spenderli?» domandò Zack risoluto, sperando di suscitare in Ray un atteggiamento positivo.

Hickle alzò le spalle. «Non saprei.»

«Non hai qualcuno di speciale a cui comprare un regalo?»

«Sì.»

Zack non si era reso conto di essersi aspettato che Hickle dicesse di no finché non udì la risposta contraria. Con un sorriso nascose la sorpresa. «È fantastico, Ray. La frequenti da molto?»

«Qualche mese.» Hickle lavorava la pasta con le lunga dita ossute. «È una donna bellissima. Abbiamo un legame spirituale. È destino.»

La cosa strana di quella frase era che l'aveva detta con tutta la naturalezza di questo mondo, come se la pronunciasse ogni giorno.

«Be', è davvero fantastico» disse Zack con minor convinzione. «Come si chiama?»

«Kris.»

«Come l'hai conosciuta?»

«Veramente non è che l'ho conosciuta. L'ho incontrata. Un giorno ero a Beverly Hills a farmi un giro e l'ho vista uscire da un negozio. Lei non mi ha visto, ha continuato a camminare, e mi è passata accanto. Ma io non le ho mai tolto gli occhi di dosso perché in quel momento ho capito... sì, l'ho capito e basta... che lei era l'unica per me. Sapevo che eravamo fatti l'uno per l'altra.»

«Quindi l'hai seguita?»

«Sì, l'ho seguita. E adesso la vedo sempre.»

«Buon per te. Ci vuole del fegato a correre dietro a una ragazza che ti piace. Ehi, la prossima volta che Kris è nei paraggi, invitala qui per un caffè e qualche dolcetto.»

«Va bene.»

Scese il silenzio mentre i due finivano di impastare. Una volta che la pasta non fu più appiccicosa e friabile, Zack disse: «Da qua in poi ci penso io. Perché non torni a casa dalla tua Kris? Scommetto che ti sta aspettando».

«Oh, sì. Viene da me tutte le sere. Cioè, le sere dei giorni feriali.» Hickle si lavò la farina dalle mani e si asciugò con un panno. Stava aprendo la porta della cucina quando Zack lo chiamò.

«Ehi, Ray, non dire a Kris del bonus. Comprale qualcosina e falle una sorpresa. Le donne adorano le sorprese.»

«È strano che tu me lo dica. Stavo proprio pensando di farle una sorpresa» disse Hickle più rivolto a se stesso. «Una sorpresa bellissima.»

Sparì dalla cucina, entrando nella sala principale. Zack lo fissò a lungo. Un tipo strano, Raymond Hickle. Ma se avesse trovato una donna che lo avrebbe amato, allora sarebbe stato più fortunato di molti altri.

* * *

Hickle uscì dal negozio alle tre meno un quarto. Come d'abitudine, iniziò a scrutare il parcheggio accanto alla ricerca di veicoli sospetti. Era possibile che qualcuno lo stesse tenendo d'occhio. Kris aveva degli agenti di sicurezza a sua disposizione, che forse monitoravano i suoi movimenti.

Anche se non vide nulla, alzò il dito medio in aria, in segno di sfida, e iniziò a farlo roteare per mostrare il suo disprezzo a eventuali osservatori nascosti.

Poi entrò nella sua *Volkswagen* e si immise su Pico Boulevard, in direzione est. Dopo cinque isolati cambiò corsia, e poi cambiò ancora, velocemente, osservando lo specchietto retrovisore per controllare che nessuna macchina facesse le stesse manovre. Nessuna vettura lo aveva imitato. Fu piuttosto sicuro che nessuno lo stesse seguendo.

A una stazione di rifornimento fermò la macchina e usò un telefono pubblico; digitò uno dei tanti numeri che aveva memorizzato. Rispose la segreteria telefonica, come sempre. La segreteria non l'avrebbe poi disturbato così tanto se la voce registrata fosse stata quella di Kris. Ma la voce del nastro apparteneva a un uomo, presumibilmente suo marito.

Dopo il segnale acustico Hickle disse: «Ciao Kris, sono io. So che sei al lavoro. Ti volevo solo dire che ti penso. E che quella camicetta gialla che indossavi ieri... be', non ti offendere ma sinceramente non credo ti stia bene. Il tuo colore è il blu. Mi è piaciuto il botta e risposta con Phil, il tipo delle notizie sportive, soprattutto la parte sui Dodgers. Non sapevo che fossi una fan del baseball. Spero davvero che non vorrai mangiare uno dei loro hot dog. Quella robaccia ti ucciderebbe. Ci tengo molto alla tua salute. Ciao».

Tornò in macchina. Due isolati dopo fece una sosta in un minimarket e fece una chiamata da un altro telefono. Aveva il presentimento che fosse importante telefonare da posti diversi. Rimanere in linea troppo a lungo nello stesso luogo poteva essere pericoloso. Non sapeva il perché. Sapeva solo che doveva continuare a muoversi.

Questa volta la chiamò al lavoro. Anche lì c'era la segreteria telefonica. «Ciao Kris. Immagino ti stia preparando per il notiziario delle 18. Ti volevo chiedere se hai ricevuto i fiori che ti ho spedito la scorsa settimana. Spero ti siano piaciuti. Ho fatto confezionare il bouquet come il mazzo di fiori della tua scrivania, l'ho visto su *Los Angeles Magazine*. Non è stato facile. Dovresti tagliare le punte degli steli ogni due o tre giorni, così i fiori rimangono freschi. Ah, sono Raymond, nel caso non l'avessi capito. In bocca al lupo per dopo.»

Guidò per un altro chilometro circa, si fermò nel parcheggio di un piccolo centro commerciale e chiamò da una cabina davanti a una paninoteca. Digitò il numero del centralino della KPTI. «Kris Barwood, per favore.»

L'operatrice disse che la signora Barwood non era disponibile. Poteva anche essere vero, ma era più probabile che la donna avesse riconosciuto la sua voce. Dopotutto, chiamava il centralino quasi ogni giorno. «Vuole lasciare un messaggio?» gli domandò.

«Sì, le dica che ha chiamato Raymond Hickle, per cortesia. Devo darle alcune informazioni importanti, ma devo parlare direttamente con lei, non tramite un intermediario. Devo parlare con Kris.»

«Glielo dirò» disse l'operatrice in tono annoiato.

Hickle si accorse che la donna non gli aveva chiesto a quale numero avrebbe potuto richiamare.

Riattaccò e guidò per altri tre isolati. Parcheggiò davanti a un fast-food e utilizzò il telefono a pagamento, digitando il numero di casa di Kris e muovendosi irrequieto finché non sentì il *bip* della segreteria telefonica. «Kris, ciao, sono Raymond. Senti, volevo dirtelo personalmente ma sembra che non riusciamo a trovare un momento per parlarci, quindi devo lasciarti un messaggio. L'altra notte ti ho sognata e forse si tratta di un sogno premonitore. Ti guardavo mentre eri in onda e parlavi di un omicidio, una di quelle sparatorie da una macchina in movimento, e poi un'auto all'improvviso è piombata dentro lo studio fracassando la parete. Poi qualcuno ha sparato e tu sei stata colpita, Kris. Ti hanno colpito e c'era sangue dappertutto. Eri coperta di sangue. Non credo che abbiano beccato i responsabili però. Ecco, mi sembrava il caso di dirtelo. A volte i sogni predicono il futuro, o così dice la gente. Devo andare adesso, ciao.»

Guidò per mezzo isolato e parcheggiò accanto al marciapiede. Decise di correre il rischio di telefonare dallo stesso apparecchio che aveva appena usato. Gli era venuta in mente una cosa. «A proposito» disse, «hai presente il bouquet che ti ho mandato? Sarebbe perfetto per un funerale, non credi? Ci sentiamo presto.»

Pensava di averle detto tutto, ma tre isolati più avanti si fermò nel parcheggio di un supermarket e inserì gli ultimi 35 centesimi nel telefono pubblico e chiamò di nuovo il centralino della KPTI. Rispose la stessa operatrice.

«Kris Barwood, per favore» disse.

La donna sospirò. «Mi dispiace, ma la signora Barwood…»

«Non è disponibile. È quello che stava per dire, vero?»

«Sì, signore. Se vuole può lasciare un messaggio.»

«Volentieri. Mmh, le dica che ha chiamato Raymond. Solo Raymond, non il cognome. Mi conosce.»

«Va bene, signore.»

«E un'altra cosa. Pronto?»

«Sono ancora qui. Mi dica.»

«Le dica questo: spero che uno schifoso ratto le si infili tra le gambe e le divori quella fottuta *fica*.»

Riattaccò. Alla fine aveva alzato il tono della voce. Una donna con il suo bambino lo stava fissando dall'altro lato del parcheggio. Mentre tornava alla macchina, Hickle le sputò addosso. La donna scappò via, mentre suo figlio scoppiò a piangere.

8

Hickle arrivò a casa poco dopo le cinque. Parcheggiò la macchina nel posto assegnatogli sotto il porticato ed entrò.

Il Gainford Arms, uno degli edifici più vecchi del quartiere, era un relitto risalente all'epoca in cui gli appartamenti con giardino non erano ancora di moda: un ammasso di mattoni di forma rettangolare, alto cinque piani, con file di piccole finestre che affacciavano su una strada tetra e sul parcheggio condominiale sul retro. Le scale antincendio si arrampicavano sulla facciata posteriore. A volte Hickle si sedeva su quelle scale fuori dalla finestra di camera sua e osservava il sole tramontare a ovest dietro le cime dei palazzi più costosi.

Giunto nell'atrio, controllò la posta. C'era un sacco di roba inutile, una bolletta del gas e una lettera proveniente da un'emittente televisiva di Cincinnati. Nella lettera scrivevano di non disporre di foto della loro ex conduttrice del fine settimana da poter diffondere, ma lo ringraziavano comunque per l'interesse.

Gettò via la posta inutile e la risposta della stazione televisiva. Qualche mese prima aveva scritto a ogni emittente presso cui aveva lavorato Kris, chiedendo che gli spedissero le foto di archivio della giornalista. Finora aveva ricevuto solo risposte negative, ma ormai non gli importava più.

Entrò nell'ascensore sgangherato e salì al quarto piano.

L'ascensore era lento. Fece passare il tempo leggendo i graffiti sulle pareti.

Il suo appartamento, il numero 420, si trovava a metà del corridoio. Stava rovistando nelle tasche alla ricerca delle chiavi, quando notò che la porta dell'appartamento accanto al suo era aperta. Una vecchia valigia giaceva sulla soglia. Mentre la osservava, una donna snella dai capelli scuri in maglietta e jeans comparve sulla soglia e afferrò la valigia.

Gli lanciò un'occhiata e sorrise. «Salve, vicino.»

Hickle le fece un cenno con la testa.

Quella portò la valigia dentro casa e chiuse la porta alle sue spalle. Si stava trasferendo, non c'erano dubbi. Si domandò chi fosse quella donna.

Una volta dentro, si dimenticò di lei. Era nel suo spazio privato, il suo rifugio dal mondo. A essere sinceri la casa era un minuscolo buco deprimente. Le pareti intonacate erano crepate. Alle finestre erano appese delle veneziane malmesse che potevano essere alzate o abbassate con delle cordicelle munite di graffette alle estremità. Il tappeto era di una disgustosa sfumatura verdognola, simile alla muffa, e le corte fibre erano appiattite nei punti in cui Hickle camminava più spesso.

Il calore veniva fornito da una caldaia verticale montata a una parete, dotata di uno sfiato che riscaldava la camera da letto. Quasi tutto l'arredamento apparteneva al locatario. Nel salotto c'erano un divano malconcio e una poltrona, tavolini scheggiati e mal assortiti, lampade minuscole macchiate qua e là. Il proprietario aveva messo anche un televisore da tredici pollici con un'antenna a due punte (non c'erano cavi), ma Hickle aveva acquistato il videoregistratore che ora era situato sotto la TV. Avrebbe tanto voluto comprare un computer ma non poteva permetterselo, quindi utilizzava quelli pubblici della biblioteca, la Goldwyn Hollywood Library su Ivar Avenue, a circa un chilometro da casa.

La cucina era una stretta nicchia, munita di un forno a gas che non veniva pulito dal giorno del trasloco e di un frigorifero che perdeva acqua sul pavimento in linoleum. Due presine macchiate pendevano flosce dai ganci montati sotto la credenza. Sul piano di lavoro c'erano lattine vuote di soda e barattoli di vetro che riciclava al supermarket del quartiere in cambio di qualche spicciolo.

A fianco della cucina c'era un bagno senza finestra, più piccolo di uno sgabuzzino. Uno strato di ruggine incrostava la parete scendendo dal mobiletto fino al lavandino.

E infine la sua stanza. Il letto era sfondato. Alcune delle molle del materasso erano rotte. Una lo aveva forato e la sua estremità seghettata spuntava dal materasso come un'arma.

Quando Hickle ne aveva parlato con il proprietario, questi gli aveva detto di girare il materasso. "Non sarebbe il caso di comprare un letto nuovo?" aveva chiesto educatamente. Il proprietario gli aveva risposto: "Forse è il caso che ti cerchi un nuovo appartamento. Credi di alloggiare in un fottuto hotel?".

Non c'era l'aria condizionata, quindi quando i venti caldi di Santa Ana soffiavano dal deserto, si sentiva soffocare come una bestia in gabbia. Di notte non riusciva a dormire a causa delle radio delle macchine che entravano e uscivano dal parcheggio, dove avvenivano loschi traffici. Un paio di mesi prima uno spacciatore era stato ucciso da un rivale con un'arma da fuoco.

Il Gainford Arms era un posto decadente ma gli offriva privacy. Con le tendine abbassate e la porta chiusa a chiave, Hickle era il più libero possibile da occhi indiscreti.

Qualcuno bussò alla porta.

Alzò lo sguardo, la testa inclinata in una strana posizione, il respiro trattenuto. Per un momento rimase stupito alla prospettiva di avere compagnia. Nessuno andava mai a trovarlo. Non aveva amici e le porte esterne del palazzo erano chiuse per tenere alla larga gli intrusi. Che fossero le persone che lo stavano sorvegliando? La gente che lavorava per Kris? Erano così sfrontati da cercare il contatto diretto?

Attraversò il salotto, muovendosi con cautela. Prima di aprire la porta, sbirciò dallo spioncino.

Era la donna dai capelli scuri, quella che l'aveva salutato prima.

Rimosse la catena di sicurezza e girò la serratura. Era un'avventura, parlare a una donna sconosciuta, e sentiva il cuore battergli più forte di quanto avesse dovuto.

Hickle aprì la porta, tenendola socchiusa con la mano. Le era di fronte adesso.

«Sono ancora io, ciao» disse la donna allegramente.

Lui annuì, poi si rese conto che in quei casi una risposta era opportuna. «Salve.»

«Mi dispiace disturbarti, ma sai dirmi dov'è l'ingresso della linea telefonica?»

«La presa del telefono?»

«Non quella in salotto. Quella l'ho trovata. Ma nella camera da letto deve per forza essercene un'altra. Sto andando in giro a gattoni come una scema, ma non riesco a trovarla.»

«Nella camera da letto non c'è.»

«Ma deve esserci.»

«Ce n'è solo una. Gli appartamenti qui sono tutti uguali. L'unica presa del telefono è in salotto. Se ti serve un telefono in camera, allora devi comprare una prolunga.»

La donna sospirò. «C'è qualche altra sorpresa che il proprietario non vuole rivelarmi?»

«Probabilmente molte. Alla mattina non c'è mai abbastanza acqua calda, quindi ti consiglio di farti la doccia presto. Non collegare troppi dispositivi alla corrente altrimenti può saltare un fusibile.»

«Di male in peggio.»

Hickle azzardò una battuta di spirito. «Non è proprio un angolo di paradiso, vero?»

Lei lo ricompensò con un sorriso. «Non c'è paragone. Qui è molto più bello.»

«Allora, sei un'attrice?» Cavolo. Non voleva chiederglielo davvero. Gli era uscito dal niente e suonava strano.

Lei però non sembrò infastidita. «No. Perché pensi che sia un'attrice?»

Perché sei uno schianto, ma quello che disse fu: «In questo palazzo vogliono diventare tutti delle stelle dello spettacolo».

Quella risposta faceva pena, ma lei se l'era bevuta.

«Be', non sono un'attrice. Veramente non sono proprio un bel niente, ora come ora. Mi sono appena trasferita da Riverside. Hai presente quel buco disabitato in cui tutti vorrebbero vivere? Ieri notte sono stata in un motel.»

«Non hai un lavoro?»

«Troverò qualcosa. Sono brava a scrivere. Uso tutte e dieci le dita.» Alzò entrambe la mani come a voler dimostrare di averle davvero tutte. «E tu? Che lavoro fai?»

«Lavoro in un ristorante.» Non sapeva perché avesse mentito. Non proprio mentito. Ingigantito la verità.

«Davvero? Un ristorante qui vicino?»

«Beverly Hills.» Un'altra bugia.

Sembrava colpita. «Stupendo.»

«È solo un lavoro.» Cercò di cambiare discorso. «Come ti chiami?»

«Abby Gallagher.»

«Io sono Raymond. Raymond Hickle.»

«Felice di conoscerti, Raymond Hickle.» Sorrise. «Che fortuna avere un vicino così simpatico.»

Era davvero troppo per lui. Non aveva idea di come gestire la gentilezza altrui, soprattutto quella di una giovane donna attraente.

«Lo stesso vale anche per me» disse debolmente. «In bocca al lupo per il trasloco.»

«Grazie, ciao.»

La osservò mentre se ne andava. Quando entrò nell'appartamento, lui chiuse lentamente la porta.

Decise che doveva essere per forza un'attrice. Era molto carina. Aveva occhi color nocciola, la pelle morbida e i capelli castano scuro a caschetto, era snella e in forma. *Simpatico.* Gli aveva detto proprio così. Quante altre donne gli avevano detto che era una persona simpatica? Quante gliel'avevano detto in faccia? E lei aveva persino sorriso.

Poi si chiese se non fosse un po' strano che Abby Gallagher fosse andata da lui a chiedergli aiuto quando il custode era ancora in servizio. Aveva trovato solo una presa del telefono. Avrebbe potuto chiamare la portineria e chiedere se c'era una presa nella camera da letto. Invece, dopo averlo guardato nel corridoio, era andata a bussare alla sua porta.

E se quella donna... avesse provato dell'interesse per lui? Quell'interesse che a volte le donne provano per gli uomini?

Era nuova in città, senza amici e sola.

«Impossibile» mormorò.

Comunque, aveva altre priorità. Aveva il fucile e sapeva cosa farci. Aveva Kris.

* * *

La maggior parte delle sere Hickle cenava con fagioli e riso, un pasto semplice e nutriente. Alle 17.57 in punto versava il contenuto bollente del barattolo in un piatto di plastica e lo appoggiava su un tavolino pieghevole accanto a una lattina di soda dietetica, un cucchiaio e una tovagliolo di carta. Si sedeva sul divano dietro al tavolino e con il telecomando accendeva la televisione che era sempre impostata su *Channel Eight*; guardava solo quel canale. Dentro il videoregistratore c'era una cassetta da otto ore che nei giorni feriali registrava automaticamente i notiziari delle 18 e delle 20.

«E questo è tutto» disse il conduttore del telegiornale delle 17. «Colleghiamoci ora con Kris e Matt per conoscere le anteprime del notiziario delle 18.»

Hickle si sporse in avanti. Era sempre curioso di vedere che abiti indossava. Quel giorno portava una camicetta turchese, leggermente scollata, che rivelava la pelle abbronzata sopra la clavicola. Stava parlando di un incendio a Ventura, di un arresto in un caso di omicidio e aggiunse che nel weekend il tempo sarebbe stato bello. Le parole non importavano. Studiò la sua espressione. Pensava a lui in quel momento? C'era paura nei suoi occhi?

«Tutto questo» concluse il suo collega, «fra poco su *Real News* delle 18.»

Partì la sigla. I volti dei presentatori e dei giornalisti in un nuovo layout. Il logo di *Channel Eight*. In sottofondo la voce di un annunciatore: «*Real News* su KPTI, il notiziario numero uno delle 18, con Kris Barwood e Matt Dale...».

Hickle si mise a sedere e fissò lo sguardo sulla TV. Quando la telecamera non inquadrava Kris, prendeva grandi cucchiaiate di fagioli e riso e se le portava alla bocca, bevendoci dietro la soda. Quando invece era inquadrata, non si muoveva di un millimetro. C'erano così tanti dettagli da osservare. Anche dopo tutto quel tempo non aveva ancora capito di che colore esatto fossero i suoi occhi. Erano blu o grigi, o forse di una sfumatura misteriosa? Indossava degli orecchini ma non quelli che le aveva regalato. La tonalità del rossetto sembrava diversa dal solito. Una gradazione più leggera, più naturale. Le donava, metteva in risalto la lucentezza della pelle. Durante il servizio meteo lei si mise a ridere. Hickle vide le linee agli angoli della bocca, la luminosità esplosiva del suo sorriso.

Era tutto perfetto. Se solo Kris avesse condotto l'intero notiziario, nessun altro a parte Kris... Non doveva neppure parlare, stare solo seduta di fronte alla telecamera, ruotare la testa in diverse posizioni, posando come una modella. Durante le lezioni di arte le modelle posavano nude mentre gli studenti disegnavano. Si immaginò una lezione in cui Kris era la modella, nuda su un piedistallo, e lui era l'unico studente, libero di fissarla.

Stare a guardarla, però, non era sufficiente. Per rendere perfetta quell'occasione lei doveva scendere dal piedistallo e abbracciarlo, mentre lui le baciava il collo, il seno...

Scattò in piedi. Con un movimento rapido del braccio lanciò la lattina di soda contro la parete, inzuppando l'intonaco con la schiuma.

Poi rimase in piedi con le mani appoggiate alle ginocchia, la testa abbassata e il respiro corto e ravvicinato. Non si mosse per molto tempo.

La sua fantasia di fare l'amore con Kris in passato l'aveva confortato, ma adesso aveva accettato la verità. Forse dalla volta che l'aveva vista con il marito, forse da quel giorno tutto gli era diventato chiaro.

Nessuno l'avrebbe avuta.

Era un concetto semplice. Howard Barwood non l'avrebbe avuta, il pubblico non l'avrebbe avuta, quella città non l'avrebbe avuta. Il mondo intero non l'avrebbe avuta.

Hickle alzò la testa. Il telegiornale proseguiva. Ora era il momento delle notizie sportive. Kris e il suo collega scherzavano con Phil, il tizio dello sport. Facevano battute sulla vittoria facile dei Lakers della sera precedente. Ridevano.

«Ridi, Kris» disse con il respiro affannoso. «Divertiti, goditi la vita.»

Non sarà per molto.

Questo perché lui era sempre più abile con il fucile. Presto sarebbe stato pronto per appostarsi, un'ombra tra le ombre. Pronto a balzare fuori e a cancellarla con un colpo dalla faccia della terra.

Puntò un fucile immaginario contro la TV e quando la vide ridere in un primo piano, azionò la pompa e premette il grilletto.

Bang. Bang. Bang.

9

Una volta tornata nel suo appartamento, Abby prese un registratore a microcassette dalla borsa e iniziò a dettare le osservazioni iniziali.

«Mercoledì, 23 marzo. Primo contatto con Hickle. Mostra difficoltà relazionali sebbene possegga capacità interpersonali di base. Timido con le donne. Mi ha chiesto se sono un'attrice. La domanda sembrava inappropriata. Sostiene di lavorare in un ristorante a Beverly Hills. Forse voleva fare colpo su di me. Non è un bugiardo incallito, ha la tendenza a parlare d'impulso. Dovrebbe essere facile penetrare le sue difese.

«Dopo aver parlato con lui, sono andata dall'altro suo vicino. L'appartamento di Hickle è identico al mio; condividiamo la parete della camera da letto. L'altro appartamento, il 422, condivide invece il muro del salotto. Ci vive una signora anziana di nome Alice Finley ed è stata felice di darmi la tazza di farina che le avevo chiesto. La Finley ama i pettegolezzi. Mi ha rivelato che Hickle non ha amici che lo vadano a trovare e che alla sera non esce quasi mai. Di solito è tranquillo ma a volte lo sente urlare. Un paio di volte ha sentito forti colpi sulla parete condivisa, come se la stesse prendendo a pugni. La sua conclusione è stata, cito: "Ha qualche rotella fuori posto".

«Considerazioni finali: Hickle è socialmente isolato, probabilmente paranoico e profondamente arrabbiato. Quando prende contatto con gli altri, riesce a sopprimere gli atteggiamenti antisociali, ma quando è solo può essere soggetto a violenti attacchi d'ira. È un soggetto borderline, affetto forse da un disturbo schizoide della personalità, ma sufficientemente organizzato da mantenere un posto di lavoro e pagare l'affitto.»

78

Abby aveva registrato solo delle informazioni parziali per tutelarsi. Nel caso fosse morta, voleva lasciare alla polizia dei dati grazie ai quali avrebbero potuto ricostruire quello che era successo. Non era del tutto sicura che Travis potesse raccontare tutto quello che dovevano sapere. Nel suo mestiere era necessario infrangere la legge, di tanto in tanto, e Travis ne era ben consapevole. Se la polizia avesse indagato, lui si sarebbe dovuto proteggere, verosimilmente negando di essere al corrente delle attività di Abby.

Spense il registratore e con il cellulare chiamò la stazione di polizia di Hollywood, poi chiese del sergente Wyatt.

«Stasera Vic non è in servizio» le dissero. «Può chiamarlo a casa.»

Conosceva il suo numero di telefono. Rispose dopo il terzo squillo. «Wyatt.»

«Ehi, Vic. Indovina chi è?»

Il sergente ridacchiò. «Ti ci sono volute quasi ventiquattr'ore per chiamarmi. Cominciavo a pensare che in fin dei conti non avessi bisogno di me.»

«Io ho bisogno di te. Sono una persona molto bisognosa. C'è un tizio di Hollywood di cui vorrei parlarti, ma non al telefono.»

«Hai cenato?»

«Non ancora.»

«C'è un posto sulla Melrose che non è per niente male.» Le diede l'indirizzo. «Lì fra mezz'ora?»

«Ci sarò. Grazie, Vic.»

«Aspetta a ringraziarmi. Forse stavolta non sarò in grado di aiutarti.»

«Ci riesci sempre.»

«Ma forse non voglio. Il mio aiuto ti spinge ad andare avanti e non sono sicuro che dovrei farlo.» Riattaccò senza salutarla.

* * *

Vic Wyatt riusciva a capire la maggior parte delle persone. Dieci anni trascorsi nel servizio di pattuglia del distretto di Hollywood gli avevano insegnato tutto quello che gli serviva per comprendere la natura umana. Nonostante la promozione a sergente lo tenesse incollato a una scrivania più di quanto avrebbe voluto, notte dopo notte vedeva più persone lui di quante la maggior parte di professionisti avrebbe mai visto in tutta la vita. Era navigato al punto da credere di aver visto di tutto. Almeno, questo era ciò che pensava finché non aveva incontrato Abby.

«Spero di non averti fatto aspettare troppo» disse lei sedendosi sulla panca in finta pelle di fronte a lui.

Controllò l'orologio. «Sei sempre puntualissima.»

«Davvero? C'è una prima volta per tutto.»

Indossava una maglietta, dei jeans e una giacca in vinile con il logo dei LA Dodgers chiusa con la zip. Non erano vestiti che le donavano particolarmente, eppure Wyatt si ritrovò a fissare il modo delicato in cui i capelli le ricadevano sulle spalle, la linea armoniosa del collo. Aveva ventotto anni, quattro anni più giovane di lui, un'informazione che lui aveva acquisito spulciando i registri della motorizzazione dopo averla conosciuta.

Sapeva che non era interessata a lui in quel senso. Per Abby lui non era altro che una fonte di informazioni. Non aveva nessuna possibilità.

«Che si mangia di buono qui?» chiese afferrando un menu.

«Io mi butto sul *Matterhorn*. Un hamburger da due etti con formaggio svizzero e sottaceti.»

Abby arricciò il naso. «Mi viene un infarto solo a pensarci.»

«Potresti provare il *Garden of Veggie Delights*.»

Esaminò il menu. «Sembra il piatto meno nocivo di tutti.»

«È buffo che ti preoccupi tanto della salute.» Si sporse in avanti, studiandola. «A volte ho il presentimento che tu non sia così cauta quando devi affrontare altri rischi.»

«Io? Ma se sono tutta casa e chiesa. Non mi prendo mai dei rischi, io» ribatté sorridendo.

Quel sorriso lo faceva infuriare. Non sapeva perché le avesse detto che potevano vedersi. I loro incontri andavano sempre nello stesso modo. Prima lo bombardava di domande per avere delle informazioni, poi se ne andava e infrangeva la legge in qualche modo che lui non riusciva a capire bene: sorveglianza o lavoro sotto copertura oppure... qualcos'altro. Lei lo *usava*. E allo stesso tempo lo prendeva in giro con il suo sorriso dolce e il suo comportamento elusivo. Era gentile e di buona compagnia, molto attraente, ma non poteva essere sicuro che gli dicesse la verità.

Dopo che la cameriera ebbe preso gli ordini, Wyatt congiunse le mani e le chiese: «Chi è il tizio stavolta?».

«Si chiama Raymond Hickle. Vive sulla Gainford. Ti lascio l'indirizzo. Non credo che abbia la fedina penale sporca, ma forse potresti chiedere un po' in giro, vedere se qualche poliziotto di pattuglia ha avuto degli scontri con lui oppure...»

Si arrestò di colpo quando vide l'espressione sulla sua faccia. «Sai già qualcosa di lui, non è vero?»

«Già.»

«Sputa il rospo.»

Non parlò subito. Quando aprì bocca non fu per risponderle ma per porle una domanda. «Come mai conosci Hickle?»

«È un caso. Non posso fornirti dettagli.»

«È pericoloso, Abby.»

«Sto solo facendo qualche ricerca...»

«Basta. Smetti di rifilarmi queste stronzate. Cominci a darmi sui nervi.»

La ragazza rimase in silenzio. Era la prima volta che lui le urlava dietro.

«Ho incontrato Hickle una volta» disse lui dopo un momento. «Quando ancora ero di pattuglia, sono andato a casa sua due volte, un condominio con appartamenti in affitto scadenti sulla La Brea.»

«Il La Brea Palms» disse Abby. «A sud di Hollywood Boulevard. Ci ha vissuto dal 1989 al 1993.»

«A quanto pare hai già fatto qualche indagine.»

«No. È stata l'agenzia a cui faccio consulenza. I lavori che ha fatto, dove ha vissuto, cose del genere. Ma non hanno trovato nulla su reati criminali.»

«Non ci sono reati né denunce a suo carico. Non ha precedenti penali. Non si è mai spinto troppo in là.»

«Fin dove si è spinto?»

«Come ti stavo dicendo, sono stato da lui due volte. Io e il mio partner, insieme. Ci era stato dato l'incarico di intimidirlo un po'. La prima visita non sortì gli effetti sperati, così tornammo una seconda volta un paio di settimane dopo. Non servì a nulla ma Hickle venne sfrattato. Il proprietario non voleva un inquilino che avesse grane con la polizia.»

«Ma per quale motivo dovevate intimidirlo?»

«Stava infastidendo una donna che viveva nel palazzo. Stalking.»

«Quale donna?»

«Il suo nome era Jill Dahlbeck. Aveva poco più di vent'anni e si era trasferita a LA dal Wisconsin per diventare una star del cinema, ovviamente.»

«Un'attrice» disse Abby.

A Wyatt parve di avvertire una particolare enfasi nella sua voce, ma non riuscì a comprenderne il significato. «La ragazza aveva delle particine in alcuni programmi televisivi, faceva pubblicità informativa e un sacco di piccole produzioni teatrali. La solita storia. Era una ragazza gentile. Ecco qual era il problema. Era troppo gentile.»

«In che senso?»

«Commise l'errore di sorridergli, di trattarlo da essere umano. Lui fraintese o semplicemente sopravvalutò la situazione. Insomma, decise che lei era la donna giusta per lui. Lei invece aveva zero interesse. Sai che dicono che gli uomini vengono da Marte e le donne da Venere? Be', Hickle viene da Plutone, e non sto scherzando.»

Abby annuì, seria. Fuori dal locale, nell'oscurità, un ragazzo camminava a passo dinoccolato, dondolandosi sui talloni e trasportando sulla spalla uno stereo portatile che passava un pezzo rap osceno. Attese che il frastuono svanisse e poi gli chiese: «In che modo la importunava?».

«La seguiva, le mandava lettere, l'aspettava fuori dal suo appartamento. Alla fine si trasferì in un altro palazzo. Lui rintracciò l'indirizzo. Era ostinato. Continuava a ripeterle che doveva dargli una possibilità.»

«E lei si rivolse alla polizia…»

«Io e Todd Belvedere ricevemmo l'incarico di andare a parlare con Hickle, di intimorirlo, di farlo desistere.»

Abby scosse la testa in segno di disapprovazione.

«Abbiamo fatto male ad agire così?»

«Temo di sì.»

«Già. Be', ce ne siamo resi conto. Devi capire che ci stavamo muovendo su un terreno totalmente sconosciuto. La polizia di Los Angeles aveva istituito l'unità contro le minacce solo un anno prima e si limitava a celebrità di un certo calibro. E Jill, malgrado le sue ambizioni, non era certamente una star, per cui abbiamo dovuto gestire la situazione da soli.»

«Non sto dando la colpa a voi. Sto solo dicendo che di solito uno scontro diretto peggiora le cose. Quello che Hickle voleva era una reazione da parte di Jill, reazione che si è tradotta nella vostra visita… Certo non era la reazione che voleva lui, ma almeno dimostrava di essere riuscito ad arrivare a lei, di essere nei suoi pensieri. La vostra visita ha rafforzato il loro legame.»

Wyatt annuì. «E lo ha fatto incazzare. Dal quel momento diventò più aggressivo nel perseguitarla. Come se fosse in gioco la sua virilità.»

«E infatti era così. Hickle era un fallito senza prospettive professionali né vita sociale, che viveva in un quartiere squallido. La sua autostima era a dir poco precaria. Quando siete andati a casa sua per cercare di intimidirlo, avete minacciato ciò che era rimasto della sua dignità. Della sua virilità, come hai detto tu.»

«Vuoi dirmi dov'eri quando io avevo bisogno di te? Comunque, tornammo una seconda volta per una conversazione più seria e fu come gettare benzina sul fuoco.»

«Che ne è stato di Jill Dahlbeck?»

«Alla fine abbiamo dovuto ammettere che non c'era molto che potessimo fare. Non eravamo in grado di proteggerla ventiquattro ore su ventiquattro, né avevamo qualcosa di solido per accusare Hickle. Agiva entro i limiti della legge. L'unica cosa che Jill potesse fare era scappare. Se ne andò nel Wisconsin.»

La cameriera ritornò con un vassoio che conteneva un cheeseburger e una birra per Wyatt, un'insalatona e una bottiglietta d'acqua per Abby.

«Jill era attraente?» domandò Abby sollevando la forchetta.

«Molto.»

«Bionda? Occhi azzurri? Tratti scandinavi?»

«Hai anche poteri magici, per caso? Come fai a saperlo?»

«Una valutazione ragionata. Se tutto questo è accaduto quando Hickle ha traslocato dal condominio su La Brea, doveva essere il 1993. Aveva ventisette anni.»

«Direi proprio di sì.»

«Strano che ti ricordi così bene del caso, dopo tutto questo tempo.»

«Be'… successe una cosa. Jill subì un attacco.»

Abby lo guardò. Wyatt notò che aveva occhi bellissimi. Sereni e luminosi, di un marrone dorato, la stessa sfumatura che aveva visto una volta in Nebraska, quando i raggi del sole avevano colpito i campi di grano nella caligine brunita.

«Che genere di attacco?» chiese Abby lentamente.

«Frequentava un corso di recitazione in un piccolo studio tra la Hollywood e la Vine. Dopo il fatto quel buco chiuse i battenti. Comunque, una sera, mentre stava tornando alla sua macchina, qualcuno le balzò alle spalle da dietro una siepe, schizzandola con l'acido di una batteria.»

«In faccia?»

«L'idea era quella, ma Jill si girò in tempo e l'acido le finì sul cappotto. La pelle non presentò tracce di ustione. L'assalitore aveva fallito. Non riuscì a vederlo in faccia. La strada era buia ed era successo tutto troppo in fretta.»

«Ma lei era convinta che fosse stato Hickle.»

«Certo. E noi anche. Andammo da lui e gli facemmo il terzo grado. Il fatto è che aveva una specie di alibi. All'epoca lavorava come magazziniere in un supermarket e quella sera era rimasto al lavoro fino a tardi. Lo aveva visto un sacco di gente. Se n'era andato pochi minuti prima dell'attacco. Teoricamente sarebbe potuto arrivare sul posto e tendere l'agguato, ma il tempo era obiettivamente poco.»

«Avete perquisito l'appartamento?»

«Sì, ci autorizzò a farlo, ma non trovammo niente che lo collegasse al reato, nemmeno l'acido.»

«Ma era lui di sicuro.»

«Non lo so, Abby. Non dimenticare che siamo a Hollywood. Qui è pieno di pazzoidi a piede libero. Ci sono un'infinità di svitati come Hickle. In ogni caso Jill non si sentiva più al sicuro. Per questo se n'è andata da LA. È partita il giorno dopo l'attacco.»

«Saggia mossa» disse Abby. «Ora sta bene?»

«Sì, a quanto ne so.»

«Hickle non fu mai accusato?»

Wyatt alzò le spalle. «Con le prove che avevamo il procuratore distrettuale aveva le mani legate. Non ha potuto fare nulla. In ogni caso, che sia stato Hickle o no, quello che importa è che avrebbe *potuto* farlo. Mi spiego? Ne è capace. È abbastanza malato da poterlo fare.»

Abby rimase in silenzio.

«Abby…» Lui si sporse in avanti, i gomiti sul tavolo. «Se davvero hai a che fare con questo figlio di puttana, stai correndo un pericolo grave.»

«Cosa ti fa pensare che abbia a che fare con un tipo del genere? Sto solo facendo un po' di…»

«Ricerche. Lo so. Ma sii prudente, quali che siano le tue intenzioni.»

«Lo sarò, Vic. Non preoccuparti per me.»

Wyatt prese lo scontrino. Abby voleva dividere ma l'orgoglio maschile lo portò a insistere. Una volta usciti si offrì di accompagnarla alla macchina ma lei gli disse che poteva andare da sola. «Sicura?» le chiese. «C'è un sacco di gentaglia in giro.»

«So badare a me stessa.»

«Questo lo avevo intuito. Ma come sai c'è un motivo per cui i poliziotti girano sempre in due, quando sono di pattuglia. A volte ti serve qualcuno che ti copra le spalle.»

«Finora non ne ho mai avuto bisogno.»

«Avrai sempre avuto fortuna.»

«Be', speriamo che la mia fortuna regga. 'Notte, Vic. Grazie di tutto.»

La guardò allontanarsi. La sua macchina, una vecchia Camaro con motore rigenerato, lo aspettava dietro l'angolo, ma lui non si mosse in quella direzione. Temporeggiò nell'ombra del tendone del locale, riparato dalla luce dell'insegna al neon. Sentì i passi di Abby sfumare in lontananza, il rumore di una portiera che si apriva e poco dopo si richiudeva e infine il rombo di un motore.

Per qualche motivo si trattenne nell'ombra ancora per un po'. Sentì la macchina partire. Dei fari squarciarono l'oscurità e un'utilitaria bianca gli sfrecciò davanti. Vide Abby di sfuggita, illuminata dalle luci del cruscotto. Guidava una Dodge Colt, squadrata, a forma di scatoletta, tutt'altro che nuova. Con un'ammaccatura sulla fiancata. Il motore sembrava in buono stato, ma quella Colt aveva visto tempi migliori. Ormai doveva aver raggiunto i centomila chilometri.

Neanche la sua Camaro era più così nuova, ma era stata tenuta in perfette condizioni. Era un'auto classica. Il catorcio sgangherato di Abby invece non aveva niente di classico.

Strano. La sera prima gli aveva detto che abitava al Wilshire Royal. Un palazzo di lusso, probabilmente con un garage pieno di Porsche. Se Abby poteva permettersi di vivere in un posto del genere, come mai guidava quel vecchio catorcio?

Scosse la testa lentamente, mentre si incamminava. Qualcosa non tornava o lui non riusciva a capire.

Forse non voleva capire.

10

Abby parcheggiò nel posto a lei assegnato sotto il porticato di Gainford Arms. Quando spense il motore, la macchina sussultò come un barbone che trema per il freddo.

Aveva comprato la Colt da un rivenditore di auto usate per duemila dollari e la utilizzava esclusivamente per il lavoro sotto copertura. A casa c'era la sua vera auto, una Miata, piccola ed elegante, che le permetteva di percorrere i tornanti e le curve di Mulholland Drive con il vento nei capelli. Ogni volta che faceva quella strada, le tornavano alla mente i giorni trascorsi in collina a sud di Phoenix, in sella a uno degli Appaloosa del padre, sui sentieri scoscesi.

Ma non poteva andare in giro con la Miata in quel quartiere senza attirare l'attenzione, quindi per il momento il suo mezzo di trasporto era la Dodge. Chiuse a chiave la portiera e attraversò il parcheggio.

A un tratto sentì della musica e delle risate. Seguì il trambusto che proveniva dalla fine del parcheggio. C'era un piccolo cortile in cemento delimitato da un reticolato di ferro. All'interno del reticolato, da una Jacuzzi sgorgavano una moltitudine di bollicine. Alcuni ragazzi se la spassavano nella vasca bevendo birra dalla bottiglia, mentre da una radio portatile usciva una canzone di Shania Twain.

Il proprietario aveva parlato di una zona SPA, l'unica chicca dell'intero palazzo. Abby non gli aveva creduto del tutto, anche se, col senno di poi, non c'era motivo di dubitarne; in fin dei conti quella era LA, dove piscine e vasche idromassaggio si sprecavano anche nei quartieri più malfamati.

L'acqua aveva un aspetto invitante, ma lei non aveva voglia di unirsi alla folla. Stava per andarsene quando uno dei ragazzi la notò.

«Ehi, ce l'hai un costume?» gridò.

Lei sorrise. «No, grazie. Giornata storta oggi.»

«Ci pensiamo noi a raddrizzarla» urlò un altro. Era ubriaco.

«Non so perché, ma ne dubito. Divertitevi. E cercate di non finire in coma, mi raccomando.»

Si allontanò. Alle sue spalle, i due ragazzi perorarono la loro causa e quando si accorsero che non c'era speranza, iniziarono a lanciarle fischi da allupati e ad ansimare, esibendosi in versi animaleschi. La delicatezza evidentemente non rientrava nei loro metodi d'approccio.

Prese l'ascensore e salì al quarto piano. Si fermò davanti all'appartamento di Hickle e premette l'orecchio contro la porta di legno. Sentì la televisione in salotto. Erano le nove, mancava ancora un po' al telegiornale. Forse lasciava la TV accesa per illudersi di avere un po' di compagnia.

Aprì la sua porta ed entrò, sentendosi mancare alla vista dei mobili logori e squallidi e delle pareti sudice. L'intero appartamento puzzava di muffa. Negli ultimi anni aveva vissuto per molto tempo in posti come quello.

Si sdraiò sul divano e registrò tutte le informazioni che aveva acquisito da Wyatt. Poi si preparò una tisana e la bevve lentamente seduta sulle scale antincendio, osservando il cielo notturno.

A un tratto vide una stella cadente disegnare un tenue arco di luce sopra i tetti lontani. Forse era un presagio, se buono o cattivo non sapeva dirlo.

Le voci provenienti dallo spiazzo in cemento echeggiavano nella notte. La festa era finita e la gente stava uscendo dall'area spa. Sentì le risate allegre, accese dall'alcol, svanire in lontananza. La vasca idromassaggio ora era sicuramente vuota. Decise di concedersi quel lusso.

Tra le cose che aveva portato con sé c'era anche un costume intero. Lo indossò, prese un grande asciugamano e andò di sotto. Attraversò il parcheggio fino ad arrivare alla zona SPA. L'entrata era chiusa ma si accorse che il lucchetto era rotto. Non fu costretta a usare la sua chiave. Un cartello diceva che la Jacuzzi poteva essere utilizzata solo dagli inquilini del Gainford Arms e solo nella fascia oraria 8-22. Controllò l'orario. Le dieci e un quarto. Be', in giro non c'era nessuno che potesse dirle che stava infrangendo una regola.

I ragazzi avevano lasciato un gran casino. Bottiglie di birra vuote erano ammucchiate sui bordi della vasca. Patatine e briciole sparse dappertutto, vicino a una sedia di plastica i resti di una merendina mangiucchiata.

«Maiali» mormorò Abby. Posò la borsa e l'asciugamano su una sedia, si tolse l'orologio e le scarpe. Infine si immerse. L'acqua gorgogliava ancora; i ragazzi si erano dimenticati di spegnere l'idromassaggio.

Chiuse gli occhi, appoggiò la testa contro il bordo della vasca e lasciò che i getti di aria calda le massaggiassero la schiena.

Era da tanto tempo che non si riposava sul serio. Il caso in New Jersey era stato complesso e subito dopo Travis l'aveva fatta rientrare a LA. Praticamente non aveva avuto un attimo di tempo libero.

Si chiese se avesse fatto male ad accettare il caso della TPS. La verità era che voleva riscattarsi agli occhi di Travis dopo l'incidente con Devin Corbal, sempre che ci fosse riuscita. Forse però si stava sbattendo troppo. La stanchezza era il vero nemico, nel suo mestiere. La stanchezza poteva essere fatale.

Promise a se stessa che dopo questo caso si sarebbe presa una vacanza. Magari a Phoenix, per andare a trovare un paio di vecchi amici. Qualche arrampicata sulle Superstition Mountains, qualche cavalcata su sentieri polverosi, per tornare a essere una ragazzina.

Sì, avrebbe fatto tutto questo... una volta portato a termine l'incarico...

Si accorse che stava scivolando nello stato alfa, sulla soglia del sonno. La mente si svuotò e i pensieri volarono lontani. Tutta la tensione abbandonò il suo corpo, gli zampilli di acqua calda le massaggiavano il collo...

Poi un improvviso ondeggiare in avanti, l'acqua sopra la testa, i getti caldi contro il collo...

Fu immersa a forza nella vasca, la superficie a pochi centimetri da lei ma fuori portata, visto che non poteva alzarsi.

Qualcuno la teneva sott'acqua premendo forte contro la testa, i capelli aggrovigliati nella presa d'acciaio.

Cercò di afferrare la mano dello sconosciuto, sapendo che avrebbe potuto infliggergli un dolore istantaneo semplicemente piegandogli un dito oppure premendo la carne sotto al pollice, ma con la mano libera l'aggressore deviò il colpo.

Se solo avesse potuto vederlo...

Impossibile. Era sott'acqua, accecata dalle luci della Jacuzzi, e sopra di lei c'era solo l'oscurità. Non vedeva niente e le mancava l'aria.

Cercò di divincolarsi, abbassandosi per liberarsi, ma lui la teneva per i capelli e non mollava la presa. Appoggiò i piedi alla base della vasca e diede una forte spinta, cercando di sovrastare la pressione che la teneva sott'acqua, ma fu tutto inutile.

Un urlo di frustrazione le uscì di bocca in un'esplosione di bollicine, confondendosi con quelle dell'idromassaggio.

Quell'urlo le costò quasi tutto l'ossigeno che le rimaneva. Da un momento all'altro avrebbe perso conoscenza e lui non avrebbe dovuto fare altro che tenerla sott'acqua finché l'ultimo respiro istintivo le avrebbe riempito i polmoni di acqua.

Ma non poteva morire in quel modo, in una Jacuzzi circondata da bottigliette di birra vuote e immondizia varia...

Bottigliette.

Un'arma.

Con le ultime forze alzò il braccio fuori dall'acqua, toccando a tentoni il bordo della vasca.

La sua mano afferrò il collo di una bottiglia.

Spaccò la bottiglia contro il cemento e iniziò a sferrare dei colpi verso l'alto con l'estremità frantumata.

La mano che la teneva si ritrasse immediatamente.

Abby continuò ad affondare la punta alla cieca, ignorando se avesse colpito l'aggressore già la prima volta. Poi riemerse dall'acqua annaspando, con un rantolo rauco.

Si sollevò respirando affannosamente, si guardò attorno alla ricerca dell'aggressore, ma l'unica cosa che vide fu il cancello di ferro che si chiudeva.

Nel parcheggio qualcuno stava correndo, il rumore dei passi si perdeva in lontananza.

Si appoggiò alla parete della vasca, sforzandosi di controllare il respiro, poi notò che aveva ancora la bottiglia rotta in mano.

Controllò se sulla punta frantumata ci fosse del sangue. Non ce n'era. Nessuna goccia di sangue sul cemento della zona SPA.

La bottiglia l'aveva solo spaventato. Non l'aveva ferito. Accidenti. Avrebbe potuto far analizzare il sangue e scoprire un eventuale sospetto. E poi le sarebbe piaciuto ferire quel bastardo dopo quello che le aveva fatto.

Posò la bottiglia e uscì dalla vasca tremando a causa dell'aria fresca. Si avvolse nell'asciugamano e si pose la fatidica domanda.

Chi diavolo era stato?

Era abbastanza sicura che l'aggressore fosse un uomo. Le mani, grandi e forti, erano di un maschio. Ma a chi appartenevano quelle mani? A Hickle? Forse aveva scoperto chi era, oppure nella sua testa l'aveva paragonata a Jill Dahlbeck, la sua ossessione precedente?

Le aveva chiesto se fosse un'attrice, come Jill. Forse c'era qualcosa in lei che gli aveva fatto scattare gli stessi impulsi che lo avevano portato a schizzare Jill con dell'acido in una stradina buia di Hollywood anni prima.

Oppure l'aggressione non era da collegare a Hickle né al suo caso. Si ricordò delle parole di Wyatt: "Non dimenticare che siamo a Hollywood. Qui è pieno di pazzoidi a piede libero. Ci sono un'infinità di svitati come Hickle".

Poi fu fulminata da un'idea assurda. Conosceva davvero Vic Wyatt?

«Ma per favore» disse con un filo di voce, «non essere paranoica.»

Certo che era paranoica. Il suo era un mestiere paranoico. Era stata addestrata a essere sempre all'erta, sempre vigile. Ma il punto era che qualcuno aveva cercato di ucciderla meno di due ore dopo l'incontro con Wyatt... e non conosceva Wyatt così bene.

L'aveva incontrato per caso la sera prima in un bar di Westwood. E se non fosse stata una coincidenza? Magari la seguiva da tempo. Come uno stalker... Non sapeva tutto su quel genere di comportamento?

E se quella sera, dopo cena, l'avesse seguita fino a casa e quando l'aveva vista entrare nella vasca...

«... avesse cercato di uccidermi?» concluse ad alta voce. «Ma perché?»

Una domanda a cui non sapeva rispondere, ma dovette ammettere a se stessa che era plausibile. Il lucchetto del cancello era rotto, chiunque sarebbe potuto entrare nell'area SPA.

Non riusciva ancora a crederci. Wyatt non le era mai sembrato neanche lontanamente un tipo instabile, ostile o ossessivo.

C'era un solo modo per scagionarlo da ogni sospetto.

Prese il cellulare dalla borsa e lo chiamò a casa. Viveva in una zona della città tra La Brea e Hollywood. Se davvero fosse scappato da lì qualche minuto prima, non avrebbe avuto il tempo di essere già in casa.

Il telefonò squillò tre volte e un piccolo nodo di preoccupazione le si formò nello stomaco. Non voleva sospettare di Wyatt. Non voleva che l'aggressore fosse qualcuno che conosceva e che le stava simpatico.

Quattro squilli...

Poi qualcuno rispose. «Wyatt.»

«Ehm.» Prese un bel respiro. «Ciao, Vic, sono io. Scusa se ti chiamo così tardi.»

«Non preoccuparti. Con i turni che mi hanno dato, ultimamente vivo più di notte che di giorno. Che succede?»

Chiaramente non poteva dirgli che lo stava chiamando per assicurarsi che non fosse coinvolto nel suo tentato omicidio. Però non aveva avuto il tempo di inventarsi una scusa, così decise di improvvisare. «Mi sono dimenticata di chiederti se Hickle infastidiva altre donne. Voglio dire, oltre a Jill Dahlbeck. Qualche altra donna prima o dopo di lei, qualche denuncia o simili?»

«Non che io sappia. Ma ho come l'impressione che tu abbia in mente qualcuno.»

«Io?»

«Perché un'agenzia di sicurezza dovrebbe tenere d'occhio questo individuo osservandolo da una nuova prospettiva?»

«Be'... no comment.»

«Come pensavo. E se ti chiedessi chi potrebbe essere il suo nuovo oggetto del desiderio?»

«No comment.»

«Sembri un disco rotto. C'è qualcos'altro che vuoi chiedermi?»

Stava per dire di no, ma poi le venne in mente un'altra domanda. «Solo una cosa. Qualche denuncia per annegamento nell'area di Hollywood?»

«Annegamento? Tipo bambini che cadono in piscina?»

«No. Parlo di adulti... Qualche caso irrisolto? Adulti che annegano in piscina o in una vasca idromassaggio o simili?»

«E questo cosa avrebbe a che fare con Raymond Hickle?»

«Probabilmente nulla. Sto solo cercando di trovare il bandolo della matassa.»

«Comunque, per rispondere alla tua domanda... no, non ci sono stati misteriosi e irrisolti casi di annegamento a Hollywood. Se ci fossero stati, non credi che i telegiornali locali avrebbero alzato il solito polverone?»

«Hai ragione. Eccome se l'avrebbero fatto. Domanda sciocca.»

«Non c'è problema. Sono qui per aiutare. "Proteggere e servire" è il mio motto.»

«A presto, Vic.»

«Stai bene, Abby.»

Riattaccò. Wyatt non avrebbe mai avuto modo di arrivare a casa così alla svelta, e lei non aveva colto esitazione o paura nella sua voce, quando gli aveva chiesto dei casi di annegamento. Era innocente.

Rimaneva però un altro sospetto, che aveva ben più probabilità di essere l'aggressore rispetto a Vic Wyatt.

Abby entrò nel palazzo e salì con l'ascensore al quarto piano. Dal suo appartamento andò sulle scale antincendio e scivolò accanto alla finestra della camera da letto di Hickle.

Era aperta. Dal salotto proveniva il suono della TV accesa, la voce di Kris Barwood. Controllò l'ora, le 22.40. Il notiziario della sera su *Channel Eight* non era ancora finito.

Si sporse oltre la ringhiera delle scale e sbirciò nel salotto da circa due metri di distanza. Le tende erano alzate e riusciva a vedere Hickle chiaramente, seduto sul divano, a torso nudo. Indossava un paio di pantaloncini stracciati, lo sguardo fisso e concentrato sullo schermo. A giudicare dalla postura, sembrava non si fosse mosso da almeno un'ora. Probabile. Quando arrivava l'ora del telegiornale, ogni altra cosa non aveva più senso.

Abby rientrò nel suo appartamento ed esaminò la situazione.

Wyatt era pulito, e secondo lei neanche Hickle era l'aggressore.

Ma allora chi era stato?

Qualche pazzo svitato, disse a se stessa, ripensando alle parole di Wyatt. Quella era Hollywood. C'erano un sacco di matti a piede libero.

Per un momento aveva abbassato le difese e qualcuno aveva cercato di assalirla. Forse voleva ucciderla e rubarle la borsa. Ma quando aveva reagito, l'aggressore si era spaventato ed era fuggito. Fine della storia.

Non era completamente convinta da quella ricostruzione dei fatti. Non aveva una gran passione per le coincidenze. Wyatt e Hickle avevano le mani pulite e non c'era nessun altro di cui sospettare.

O invece c'era?

11

Era mezzanotte passata quando Howard Barwood salì le scale per andare in camera da letto. Aveva fatto più tardi del previsto. Kris era già in casa. La trovò distesa sul letto in vestaglia e pantofole, i capelli spettinati sul cuscino le contornavano il viso in una cornice di ghiaccio.

«Bene, bene» sussurrò con tono piatto, «sei tornato finalmente. Sei andato a farti un altro giro?»

Lui annuì, evitando il suo sguardo. «Ho inaugurato la nuova *Lexus*. Sono andato fino a Santa Barbara e sono tornato.»

«Però, un bel viaggetto.»

«Già.» Non aveva voglia di parlarne. Si diresse verso la finestra e osservò la schiuma dell'oceano illuminata dal chiaro di luna infrangersi sulla spiaggia. «Guarda che onde.»

«Sono troppo stanca persino per guardare» sospirò Kris. «Tu invece non sembri per niente stanco.»

«Perché dovrei esserlo?»

«Chiunque sarebbe esausto dopo tutti quei chilometri in macchina.»

«Guidare mi rigenera.» Voleva cambiare discorso.

«Mi sembri un po'… agitato» disse lei in tono vago.

«Agitato?» Sperò di sembrare sorpreso, ma la sua voce era carica di tensione.

«Sì, mi pare di sì. Sembri irrequieto, nervoso. Non è che hai fatto un incidente, vero?»

«Ma certo che no. Non capisco perché mi fai questa domanda.»

«Mi sembri solo un po' teso, tutto qui.»

«Sto bene. Adoro guidare la nuova macchina. È una bomba. Forse ho ancora l'adrenalina in circolo.» Si domandò se Kris avesse colto la menzogna.

La moglie rimase in silenzio per un attimo. Poi mormorò: «Scommetto che qualsiasi cosa è più eccitante che stare a casa... o stare con me».

Si voltò. «Ma che cosa dici?»

«È da un po' di tempo che ti sento lontano.»

«Questo è ridicolo. Ieri ti ho accompagnata al lavoro, se ti ricordi. Sono rimasto con te in studio, tutta la sera.»

«Sì, è vero. Ma sei stato quasi tutto il tempo insieme ad Amanda.» Amanda Gilbert era la produttrice esecutiva del notiziario delle 18. «Vi siete staccati solo quando lei se n'è andata a casa alle sette e mezza.»

Nella parentesi di silenzio che seguì, il ruggito delle onde si sentiva benissimo anche attraverso i doppi vetri delle finestre.

Howard avrebbe potuto dire un sacco di cose, ma nessuna sembrava quella giusta. Puntò sull'ironia. «Fare la paranoica non è da te, Kris.»

«Non sono paranoica. Ti ho visto come le ronzi sempre intorno. E poi ieri pomeriggio...»

«Sì?»

Distolse lo sguardo. «Lascia perdere.»

Howard fece un passo verso il letto e si fermò. In una parte remota del suo cervello si ritrovò a pensare quanto fosse assurdo che un uomo esitasse ad avvicinarsi alla moglie nel letto matrimoniale. «Dai» disse dolcemente. «Sentiamo. Quale peccato mortale ho commesso ieri pomeriggio?»

«Quella donna che lavora per Travis... ha più o meno la stessa età di Amanda.» Sul viso di Kris baluginò un sorriso che non sfoggiava mai in pubblico. Un sorriso triste, amaro. «Perché sono sempre le più giovani a farvi girare la testa? E poi cos'ha la giovinezza di tanto speciale? Cos'è, una donna a quarant'anni cade a pezzi come una macchina che ha raggiunto i centomila chilometri? O il motivo è che volete sempre il modello più nuovo anche se quello che avete va ancora benissimo?»

«Non me ne importa un accidente di Abby Sinclair.»

«Ah no? Sembravi sinceramente preoccupato per la sua sicurezza.» La sua voce scivolò a un registro più basso. «*Sicura che non finirai nei guai? Stai correndo un rischio incredibile, povera cara.*»

«Ritengo che la sua sicurezza sia una preoccupazione legittima. Ovviamente mi rendo conto che l'unica sicurezza che conta è la tua. La minima minaccia rivolta a te si trasforma in un'emergenza nazionale...»

«Minima minaccia?» Si sollevò, mettendosi a sedere. I capelli le scivolarono lungo la schiena. «Pensi che Raymond Hickle sia questo, una *minima* minaccia?»

Howard non voleva dargliela vinta. «Considerate le circostanze...»

«Vuoi dire le circostanze in cui vengo perseguitata, molestata e terrorizzata notte e giorno?»

«Intendo dire le circostanze in cui sei circondata notte e giorno da guardie del corpo armate.»

«Anche Devin Corbal era circondato da guardie armate quando gli hanno sparato.»

Howard allargò le braccia. «Be', se non ti fidi di Travis...»

«Non si tratta di Travis.»

«E allora di che diavolo si tratta?»

Con un gesto brusco, Kris si lasciò cadere all'indietro, appoggiando la testa sul cuscino. «Secondo te?»

Alla fine fece gli ultimi tre passi che lo separavano da lei. Rimase in piedi a guardarla. «Cosa devo fare, Kris?» le chiese dolcemente. «Cosa vuoi che faccia?»

«Quello che voglio...» Ruotò la testa nella sua direzione e si scostò una ciocca di capelli dal viso. «Voglio che tu mi guardi come guardi le altre donne. Quelle più giovani.»

«Ma lo faccio, sempre.» La falsità di quelle parole riempì la stanza.

«Davvero? Da quant'è che noi non...?» La rassegnazione prese il sopravvento. «Va be', lasciamo perdere.»

Howard sapeva che se non avesse fatto la sua mossa ora, la mattina seguente lei l'avrebbe odiato. Glielo aveva fatto capire il più chiaramente possibile, più di quanto il suo orgoglio le consentisse.

«Da troppo tempo» mormorò. Era la risposta migliore che gli venne in mente.

Lei lo guardò, speranza e sospetto si confusero sul suo volto. «Sì.» Il suo tono era neutro, sterile.

Ora era il momento di baciarla. Era l'occasione per Howard di guarire quella ferita.

Ma non ci riuscì.

«È questa storia di Hickle» disse goffamente. «Quando tutto questo sarà passato e saremo tornati alla normalità, tra noi sarà come un tempo. Dobbiamo solo aspettare, tutto qui.»

«È questo quindi quello che dobbiamo fare?» sussurrò Kris.

«Finché le cose non si saranno sistemate, poi potremo di nuovo respirare.»

Lei non rispose.

«Credo che andrò a farmi qualcosa da mangiare» disse Howard anche se non aveva fame. «Tu vuoi qualcosa?»

Kris scosse la testa lentamente. «Dormo.»

«È la cosa migliore da fare. Riposati. Sgombera la mente.» Le si avvicinò e con un gesto goffo le accarezzò i capelli, in una pallida imitazione di affetto. «Presto ci lasceremo alle spalle questa brutta faccenda.»

Lei rimase in silenzio.

Howard lasciò Kris in camera da letto e andò di sotto; sperava di riuscire ancora ad amare sua moglie.

12

Hickle non riusciva a dormire.

Si rigirò nel letto e fissò il quadrante luminoso della sveglia accanto al letto. Erano le 2.19. Dopo tre ore doveva alzarsi. Il suo turno iniziava alle sei e lui era sempre puntuale.

La cosa più intelligente da fare era chiudere gli occhi e rilassarsi. Il sonno sarebbe arrivato, se glielo avesse permesso. Ne era certo.

Invece non fu così. Odiandosi, sgattaiolò fuori dal letto e prese un paio di pantaloncini e una maglietta dal cesto dei panni sporchi. Poi andò alla finestra, spostò la tenda e uscì sulle scale antincendio.

L'appartamento della nuova vicina condivideva una parete con il suo. Dalle scale si poteva entrare nella sua finestra. Si avvicinò, abbassando la schiena. La stanza era buia, la finestra e le veneziane erano chiuse. Ma erano vecchie e incurvate, e tra gli spazi in mezzo alle asticelle consunte riuscì a intravedere la sagoma di Abby Gallagher, addormentata sul letto, il profilo tratteggiato dal chiarore lunare.

Si mise in ginocchio, avvicinando la faccia al vetro, e la osservò mentre dormiva.

Era davvero molto carina. Gli ricordava Jill.

Ovviamente non si somigliavano. Jill era più alta ed era bionda, di una bellezza quasi autoritaria. Assomigliava un po' a Kris, adesso che ci pensava. Strano che non si fosse mai reso conto di quella somiglianza.

Abby invece era più bassa, i capelli scuri, completamente diversa nell'aspetto da Jill o da Kris. Eppure non era brutta. Aveva occhi color nocciola e la pelle liscia. Piccole lentiggini sul naso e sulle guance. La forma della bocca era perfetta, quella che si diceva una bocca da baciare, suppose.

No, non assomigliava per niente a Jill. E allora perché gliela ricordava tanto? Forse perché lei, come Jill, era stata gentile con lui. Gli aveva sorriso e avevano parlato del più e del meno. Era stata amichevole, come Jill, per lo meno nelle prime fasi della loro relazione.

Poi, quando lui le aveva aperto il suo cuore e confessato i suoi sentimenti, lei lo aveva respinto. Aveva cercato di dargli il benservito.

Si domandò se anche Abby si sarebbe comportata così se lui avesse cercato di conoscerla meglio. Sperava di no. Non voleva che le cose tra loro si rovinassero come era successo con Jill.

Verso la fine della relazione aveva perso un po' la testa con Jill Dahlbeck. Ora, dopo tanto tempo e da una prospettiva più matura, doveva ammetterlo. La storia dell'acido, per esempio. Un gesto insensato.

Aveva raccolto del liquido da una batteria e l'aveva versato in un barattolo. Aveva aspettato che la sua lezione di recitazione fosse finita e l'aveva seguita con lo sguardo mentre si separava dal gruppetto degli altri studenti e si dirigeva verso la macchina. Poi, quando era arrivata a pochi metri dall'auto, con le chiavi che le tintinnavano in mano…

Era saltato fuori dal nascondiglio e le aveva lanciato l'acido addosso. Ancora oggi riusciva a vedere il liquido che volava nell'aria disegnando un lungo arco.

L'obiettivo era la sua faccia. Voleva rovinarle quel bel viso, accecarla. Voleva farle qualcosa di così terribile, di così indelebile, che non lo avrebbe mai dimenticato.

Ma aveva fallito. Jill aveva visto il lampo di un movimento alle sue spalle e istintivamente si era spostata. L'acido le era finito sul cappotto, rovinandolo ma lasciandola illesa.

Era corso via, maledicendo la sua sfortuna. Per anni aveva rivissuto quel momento. Cosa non avrebbe dato per avere un'altra occasione, una seconda possibilità. Per un certo tempo aveva persino considerato di rintracciarla (aveva il sospetto che fosse tornata nel Wisconsin) per farle qualcosa. Rapirla, magari, portarla nel bosco.

Adesso però non gli interessava più. I sentimenti che provava per Jill erano morti. Aveva pensato a lei pochissimo nell'ultimo anno e aveva smesso completamente quando aveva incontrato Kris. Lei era la donna per lui, la sola e unica. Jill non reggeva il confronto. Neppure Abby, neanche lontanamente.

Eppure Abby gli aveva rivolto un sorriso così dolce...

La osservò attentamente, rapito. Era sdraiata di lato, la faccia rivolta verso di lui. La pelle al chiaro di luna sembrava porcellana. Una ciocca di capelli le ricadeva sulla fronte, sospinta lievemente dal suo respiro.

In un certo qual modo era persino più bella di Jill. Naturalmente il suo viso non sarebbe stato così grazioso dopo un'ustione da acido.

Non voleva arrivare a tanto. Davvero.

Eppure, mai dire mai.

13

La prima notte trascorsa in un posto nuovo era la parte più difficile. Abby si svegliò alle sei, indolenzita per via del materasso diverso.

Dovevano averla svegliata dei rumori provenienti dal parcheggio. Rimase sdraiata per un momento, cercando di adattarsi ai confini di quella nuova realtà. Il sole stava sorgendo e la luce che penetrava tra le asticelle delle veneziane disegnava strisce arancioni sulle pareti della camera. Vide delle crepe che venavano l'intonaco del soffitto, uno spesso strato di polvere sul comò e il mozzicone di una sigaretta tra le fibre corte del tappeto.

«Perché gli stalker sono tutti dei poveracci?» si chiese ad alta voce. «Questo lavoro sarebbe molto più interessante se dovessi infiltrarmi in una villa di Bel-Air.»

Si alzò dal letto e si affacciò alla finestra. La Volkswagen di Hickle non c'era. Il posto macchina di lui era sotto il porticato sul lato opposto rispetto a quello destinato alla sua Dodge. Probabilmente era uscito presto di casa per andare al negozio di dolci.

Si sdraiò per terra ed eseguì i soliti esercizi di stretching, distendendo i tendini posteriori del ginocchio e i muscoli della schiena. Poi fece un po' di riscaldamento per il collo e le spalle con degli esercizi yoga e concluse il programma con dieci minuti di respirazione profonda. Una volta finito, iniziò a pensare a come intrufolarsi nell'appartamento di Hickle.

Non sarebbe stato semplice. Avrebbe potuto entrare dalla finestra passando per le scale antincendio, ma di sicuro lui aveva chiuso prima di uscire. Dubitava di poter forzare il chiavistello senza lasciare segni di scasso. Meglio tentare dalla porta.

Dopo aver fatto colazione con porridge, toast alla cannella e banana, fece una doccia, lavandosi i capelli con un getto d'acqua esile e tiepido. Come le aveva detto Hickle, l'acqua calda scarseggiava. Indossò un paio di vecchi jeans e una camicia sbiadita.

Rilesse la copia del caso fin dopo le nove, quando ormai tutti gli inquilini con un lavoro dovevano essere usciti di casa, mentre gli altri se ne sarebbero stati rintanati tra le mura domestiche per trascorrere una giornata dedicata a telefilm e talk show. Con la cassetta degli attrezzi in mano, uscì nel corridoio e si guardò intorno. Tutte le porte del quarto piano erano chiuse. Attraverso lo spioncino un vicino avrebbe potuto notare il suo tentativo di intrusione, ma era un rischio che era disposta a correre.

Posò la cassetta davanti alla porta di Hickle ed estrasse un grimaldello a pistola elettrico e un tensionatore a molla elicoidale ultrasensibile. La porta era munita di una chiusura di sicurezza a levette. Inserì il tensionatore nella metà inferiore della serratura e la lama del grimaldello a pistola nella metà superiore, poi accese l'attrezzo. Faceva lo stesso rumore del trapano di un dentista. Abby continuò a lavorare finché la fila di levette non si sganciò. Con il tensionatore esercitò della pressione sulla spina, che iniziò a ruotare, finché non udì un *clic* metallico. La serratura era scattata.

Entrò nell'appartamento, chiuse la porta e dallo spioncino controllò il corridoio, assicurandosi che tutto fosse tranquillo. Niente di strano. Evidentemente il rumore prodotto dal grimaldello a pistola non aveva destato sospetti.

Si voltò ed esaminò la dimora di Hickle. I mobili erano diversi dai suoi ma la qualità scadente era la stessa. Sebbene vivesse in quell'appartamento da anni, non l'aveva fatto suo, non aveva personalizzato la casa con piccole decorazioni che dessero un tocco di familiarità all'ambiente. Non c'erano né souvenir né suppellettili. Alle pareti nessun quadro. Mancavano anche le classiche cornici da tavolino. Quel posto era anonimo quanto la stanza di un motel.

Attraversò il salotto e chiuse le veneziane. Poi accese le luci. La prima cosa che notò fu il videoregistratore, probabilmente acquistato da Hickle a differenza della TV che invece era fornita dal proprietario. Trovò il telecomando e accese entrambi i dispositivi, esaminando il menu dei programmi comparsi sullo schermo. Hickle aveva impostato il videoregistratore su *Channel Eight* ogni giorno infrasettimanale, dalle 18 alle 18.30 e dalle 22 alle 23. I notiziari giornalieri condotti da Kris Barwood.

Poi andò in cucina. Il frigorifero era stipato di contenitori di plastica con dentro riso e fagioli, la dieta basilare di Hickle. Non c'erano merendine né dolci. Sembrava che conducesse una vita stranamente austera.

Prima di continuare l'ispezione, decise di sbrigare una faccenda in salotto. Installò una telecamera di sorveglianza.

La telecamera era larga due centimetri e mezzo e altrettanto profonda, dotata di lenti a foro stenopeico da 3,6 mm, che ricordavano la sfera di una penna. Le lenti coprivano un campo di novanta gradi con un valore di illuminamento di .03 lux che permetteva di rilevare immagini anche in ambienti semibui. Saldato alla telecamera c'era un mini videotrasmettitore a cristalli liquidi di un paio di centimetri a definizione ultra alta, capace di trasmettere immagini precise e nitide grazie a una risoluzione pari a 420 linee. Il trasmettitore aveva una portata di circa novanta metri ed era in grado di inviare il segnale attraverso le pareti o altri ostacoli, fatta eccezione per l'acciaio.

Per un utilizzo prolungato, l'unità doveva essere collegata a una fonte di energia esterna. Fortunatamente c'era un rilevatore di fumo sopra il divano di Hickle, allacciato alla corrente. Smontò il dispositivo e ricavò una sede per il videotrasmettitore, che collegò alla corrente alternata. Prima di rimontare il rilevatore sul muro, piazzò le lenti della telecamera in modo che fossero allineate con uno dei fori presenti sulla copertura esterna.

La telecamera non era munita di microfono. Prese in considerazione l'idea di installare una cimice sotto il telefono, in grado di trasmettere sia i rumori circostanti sia le conversazioni di Hickle, ma alla fine ci ripensò. Come la maggior parte dei paranoici, Hickle di tanto in tanto avrebbe potuto controllare il telefono alla ricerca di eventuali trasmettitori spia. Inoltre, non era necessario monitorare le sue chiamate. Le uniche telefonate importanti erano quelle che faceva a Kris Barwood, e quelle venivano già rintracciate dalla TPS.

Eppure non era disposta a rinunciare all'audio. La signora Finley le aveva raccontato che sentiva Hickle gridare. Di sicuro parlava anche da solo, qualche volta. Ma quello lo facevano tutti. «Anche io» disse Abby, confermando la sua stessa teoria.

Sarebbe bastato un piccolo microfono nascosto e il gioco era fatto. Ne installò uno dentro la cappa di aspirazione della cucina. Il microfono e il trasmettitore necessitavano di minor energia rispetto alla telecamera e non dovevano essere allacciati alla corrente. Un piccola batteria da nove volt avrebbe garantito una trasmissione continua per più di una settimana.

Adesso era il momento della camera da letto, il vero rifugio di Hickle, il posto in cui trascorreva la maggior parte del tempo e dove si sentiva libero di essere se stesso. Aveva trasformato la stanza in un santuario dedicato a Kris Barwood. Le immagini di lei erano dappertutto. Le pareti erano ricoperte di manifesti pubblicitari della KPTI, immagini di Kris ritagliate da articoli e fotografie che la ritraevano durante le diverse fasi della sua carriera.

«È davvero il suo fan numero uno» bisbigliò Abby, facendo un paio di scatti alla stanza con una fotocamera tascabile.

Rimase stupita dal fatto che Hickle non possedesse un computer. Aveva detto a Kris Barwood di aver guardato su Internet per trovare il suo indirizzo. Presumibilmente si era servito di una postazione nella biblioteca pubblica. La cosa non la convinceva. Persino con il suo stipendio si sarebbe potuto permettere un computer di seconda mano. Forse era tecnofobo o soffriva di qualche disturbo simile.

Per prima cosa piazzò un'altra cimice, questa volta sotto il comodino. Se si fosse messo a parlare nella notte, lei l'avrebbe saputo.

Poi iniziò a frugare in giro. Nell'armadio trovò file di videocassette, tutte di otto ore. Su ognuna era stata accuratamente applicata un'etichetta con cinque date in ordine cronologico, solo dei giorni feriali. I notiziari di Kris. Il telegiornale delle 18, mezz'ora, e quello delle 22, un'ora, sommati insieme davano novanta minuti di registrazione. Hickle registrava sette ore e trenta minuti di telegiornale su ogni cassetta per cinque giorni. In tutto c'erano 36 videocassette. Era circa da otto mesi che registrava le dirette di Kris e, secondo i calcoli di Abby, aveva un totale di 270 ore di Kris Barwood. E continuava a registrare, ingrossando le fila della sua collezione.

Lo scaffale più basso dell'armadio era occupato da due file di libri. Alcuni riportavano l'etichetta di librerie dell'usato, altri avevano il timbro della biblioteca. Nella prima fila c'erano romanzi polizieschi tratti da storie vere, molti dei quali avevano anche immagini e fotografie. Agli angoli delle pagine illustrate Hickle aveva fatto delle orecchie. Doveva aver trascorso molto tempo piegato su quelle pagine, a osservare le immagini in bianco e nero che ritraevano stalker scortati dalla polizia dopo l'arresto. Forse si immedesimava in quegli individui? E quella prospettiva gli procurava preoccupazione o soddisfazione.

Nella seconda fila c'erano per lo più libri che trattavano di argomenti più pratici, per esempio come trovare informazioni confidenziali negli archivi governativi o su Internet. La fascetta sulla sovraccoperta di un volume recitava Puoi rintracciare chiunque! Altri libri, invece, parlavano di strategie di guerriglia. Abby li sfogliò e notò che molte parti relative alla tattica dell'imboscata erano state sottolineate.

Ammucchiati in un angolo, infine, c'erano un paio di libri di altro genere. Li portò sotto la luce e sentì un brivido correrle lungo la schiena. Erano gli annuari scolastici di Kris Barwood ai tempi delle superiori.

Abby aprì il più recente, 1978. Le fotografie degli studenti dell'ultimo anno erano all'inizio e catalogate in ordine alfabetico. La foto di Kris era una delle prime.

Aveva diciotto anni ed era prossima al diploma. Le sue attività scolastiche includevano il giornale della scuola e il gruppo di dibattito. L'aforisma che aveva scelto era di Blaise Pascal: IL CUORE HA LE SUE RAGIONI CHE LA RAGIONE NON CONOSCE. Sicuramente Hickle era d'accordo.

Esaminò gli altri annuari che fornivano un resoconto dettagliato dell'adolescenza di Kris. Come aveva fatto Hickle a entrarne in possesso? Forse la scuola forniva delle copie a pagamento, oppure era andato fino a Minneapolis e li aveva rubati dalla biblioteca scolastica.

Dopo aver rimesso tutto al proprio posto, Abby si diresse verso l'ultimo mobile da controllare, quello in cui probabilmente erano nascosti i segreti di Hickle. I pomelli del guardaroba a due ante erano circondati da una catena chiusa con un lucchetto a combinazione. Hickle andava sul sicuro.

Per aprire il lucchetto bisognava trovare la combinazione giusta di quattro cifre su una scala da 0 a 9. Dieci numeri, ossia diecimila possibili combinazioni, da 0000 a 9999. Doveva esserci un modo per restringere le probabilità. Di solito la gente che combinazione metteva? La data di nascita. Quell'informazione era indicata nella relazione della TPS che si trovava nel suo appartamento. Uscire nel corridoio era fuori questione; il rischio che un inquilino potesse vederla era troppo alto.

Prese il cellulare e digitò velocemente il numero dell'ufficio di Travis, disturbandolo nel bel mezzo di una riunione. «Sì?» rispose seccato.

«Quando è nato Hickle?»

«Cosa?»

«Devo saperlo.»

«Cristo santo... D'accordo, aspetta un attimo.» Abby rimase in linea. «7 ottobre 1965.»

«Non riagganciare. Devo provare a fare una cosa.»

Mise il telefono a terra e inserì la combinazione: 0710, 7 ottobre. Niente. 1065? 0765? Non si apriva. Lo sguardo le si posò sulle pareti tappezzate di foto di Kris. La soluzione era talmente ovvia che si sarebbe voluta dare uno schiaffo.

Quando raccolse il cellulare, Travis stava sbraitando il suo nome. «Abby, che cavolo sta succedendo?»

«Eccomi. Dimmi, quand'è nata Kris Barwood?»

«È uno scherzo, vero?»

«Sì, certo. Pesce d'aprile, con una settimana di anticipo. Avanti, dimmelo.»

Cadde di nuovo il silenzio, quindi Travis disse in tono scontroso: «18 agosto 1959».

Inserì la combinazione su 1808 e ovviamente il lucchetto si aprì.

«Grazie, Paul. Sei stato di grande aiuto.»

«Ma cosa diavolo stai...?»

«Devo andare.» Chiuse la chiamata.

Quando aprì le ante del guardaroba, appoggiata in un angolo vide una carabina *Heckler & Koch*, modello HK 700, completa di mirino telescopico.

«Armato e pericoloso» sussurrò. Esaminò il fucile. Un led era installato sul paragrilletto, collegato a un interruttore sul calcio in legno di noce. Un sistema di puntamento laser. Quel tipo di adattamento era piuttosto costoso. E anche il fucile. L'intero set doveva essergli costato circa mille dollari. Adesso capiva perché non poteva permettersi un computer. Aveva speso tutti i suoi risparmi in armi.

Sulla base del mobile c'era un borsone marrone. Aprì la lampo e dentro ci trovò un fucile Marlin, modello 120, calibro .12, e sei scatole di munizioni. Due erano vuote. Il tappo copricanna era stato rimosso per caricare il fucile con quattro proiettili Federal Super Magnum, i suoi preferiti. Capovolse il borsone e notò delle tracce di terra sul fondo. Probabilmente l'aveva trasportato in un'area boschiva con il Marlin dentro e aveva fatto pratica utilizzando due scatole di munizioni.

Era possibile che avesse acquistato prima la carabina, ma che non avesse considerato la grande abilità di tiro che quell'arma richiedeva. Il mirino e il sistema di puntamento laser avrebbero dovuto risolvergli il problema, ma poi doveva essersi reso conto che nel mezzo di uno scontro a fuoco non poteva contare sulla propria mira. Aveva bisogno di un fucile che potesse semplicemente essere puntato contro l'obiettivo e sparare le pallottole ad ampio raggio, così da abbattere tutto quello che si fosse trovato di fronte. Il Marlin aveva rimpiazzato l'HK.

Aveva pianificato quell'omicidio nei dettagli; valutati i suoi limiti e la sua inesperienza, aveva scelto l'arma più adatta alle sue esigenze.

«Quest'uomo sta iniziando a farmi preoccupare» disse Abby.

Si chiese se non dovesse manomettere i fucili, rimuovere il percussore o qualcosa del genere. No, troppo rischioso. Hickle si era esercitato con entrambe le armi e se qualcuno avesse cercato di metterle fuori uso se ne sarebbe accorto.

Si alzò in punta di piedi e controllò la mensola in cima al guardaroba, dove trovò una scatola di cartone. La prese e la aprì. Dentro c'era della carta, un sacco di carta. Articoli di giornali e di riviste, tenuti insieme con un laccio. Alcuni risalivano a molti anni prima. C'erano anche dei ritagli e delle stampate di vario materiale che Hickle doveva aver scovato su Internet o su qualche microfilm. Tutte storie e vicende inerenti Kris Barwood.

Mentre sfogliava gli articoli a un tratto si fermò; fra le dita teneva una copia del certificato di nascita di Kristina Ingrid Andersen. Hickle era riuscito a mettere le mani persino su quel documento.

Alla fine di quella pila di carta Abby trovò la fotocopia di una mappa urbana che illustrava la Malibu Reserve. Hickle aveva cerchiato in rosso una villa sulla spiaggia. Probabilmente era riuscito a ottenere la mappa dal catasto provinciale, accedendo ai documenti aperti al pubblico.

Nella scatola c'era un altro oggetto. Un astuccio contenente una macchina Polaroid, al cui fianco c'era una pila di immagini a colori tenute insieme da un elastico.

Erano delle foto che ritraevano Kris sulla spiaggia mentre correva.

«Non va bene» sussurrò Abby. «Non va bene per niente.»

14

Alle 14 Kris si sistemò i capelli, lisciò i vestiti e chiese a Steve Drury di preparare la Town Car per andare alla KPTI. «Partiamo un po' prima oggi.»

Trovò Howard nella sua sala giochi, intento a tirare un colpo sul tappetino da golf elettronico. «Hai fatto una bella corsa?» le chiese il marito senza alzare la testa.

«Non sono andata a fare jogging.»

«Ah no?»

«Non ne avevo voglia. Sai cosa vuol dire, vero? Non avere voglia di fare una cosa?»

Era una chiara allusione al rapporto non consumato della notte precedente. Gliela voleva far pagare, ma se con quelle parole lo aveva colpito, lui non lo diede a vedere. Si limitò ad aggrottare la fronte per concentrarsi mentre mandava la pallina in buca con un tocco esperto. Dei metallici applausi artificiali esplosero da un altoparlante nascosto. La pedana da gioco si trasformò automaticamente per simulare una buca diversa, un putt in salita questa volta.

Howard Barwood amava i giochi. Quella sala era stata una sua idea e aveva acquistato quasi tutti gli oggetti presenti: flipper, juke-box, simulatore di realtà virtuale, biliardino, giochi con dadi stile casinò, biliardi e una vasta gamma di macchinine telecomandate. Aveva speso più di cinquantamila dollari per quegli articoli e altri simili, per non parlare dei sessantacinquemila che aveva sborsato per comprare la nuova Lexus ls 400 che la notte lo portava in giro.

Giochi costosi per un uomo che non era mai completamente cresciuto. Il suo essere un eterno bambino era una qualità che Kris aveva adorato, durante il corteggiamento. Ma adesso non la trovava più così attraente.

«Oggi non ce n'è per nessuno» disse allineandosi per il putt successivo. «Darò del filo da torcere a quegli idioti del country club.»

Kris cercò di abbozzare un sorriso ma nel suo arsenale non ne trovò neanche uno. «Forse dovresti iscriverti al torneo.»

«Hai proprio ragione.»

«Dirò a Courtney di liberare uno spazio sulla mensola del camino per la coppa.» Si mosse verso le scale ma poi si voltò, ricordandosi il motivo per cui l'aveva cercato. «Vado al lavoro.»

Howard alzò lo sguardo, ignorando il gioco per la prima volta. «Così presto?»

«Ho una commissione da sbrigare prima di andare agli studi.»

«Sbrigare le commissioni è un compito di Courtney.»

«Questa è una faccenda personale.» In altre occasioni avrebbe potuto confidargli quel fatto personale, ma non dopo la notte precedente. Gli aveva fatto capire le sue intenzioni in tutti i modi e lui l'aveva respinta. Be', Howard si stancava dei suoi giochi quando non erano più una novità. Anche gli acquisti più costosi a un certo punto perdevano il loro valore.

La Town Car la stava aspettando sul viale di casa e Kris si incamminò lungo il vialetto del giardino. Steve la fece sedere sul sedile posteriore, si mise al volante e iniziò a guidare.

«Mi piacerebbe fare la strada normale oggi» disse mentre si avvicinavano al cancello.

«La Ventura Freeway è più veloce.»

«Prendiamo la strada a sud verso la città. Abbiamo tempo.»

Lui annuì senza fare domande. Kris rimase in silenzio finché la Town Car raggiunse Hollywood. Poi richiese una deviazione. «Facciamo un giro. Passiamo dall'appartamento di Hickle.»

Kris vide Steve stringere gli occhi dallo specchietto retrovisore. «Non penso sia una buona idea.»

«Non lo è di sicuro. Ma fallo comunque.»

«È contro la procedura. Potrei finire nei guai…»

«Non ti preoccupare.»

«Travis si incazzerà con me.»

«Se dovesse scoprirlo, ci penserò io. Non lo scoprirà comunque, perché nessuno dei due glielo dirà. Fallo e basta.»

«Ok… ma perché?»

«A essere sincera non so perché.»

Steve imboccò Santa Monica Boulevard verso Gainford, la via di Hickle, e poi svoltò verso sud. «Ecco, questo è il suo indirizzo» disse mentre la Town Car si aggirava furtiva per la strada.

Kris lanciò un'occhiata al Gainford Arms, un edificio decadente costruito negli anni Trenta, con le porte di vetro dell'atrio imbrattate dai vandali, le piccole finestre sporche e i muri fatiscenti.

Lungo la strada c'erano delle pale di fichi d'India appena fiorite, l'unico elemento bello di quel quadro, mentre tutto il resto era privo di fascino e bellezza. Vide un senzatetto trascinare un carrello pieno di vecchi giornali e immondizia. Un personaggio che non stonava in quello scenario.

Quello era il mondo di Hickle. Pensò che Abby Sinclair avrebbe dovuto vivere lì nei prossimi giorni o nelle prossime settimane. Era già riuscita a conoscerlo? Forse era troppo presto. Probabilmente ci sarebbe voluta una settimana per stabilire un contatto. Quanto tempo sarebbe passato prima di ottenere qualche informazione importante? Quel piano sembrava senza speranza, e Kris aveva acconsentito solo perché era disperata. Howard si era preoccupato per la sicurezza di Abby, ma Kris non riusciva più a preoccuparsi della salute e del benessere degli altri. Ciò che la motivava era un egoistico spirito di sopravvivenza, e per salvarsi avrebbe corso qualsiasi rischio.

«Hai visto abbastanza?» le chiese Steve mentre il palazzo di Hickle spariva alle loro spalle.

«Direi. Prendiamo l'autostrada.»

Diede un ultimo sguardo a quell'isolato mentre Steve svoltava l'angolo. Il quartiere le ricordava il luogo dove aveva vissuto durante i primi anni della sua carriera. Probabilmente i vicini di Hickle erano rumorosi, le tubature si rompevano spesso, gli insetti zampettavano nella sua dispensa. Nella stagione calda, settembre e ottobre, il suo appartamento sicuramente diventava un forno e lui non sarebbe riuscito a chiudere occhio nell'oscurità afosa. Ogni giorno si recava al lavoro per guadagnare la sua paga minima, sapendo di non avere nessun motivo per tornare a casa. Era sicura che non fosse un uomo felice e, a quel pensiero, provò piacere.

* * *

«Lei non ha un appuntamento, signorina Sinclair.» Rose, l'assistente di Travis, le sorrise da dietro la scrivania godendosi quel potere temporaneo.

Abby lottò contro se stessa per non superare la scrivania ed entrare nell'ufficio di Travis.

«No, non ho un appuntamento. Quello che ho, però, è un'importante informazione che devo comunicare al tuo capo.»

«Forse gliela potrei passare io.»

«Forse potresti chiamare all'interfono e dirgli di venire qui, cazzo.»

Rose cedette. «Controllo se è disponibile» disse in tono piatto, ma non rinunciò a un'ultima frecciatina: «Ci teniamo che le persone fissino gli appuntamenti in anticipo».

Abby alzò le spalle. «A quanto pare sto infrangendo le regole.» Aspettò impaziente che Travis uscisse. Era consapevole di essere stanca, ma non lasciò che la stanchezza prendesse il sopravvento. C'era ancora troppo da fare.

Dopo essere uscita da casa di Hickle, aveva montato nel suo appartamento il sistema di monitoraggio che riceveva i segnali audio e video dalle cimici che aveva installato. Aveva pranzato tardi, mangiando in piedi. Quel pasto in qualche modo l'aveva rinvigorita. Alle tre e mezza era uscita dal condominio e si era diretta verso il Century City. Doveva ritornare per le cinque. Aveva dei programmi per la serata.

Finalmente Travis uscì dal suo ufficio. Indossava il solito completo: giacca blu scuro, camicia sbottonata e pantaloni marrone chiaro. «Che succede? Hai bisogno di altre date di nascita?»

«Stavolta no.»

«Perché ti servivano?»

«Dovevo aprire un lucchetto.»

«Ah, potevi dirmelo.»

«Mi piace tenerti all'oscuro. Sto interrompendo qualcosa?»

«Solo il mio incontro quotidiano con il nostro direttore finanziario. Sta quantificando esattamente quanto rosso accumuliamo alla settimana. È una riunione di cui farei volentieri a meno.»

«C'è un posto in cui possiamo parlare?» Voleva privare Rose del piacere di origliare.

Travis le fece strada lungo il corridoio verso una sala riunioni. Ritratti di paesaggi e prati in fiore decoravano le pareti in mogano, soggetti sereni messi di proposito per rilassare i clienti snervati da qualsiasi crisi li avesse portati lì. Abby si chiese quante volte i belli e i potenti di LA si erano recati in quella stanza per cercare conforto dall'uomo con la giacca blu e i pantaloni nocciola, il loro protettore.

Travis chiuse la porta e Abby si mise a sedere sul bordo del lungo tavolo, facendo dondolare una gamba. La superficie laccata rifletteva la sua immagine. Avrebbe voluto indossare vestiti migliori.

La camicia scolorita e i jeans stonavano con quella stanza.

«Ok» iniziò. «Ecco cosa è successo. Il lucchetto che ho aperto era nell'appartamento di Hickle. Mi trovavo lì per impiantare dei sistemi di sorveglianza audiovisiva e per ficcare il naso un po' in giro. Ho trovato un po' di polaroid, fotografie di Kris che fa jogging sulla spiaggia con indosso indumenti diversi. L'ha osservata almeno tre volte. Immagino che Kris faccia jogging davanti a casa sua.»

Per un momento Travis non rispose. Sembrava avesse problemi ad assimilare quelle notizie. «Sì, tutti i giorni. È accompagnata da una guardia del corpo, ma solitamente lui si tiene a qualche metro di distanza.»

«Su quegli scatti non c'era nessun bodyguard. Probabilmente non era inquadrato. Non importa. Una guardia del corpo non sarebbe servita a molto se Hickle avesse aperto il fuoco.»

«Ha un'arma?»

«Almeno due. Un fucile calibro .12 e una carabina da caccia semiautomatica munita di mirino e un sistema di puntamento laser, ma sembra che il fucile a pompa sia il suo preferito.»

«Un laser…» Travis andò verso le grandi finestre e rimase lì a fissare l'orizzonte, le spalle incurvate, la testa china. Non l'aveva mai visto così esausto.

«Quanto pensi faccia sul serio?» chiese pacato.

«Ritengo che abbia intenzioni estremamente serie. In realtà c'è la possibilità che abbia sfogato la sua rabbia su un'altra donna che ha perseguitato in passato.»

«Cosa?»

Gli raccontò di Jill Dahlbeck. «Ma non sappiamo se sia Hickle il responsabile dell'agguato» aggiunse Abby. «Anche se così fosse, non sembra si sia trattato di tentato omicidio. L'attacco non è stato progettato nei minimi dettagli e comunque non l'ha portato a termine visto che l'unico danno riportato è stato al cappotto di Jill. Naturalmente il danno emotivo è tutta un'altra storia.»

«Sì» disse Travis distrattamente. Abby sapeva che ogni volta che si parlava di emozioni lui staccava la spina. «La cosa importante è che se attacca anche Kris, abbiamo le prove che è capace di fare il passo decisivo.»

«Allora era più giovane, forse più avventato. Adesso potrebbe essere più cauto. Non lo sappiamo.»

«Sappiamo per certo che si è posizionato a distanza di tiro da Kris.» Travis sospirò. «Come ha fatto ad arrivare così vicino? La Malibu Reserve è altamente sorvegliata. Perimetro recintato e un ingresso perennemente piantonato da due guardie e altri due agenti di pattuglia.»

«Avete controllato se la recinzione ha segni d'effrazione?»

«Certo. È stata una delle prime cose che abbiamo fatto. La rete è in cavi d'acciaio rinforzati, munita di filo spinato a lame di rasoio.»

«I fili possono essere tagliati.»

«Non abbiamo trovato nessuna apertura.»

«I tuoi hanno controllato di recente?»

«Tutti i giorni.» Si allontanò dalla finestra, girando in cerchio per la stanza.

Lo sguardo di Abby seguiva il bagliore della sua immagine riflessa sul lungo tavolo lucido. «È meglio che gli dici di controllare ancora, con più attenzione» disse. «C'è un altro modo per entrare nell'area?»

«Il cancello, ma è sorvegliato ventiquattro ore su ventiquattro.»

«Controllano chiunque voglia entrare, furgoni delle consegne, visitatori, tecnici?»

«La maggior parte degli agenti di sicurezza sono poliziotti in pensione. Sono piuttosto in gamba. Hanno appeso la foto di Hickle nella guardiola. Non credo sia passato di lì.»

«E la spiaggia? Non può essere completamente recintata. Sotto il livello dell'alta marea è proprietà pubblica, come tutte le spiagge della California.»

«È vero. C'è una recinzione al limitare della spiaggia e chiunque può aggirarla. Ma abbiamo coperto anche quell'angolo. Abbiamo installato una telecamera nascosta che trasmette immagini del punto di accesso della spiaggia ai poliziotti in servizio nella dépendance della tenuta dei Barwood. Gli agenti che abbiamo posizionato lì monitorano lo schermo tutto il giorno.»

«Sempre che non abbiano fatto dei casini e si siano distratti.»

«Una volta, forse. Non tre.»

«Be', in ogni caso ci è riuscito, Hickle ha trovato un modo per entrare e può farlo ancora. La prossima volta potrebbe portarsi un fucile invece che una macchina fotografica, e poi...»

Travis distolse lo sguardo. «Devin Corbal, parte due.»

Abby sussultò per l'imbarazzo. «Diciamo che non ti è uscita benissimo.»

«Scusa. Sai cosa voglio dire.»

«Sì. Lo so.»

Il condizionatore emetteva un basso brusio. Dalla strada si sentì svanire in lontananza il suono di una sirena. Abby si chiese se fosse il caso di raccontargli il secondo sviluppo interessante delle ultime ventiquattro ore, l'attacco che l'aveva quasi uccisa la notte precedente.

Decise di non farlo. Non era riuscita a dare un senso a quell'incidente, non sapeva se potesse essere collegato al caso Barwood. Non voleva che Travis avesse dei ripensamenti sulla sua decisione di affidarle il lavoro. Non voleva che pensasse che stesse annaspando... tanto per rimanere in tema.

«Questa storia non finirà come il caso Corbal» disse Abby tranquillamente. «Non lo permetterò.»

«Non volevo insinuare...» Le parole gli rimasero incollate in bocca.

Finì lei la frase per lui. «Che sono io la responsabile per quello che è successo a Corbal?»

«Non è colpa tua.»

«Forse no. Ma la sostanza non cambia. Corbal è morto e tutti i giorni tu ti vedi con il tuo direttore finanziario per capire come tenere a galla questa azienda, con un personale ridotto allo scheletro, e ti assicuro che a volte sembra che la colpa sia tutta mia.»

«Te l'ho già detto, sei troppo dura con te stessa. Senti, dimentica quello che ti ho detto, d'accordo?»

«Certo. Tutto dimenticato.» Ma non era così. Sapeva benissimo che non si sarebbe mai dimenticata di quella storia.

«Devi dirmi qualcos'altro?»

«Sì, molte cose, ma dovrai aspettare.» Saltò giù dal tavolo e si mise la borsa sulle spalle. «È meglio che tu torni ai tuoi calcoli e io a Hollywood. Ho in programma una grande serata.»

«Davvero?»

Abby annuì. «Hickle non lo sa ancora, ma questa sera mi chiederà di uscire.»

15

Wyatt sapeva che doveva smettere di pensare a lei. Trovava stupido non riuscire a togliersela dalla testa. Non era il tipo d'uomo che perdeva il senno per una donna. Non che fosse disperato, non aveva mai avuto problemi con l'altro sesso. Alle superiori e all'università faceva parte della squadra di football e poteva testimoniare che tutte le voci che correvano sulle cheerleader erano fondate. Anche da poliziotto se l'era cavata piuttosto bene. Diverse volte aveva appurato che il cliché secondo cui le donne preferiscono gli uomini in divisa era vero.

Perciò non c'era alcun motivo per cui dovesse aggirarsi con la macchina nei pressi di Wilshire Boulevard alle quattro e mezza del pomeriggio, diretto al palazzo di Abby.

Probabilmente non era neppure a casa. La maggior parte delle persone di giorno lavorava. Non rimanevano incastrate nel turno di notte, dalle sei del pomeriggio alle due del mattino, il suo orario dal giovedì al lunedì. Eppure aveva l'impressione che Abby non lavorasse in orari ordinari e non era nemmeno sicuro che avesse un ufficio in cui recarsi.

Parcheggiò la Camaro sul ciglio della strada e oltrepassò delle graziose villette a un piano su cui torreggiava il Wilshire Royal. Poi prese una scorciatoia passando per un'aiuola ben curata che costeggiava il viale del Royal. Il cielo, azzurro e terso, si rifletteva sui pannelli di vetro dell'edificio di quattordici piani e la brezza marina faceva garrire le bandiere issate nel piazzale.

Mentre si avvicina all'entrata, si accorse con imbarazzo che si stava sistemando i capelli con le dita. Si chiese se stesse bene senza divisa. Ma perché, poi? si ritrovò a pensare. Non era mica una cosa così strana, giusto? Passava solo per fare un saluto. Stava facendo un giro per il quartiere e dato che aveva ancora un po' di tempo prima di andare al lavoro, aveva pensato di chiederle se avesse voglia di prendere un caffè. Questa la versione cui si sarebbe aggrappato.

Il custode gli fece un cenno con la testa non proprio incoraggiante. Wyatt lo ignorò. Si concentrò sulle due guardie all'ingresso. Uno era giovane con il capo rasato, l'altro più vecchio e con le rughe.

«Sono qui per vedere la signorina Sinclair» disse. E per qualche strano motivo aggiunse: «Non credo mi stia aspettando».

Le guardie si scambiarono un'occhiata. Il più anziano rispose: «La signorina Sinclair non è in casa».

«Ah.» Non c'era. Avrebbe dovuto immaginarselo. «Magari potrei lasciarle un messaggio.»

«Non sappiamo quando sarà di ritorno. È fuori città.»

«Davvero?»

Alzata di spalle. «Viaggia molto. La vediamo di rado.»

La guardia più giovane si intromise nel discorso. «Non è che lavora anche lei nel campo dei software, vero?»

Wyatt rimase interdetto. «Software?»

«È quello che fa per vivere. Pensavo lavoraste nello stesso settore.»

«Io dirigo il magazzino di un sito di e-commerce» disse Wyatt con disinvoltura, buttando lì le prime parole che gli vennero in mente. «Abby sta lavorando con noi su un progetto. Potenziamento della capacità del nostro server, sviluppo di funzioni multitasking.»

«Figo» commentò il ragazzo come se ne capisse qualcosa. Magari era vero. Forse tutte le parole pronunciate da Wyatt avevano davvero un senso. «Sa, sono sempre alla ricerca di campioni gratuiti, quindi se le serve qualcuno per un test, mi faccia un fischio.»

«In questo momento no, mi dispiace. Abby ti dà... ehm... dei campioni gratuiti?»

«Macché. Dice che è contro la politica aziendale. Il fatto è che dice di essere una consulente. Ma dove sta il bello di essere un lavoratore autonomo se poi devi giocare secondo le regole degli altri?»

«Sono abbastanza convinto che la signorina Sinclair giochi secondo le sue regole» disse Wyatt pacato. «È fuori città da molto tempo?»

«È partita ieri…»

Il collega lo interruppe. «Non possiamo fornire questo genere di informazioni.»

Lo avete appena fatto, pensò Wyatt. «Non c'è problema» disse allegro. «Ero solo curioso. Grazie.» E si diresse verso la porta.

«Non voleva lasciarle un messaggio?» chiese la guardia più anziana in tono sospettoso.

«È meglio se le mando una email. Praticamente vive online.»

Si affrettò verso l'uscita prima che la guardia potesse fargli altre domande. Di ritorno verso la macchina sul vialetto assolato, Wyatt rifletté su ciò che aveva appena scoperto. Abby era partita il giorno prima. Le guardie pensavano che fosse una consulente nel settore dei software. Avevano detto che era partita per un viaggio d'affari. Evidentemente viaggiava spesso.

Ma il punto è che non era partita per nessun viaggio d'affari. Lui e Abby erano usciti a cena la sera prima. Era in città, ma non lì, non a casa sua.

Pensò a quel vecchio catorcio che aveva come macchina. Non poteva essere la sua vera auto; non c'entrava niente con quel quartiere. Però c'erano zone della città in cui la vecchia Dodge sarebbe passata inosservata. East LA, Venice, Hollywood…

Hickle abitava a Hollywood.

Wyatt si fermò. Rimase immobile e mise insieme i pezzi. «No» disse ad alta voce. «È impossibile. Dovrebbe essere completamente fuori di testa.»

Al di là della strada, una donna occupata a curare le sue rose lanciò uno sguardo timoroso nelle sua direzione.

Mentre viaggiava verso Hollywood chiamò la centrale operativa e si fece dare l'indirizzo di Hickle. Abitava al Gainford Arms. Wyatt lo conosceva. Un vecchio edificio in mattoni di quattro piani, brutto e fatiscente, con le pareti imbrattate dai graffiti. Ai tempi in cui era di pattuglia, aveva ricevuto molte chiamate da quel palazzo. Sebbene fosse Hollywood, non c'era traccia di cantanti famosi né attori milionari.

Arrivò al Gainford Arms per le 17. Entrò nel parcheggio e passò in rassegna le macchine presenti alla ricerca della Dodge bianca. Non c'era. Forse aveva preso un abbaglio, dopotutto. Forse Abby non era invischiata in niente di così tremendamente rischioso e folle. O almeno era quello che sperava.

Stava facendo inversione in fondo al parcheggio, quando dallo specchietto retrovisore vide un veicolo, un'utilitaria bianca.

Wyatt si fermò nel primo posto disponibile, nascosto dall'ombra proiettata dal porticato. Si abbassò sul sedile e osservò la macchina passargli davanti. Era una Dodge Colt, aveva un'ammaccatura sulla fiancata e la donna al volante era ovviamente Abby.

Lei parcheggiò, uscì e si incamminò svelta verso la porta sul retro del Gainford Arms, dando un'occhiata all'orologio. A quanto pareva andava di fretta.

La porta era chiusa ma Abby aveva la chiave. Abitava lì. Wyatt non ne fu sorpreso.

La porta si richiuse alle sue spalle. Wyatt si risistemò sul sedile. La rabbia iniziò a montargli dentro lentamente. Per un attimo fu tentato di fare irruzione nell'ufficio del proprietario, mostrare il distintivo e scoprire in quale appartamento vivesse Abby. Poi avrebbe bussato alla sua porta e preteso che gli raccontasse cosa diavolo stava combinando...

Si ordinò di calmarsi. Non l'avrebbe fatto. Abby era senza dubbio immischiata in qualche affare losco. Se la copertura fosse saltata, l'avrebbe messa in pericolo.

Tornato calmo avviò il motore e si diresse verso la stazione di polizia di Hollywood anche se gli mancavano ancora quarantacinque minuti prima di entrare in servizio. Da una scrivania vuota chiamò la compagnia telefonica e non gli ci volle molto per scoprire che nell'ultima settimana una sola linea era stata attivata al Gainford Arms: nell'appartamento 418, affittato a Abby Gallagher.

Hickle viveva al 420. L'appartamento di fianco a quello di Abby.

Wyatt all'improvviso si sentì esausto. Sprofondò nella sedia e si strofinò la faccia con le mani. Uno dei poliziotti di pattuglia, un istruttore di nome Mendoza, gli passò accanto. «Giornataccia, sergente?»

«Puoi dirlo forte» replicò.

«Scommetto che è per una donna.»

Wyatt dovette sorridere. «Come hai fatto a indovinare?»

«Solo una donna è capace di far sentire un uomo tanto male.»

16

Alle 17.15 Abby incontrò Hickle nella lavanderia del Gainford Arms, intento a togliere i suoi vestiti dall'asciugatrice. «Ciao, vicino» disse. «Piacere di rivederti.»

Hickle arrossì. «Il mondo è piccolo» riuscì a dire.

Lei premiò quel tentativo audace con un sorriso. In realtà il loro incontro non era casuale. Dopo essere tornata dalla TPS, aveva riavvolto la videocassetta della telecamera di sorveglianza nell'appartamento di Hickle e l'aveva guardata alla svelta. Le riprese indicavano anche gli orari, il che le aveva permesso di scoprire che esattamente alle 16.27 Hickle aveva lasciato l'appartamento con il cesto della biancheria. Rapida, aveva infilato qualche vestito in una borsa di plastica e si era diretta nel seminterrato. Pensava che fosse più naturale incontrarlo per caso lì piuttosto che avvicinarlo un'altra volta nel corridoio, fuori dalla sua porta.

«Quanto costa la lavatrice?» chiese mentre riempiva uno di quei cosi con i suoi abiti.

«Settantacinque centesimi.»

«Meglio fare scorta di monete. Il mio guardaroba è limitato e devo lavare sempre gli stessi vestiti se voglio mettermi addosso della roba pulita.»

Hickle non rispose. Stava raccogliendo il resto della biancheria dall'asciugatrice con la chiara intenzione di defilarsi il prima possibile. Abby sapeva che era nervoso con lei, con le donne in generale. Ma non gli avrebbe permesso di svignarsela così facilmente. Avevano un appuntamento quella sera, anche se lui ancora non lo sapeva.

«Non ci ho messo molto a fare i bagagli» continuò come se il silenzio di Hickle fosse la cosa più normale di questo mondo. «Sono letteralmente sfrecciata via e ho lasciato un sacco di roba nella vecchia casa.»

Quelle parole avrebbero dovuto incuriosirlo e, infatti, fu così. Distolse lo sguardo dall'asciugatrice. «Si direbbe che è stata un partenza improvvisa.»

«Molto improvvisa. Ho infilato il necessario in quattro valigie, le ho caricate nel bagagliaio e sono partita.»

«Non sarai in fuga dalla polizia, vero?»

Lo disse in tono serio, ma lei era sicura che fosse una battuta, così scoppiò a ridere. «In fuga sì, ma dai miei problemi.»

«Tu hai... dei problemi?»

«Non ne abbiamo tutti?»

«A volte credo di essere l'unico.»

«Sembra ma non è così. Una brutta sensazione, vero?»

Lui distolse lo sguardo e mugugnò: «Già, molto brutta». Sembrava in imbarazzo, come se avesse rivelato troppo di sé. Raccolse il cesto e si diresse verso la porta. «Be'... ci vediamo.»

«Ehi, per caso conosci un posto dove si mangi decentemente?»

Evidentemente stupito da quel repentino cambio di argomento, Hickle si limitò a sbattere gli occhi.

«Ieri sera sono sopravvissuta a cracker e formaggio. Dato che lavori in un ristorante conoscerai di certo molti posti. Vorrei qualcosa di gustoso ma leggero, qualcosa che non mi faccia schizzare il colesterolo alle stelle.»

Rimase in attesa, sperando che lui si facesse prendere dal panico. Era necessario che fosse Hickle a farle una proposta. Alla fine gli venne un'idea.

«Ci sarebbe *The Sand Which is There*» disse. Abby gli chiese di ripetere il nome. Lui lo fece, scandendo bene ogni parola. «È a Venice, sul pontile di legno.»

«Fantastico. Potremmo andarci insieme, che ne dici? Facciamo alle sei meno un quarto? Detesto mangiare da sola.»

Quella proposta dovette coglierlo talmente di sorpresa che rimase in silenzio per parecchi secondi. Lei sapeva che stava cercando una scusa, una via di fuga, un modo socialmente accettabile per declinare quell'invito, dato che la prospettiva di passare la serata insieme a una donna, a qualsiasi donna, lo terrorizzava.

D'altro canto voleva qualcuno con cui parlare. Abby riusciva ad avvertirlo. Si era già aperto un po' di più. Lei gli stava dando la possibilità di spingersi oltre. Avrebbe accettato? Rimase ad aspettare.

«Be'» disse alla fine, «d'accordo. Perché no?»

Abby si rilassò. «Ottimo. Vengo a bussarti alle sei meno dieci, d'accordo?»

«Certo. Alle sei meno dieci. Perfetto...»

Hickle indietreggiò mentre diceva quelle parole, la cesta dei vestiti tra le braccia. Uscì dalla lavanderia e Abby sentì i suoi passi mentre saliva le scale verso l'atrio.

Finora tutto bene. Sorrise.

Avviò il ciclo di lavaggio. Tanto valeva arrivare fino in fondo. Non aveva mentito quando aveva detto a Hickle che si era portata pochi vestiti. Aveva quattro valigie e le due più grandi le aveva stipate di strumenti elettronici e altre attrezzature.

La lavatrice vibrava e ronzava, sbattendo i vestiti contro l'oblò del portello. Si sedette e osservò i suoi abiti mentre vorticavano in un turbinio di acqua e sapone. Quelle sfumature cangianti le ricordavano i frammenti di vetro colorati di un caleidoscopio. Quando era piccola ne aveva uno, glielo aveva regalato suo padre. Ci giocava per ore, affascinata dalle sfumature in continuo cambiamento. Ora non era più una bambina, ma era ancora interessata alle sfumature, sfumature del carattere, del linguaggio del corpo, dell'espressione verbale. Alcune costanti erano ovvie e scontate, come la raccolta di libri nella stanza di Hickle, altre invece erano più celate, come il modo in cui le aveva chiesto se fosse un'attrice la prima volta che si erano incontrati. Jill Dahlbeck voleva diventare un'attrice...

Rimase in attesa.

Poi, di colpo, si paralizzò. All'improvviso si rese conto di non essere l'unica persona in quella stanza.

Voltò la testa e scrutò attentamente le file di lavatrici e asciugatrici, le pareti prive di finestre, le lampadine che pendevano dal soffitto basso. Non vide nessuno, eppure era quasi certa che ci fosse qualcun altro lì con lei.

Aprì la borsa. Stava per estrarre la Smith a canna corta ma si fermò. Rischiare di farsi vedere armata da uno degli inquilini non era una buona idea.

Lasciò la pistola dentro la borsa, a portata della mano destra.

«C'è qualcuno?» esclamò.

La sua voce sovrastò il brontolio della lavatrice. Nessuna risposta.

Lentamente si alzò in piedi e fece un giro su se stessa, studiando ogni angolo della stanza. Non c'era nessuno.

Se qualcuno la stava spiando, ora doveva essere uscito dalla lavanderia. Forse era andato di sopra, oppure si era nascosto nel locale della caldaia lì accanto.

Ma chi poteva essere? Hickle? O l'aggressore dell'altra notte? Oppure era semplicemente il frutto della sua immaginazione ipersensibile?

Decise di scoprirlo.

Si avvicinò con cautela alla porta. Sulla soglia mise la mano dentro la borsa, appoggiando l'indice al grilletto.

Le scale che portavano all'atrio erano sulla destra, la caldaia a sinistra. La porta era chiusa e la luce spenta. Dall'interno si sentiva il brusio dei grandi boiler.

Cercò a tentoni l'interruttore della luce ma non lo trovò. Entrò nel buio. Nella borsa aveva una pila ma non poteva estrarla senza lasciare la pistola che, in quel momento, era la sua miglior alleata.

Il locale era ampio e l'aria stantia. Pavimento in cemento, muri di mattoni, ragnatele negli angoli. Un uomo si sarebbe potuto accucciare in uno di quegli angusti angoli e non essere visto.

«C'è qualcuno?» ripeté. «C'è qualcuno qui?»

Niente.

Avanzò verso il centro della stanza. I boiler erano dritto davanti a lei. Di dimensioni industriali, alimentati a gas. Probabilmente ognuno conteneva fino a trecento litri. Andò avanti a tastoni, posando le mani sulla superficie del serbatoio dell'acqua più vicino.

Pensò che qualcuno potesse nascondersi dietro ai boiler, ma quando la sua vista si adattò alla penombra, si rese conto che erano troppo vicini al muro e saldati al pavimento per evitare che le tubature del gas si staccassero in caso di terremoto. Però chiunque si sarebbe potuto nascondere nello spazio tra i boiler. Fece un altro passo in avanti e qualcosa le accarezzò i capelli. Per un attimo tornò alla sera prima, nell'area SPA, mentre una mano la spingeva sott'acqua…

No. Nessuna mano. Nessun attacco. Solo una catenina della luce che pendeva dal soffitto. Ecco perché non c'era l'interruttore.

La tirò e la lampadina sopra di lei si accese illuminando la stanza. Si diede un'occhiata intorno, quasi aspettandosi di essere aggredita, ma non accadde nulla. Non c'era nessuno. Non c'era mai stato.

«Cristo, Abby» borbottò, «datti una calmata.»

Doveva essersi immaginata tutto. Forse si trattava di una sorta di reazione post-traumatica alla sua esperienza pre-morte nella vasca idromassaggio. O forse stava semplicemente impazzendo.

Uscì dalla caldaia. La lavatrice aveva completato il suo ciclo. Gli abiti erano fradici ma decise che li avrebbe asciugati nel lavandino o nella vasca del suo appartamento. Era rimasta fin troppo nel seminterrato.

E poi doveva prepararsi per la grande serata in città.

17

Hickle si sarebbe perso il notiziario delle 18 e la cosa non gli piaceva per niente.

Nell'ultimo anno non aveva perso neppure una delle dirette televisive di Kris. Mettersi davanti alla TV alle 18 e alle 22 di tutti i giorni feriali faceva parte della sua routine. Aveva provato un'angoscia terribile quando lo scorso settembre lei si era presa una vacanza. Eppure quella sera avrebbe mancato al suo appuntamento serale. Pensò che comunque l'avrebbe potuto vedere più tardi, dato che lo stava registrando, e poi era sicuro di tornare in tempo per quello delle 22.

«Non c'è tanto traffico.»

Lanciò un'occhiata a Abby seduta sul sedile del passeggero della sua Volkswagen.

«Sì, è abbastanza scorrevole stasera» le rispose, «considerando che è l'ora di punta.»

«In questa città è sempre l'ora di punta.»

Non riuscì a pensare a nessuna risposta adeguata. «Già.»

Aveva la faccia bollente, la mani sudate e avrebbe tanto voluto essere nel suo appartamento a guardare Kris (probabilmente il notiziario era iniziato da poco), a osservarla e a godersi la sua bellezza, sebbene fosse solo un'illusione.

Invece era su Santa Monica Boulevard, al volante della sua auto, al tramonto, con Abby Gallagher. Si era cambiata d'abito. Ora indossava pantaloni di cotone, una camicetta e una giacca a vento di nylon. Stava bene. Sicuramente meglio di lui che si era messo un paio di jeans e una felpa.

Si prese il rischio di intavolare una conversazione. «Immagino che qui sia molto diverso da Riverside.»

Abby parlò al di sopra del rombo del motore e della vibrazione del cruscotto. «LA è così grande. Non riesco a capire dove siamo. Non so orientarmi.»

«Ti ci abituerai» disse sforzandosi di non piombare nel silenzio. «Io l'ho fatto.»

«Non sei originario di Los Angeles?»

«Mi sono trasferito tanti anni fa da uno stato centrale.» Chiacchierare del più e del meno non era il suo forte. Decise di osare un approccio più diretto. «Ti scoccia se ti faccio una domanda?»

«Figurati.»

«Prima mi hai detto che stai scappando dai tuoi problemi…» Era sicuro che lei gli avrebbe detto di farsi gli affari suoi.

«Problemi con il mio ragazzo» rispose Abby imperturbabile, come se Hickle le avesse chiesto le previsioni meteo per il weekend. «Be', era più di un ragazzo. Era il mio fidanzato. A maggio ci saremmo dovuti sposare. Poi ho scoperto che mi tradiva. L'ho visto con i miei occhi. L'ho beccato mentre si scopava un'altra. Sul nostro letto. All'una di pomeriggio.»

Hickle non sapeva cosa dire, ma per una volta non si sentì in imbarazzo, perché di certo nessuno avrebbe saputo cosa dire in quella situazione.

«Così ho iniziato a urlare e a lanciare oggetti per aria, la classica reazione matura di una donna offesa nell'orgoglio. Il giorno dopo ho lasciato la città. Dovevo andarmene.» Un'alzata di spalle. «Ecco la mia triste storia.»

La parola "triste" gli suggerì la risposta appropriata. «Mi dispiace.»

«Così è la vita.»

«Ma quello che ti ha fatto è tremendo.»

«Immagino che una persona non possa più aspettarsi una relazione a lungo termine ormai. Ma a parte tutto, ero davvero convinta che fossimo destinati a rimanere insieme per sempre. Capisci cosa voglio dire?»

La voce di Hickle era ferma e chiara. «Capisco.»

«Trovare qualcuno che è tutto quello che cercavi, tutto quello che desideravi, e poi scopri una cosa del genere...» Abby lasciò la frase a metà.

«Capisco» ripeté Hickle con più fermezza. «So esattamente di cosa parli.»

«È successo anche a te?»

Dato che erano fermi al semaforo su Beverly Drive, Hickle girò la testa e la guardò fisso negli occhi. «È successo anche a me» disse. «Da poco. Pensa che, proprio quest'anno, ho trovato la donna perfetta. Perfetta. E lei...» Abby lo guardava, nessun cenno di giudizio o rimprovero nel suo sguardo. «Mi ha spezzato il cuore. Ha ucciso la mia anima e la parte migliore di me.»

Ecco. L'aveva detto. Ma perché non era rimasto zitto? Le parole gli erano uscite di bocca come un fiume in piena, disperate e furiose. Temette che Abby pensasse che fosse uno schizzato.

«Mi dispiace, Raymond» sussurrò lei.

Raymond. L'aveva chiamato per nome.

Qualcuno suonò il clacson. Il semaforo era diventato verde. Stava bloccando il traffico.

Sfrecciò per l'incrocio, dirigendosi verso ovest, intimorito dall'idea di dire qualcosa che potesse infrangere la fragile intimità che aveva creato.

Raymond. Il suo nome. Pronunciato con dolcezza e comprensione. Raymond.

* * *

I parcheggi che servivano la passeggiata a Venice erano tutti pieni quella sera. Hickle guidò attraverso la rete di stradine e vicoli finché non trovo un posto a due isolati dalla spiaggia. Ora che ebbe parcheggiato la

Golf, le ultime luci del tramonto erano scomparse e l'oscurità avvolgeva le strade in un manto fitto e delicato.

Dopo la confessione d'impulso a Beverly Hills, era rimasto piuttosto silenzioso e Abby non gli aveva fatto pressioni. Sebbene non fosse tecnicamente un appuntamento, quell'uscita aveva innalzato pericolosamente il suo livello di ansia. Una volta raggiunto il ristorante, si sarebbe aperto un po' di più e lei sarebbe venuta a sapere quello che voleva sapere.

Per ogni caso, Abby iniziava con una lista mentale, domande sulla persona di cui stava valutando la potenziale minaccia. Le domande erano semplici e specifiche. Più erano quelle a cui riusciva a dare una risposta, maggiori erano le possibilità di giungere a una valutazione finale. Aveva già spuntato molte delle domande più importanti su Hickle. Per ora solo risposte affermative.

Provava un forte legame con Kris Barwood? Sì. Le osservazioni spontanee e sincere in macchina lo avevano confermato.

La sua ossessione lo spingeva oltre le lettere e le telefonate? Sì. Dopo aver perquisito il suo appartamento sapeva che aveva profuso molte energie per indagare sulla vita di Kris. Aveva rintracciato il suo indirizzo e l'aveva fotografata da una certa distanza.

La sua ossessione indicava che avrebbero potuto esserci atti di violenza? Sì. I libri sugli stalker e sul combattimento ne erano una prova lampante.

Aveva acquisito una o più armi? Sì. Due fucili.

Solo due domande della lista non erano ancora spuntate.

Riteneva di poter mettere in atto un'aggressione con successo? Senza quella convinzione forse non avrebbe mai agito seriamente. Si sarebbe limitato a fantasticare, a fare delle prove e a pianificare.

La paura l'avrebbe distolto dalle sue intenzioni? Spesso la paura accendeva l'ultimo barlume di coscienza.

Hickle le sembrava un uomo timido, forse a causa della paura che gli si era annidata dentro per tanto tempo. Forse quella stessa paura avrebbe frenato i suoi impulsi più violenti.

Hickle spense il motore e le luci della Volkswagen, disinserendo le chiavi. «Siamo arrivati» annunciò. «Be', non al ristorante, dobbiamo andarci a piedi, ma non è molto lontano.»

Balbettava come un ragazzino delle medie. Abby avrebbe potuto provare un po' di compassione se non avesse visto i fucili e le foto segrete di Kris. «È una bella serata per fare due passi» disse gioviale. «La brezza dell'oceano è piacevole.»

Uscirono dalla macchina e Hickle la chiuse a chiave. «Già, è una cosa che mi è sempre piaciuta di LA. Il posto in cui sono cresciuto era a ottanta chilometri dal mare. L'aria dell'oceano non arrivava fin lì.»

«Una zona desertica?»

«No, colline e campi coltivati. I miei avevano un negozio di alimentari. Era molto... come si dice... bucolico.»

«Però noioso.»

«Già. Tutto l'opposto di una grande città, con le sue luci e i suoi rumori.» Iniziarono a camminare. «Scommetto che non hai mai visto l'oceano quando stavi a Riverside» disse Hickle.

«Solo sotto forma di miraggio, solitamente causato da un improvviso colpo di calore. Si arriva anche a quarantatré gradi all'ombra, e là non c'è ombra. A volte guidavo fino alla costa per sfuggire al caldo del deserto. Non sono mai venuta in questa parte di città, però.»

«È... colorata.»

«Perché la chiamano Venice?» Sapeva il motivo ma lasciò che lui glielo spiegasse mentre si avvicinavano alla folla.

«Ci sono dei canali qui» disse. «Ne sono rimasti pochi ma in passato ce n'erano tanti, come a Venezia, in Italia. Questo quartiere fu progettato come attrazione turistica verso il 1900 da un tizio di nome Kinney. Dicono che fosse un visionario.»

Abby guardò le finestre sbarrate, i rifiuti per strada e i segni distintivi delle bande criminali dappertutto. «Pare che la sua visione sia andata a sbattere contro un muro chiamato realtà.»

«Purtroppo sì. Santa Monica è più carina, ma Venice è un bel posto per uscire la sera, vedere un po' di gente. Sembra una festa di quartiere o un carnevale.»

«Sempre?»

«Praticamente.» Osò un po' più di leggerezza. «Sai, LA è la città che non dorme mai.»

Quella è New York, pensò Abby, ma non lo corresse.

Hickle la accompagnò verso la passeggiata sul lungomare, gremita di ogni di genere di curiose varietà umane: giocolieri, venditori ambulanti, barboni, artisti di strada, culturisti tatuati. Posteggiate sotto un lampione c'erano tre giovani donne ossute, probabilmente prostitute. Lì vicino, sulla pista ciclabile, dei ragazzi su skateboard e rollerblade gridavano nella sera, mentre sulla via pedonale un gruppo di Hare Krishna suonava tamburi. Murales stravaganti sugli alti muri in mattoni di edifici risalenti al secolo scorso facevano da sfondo a questo scenario eccentrico.

«Ora capisci?» le domandò Hickle mentre attendeva nervoso la sua reazione. «Un carnevale.»

Abby sorrise. «Come si diceva negli anni Sessanta, è tutta scena.»

Passeggiarono lungo il tratto in cemento che la gente del posto chiamava pontile. Si susseguivano negozi ricavati da vecchi garage, che esponevano magliette, occhiali e articoli curiosi e stravaganti. A un tratto la voce di una donna sovrastò il baccano generale. Stava sbraitando furiosa in spagnolo.

«Conosci lo spagnolo?» le chiese Hickle.

«Un po'. Sta dicendo al suo ragazzo che è un bastardo, bugiardo traditore. Dice che non lo vuole rivedere mai più. Ora sta dicendo: "Va' al diavolo".» Abby alzò le spalle. «Immagino sia la fine della loro storia d'amore.»

Era abbastanza sicura che Hickle l'avrebbe pensata diversamente. E infatti la sua reazione non la sorprese. «No» disse, «lo sta ingannando.»

«Strano modo per farlo.»

«È il gioco delle donne. Dicono no quando in realtà vogliono dire sì. Ti dicono di andartene quando vogliono averti più vicino. Urlano, gridano e fa tutto parte del corteggiamento.»

«Di certo non è il mio stile.»

«Be', no, non mi riferivo a te. Dicevo in generale. È nella natura della maggior parte delle donne far sudare un uomo. Negargli qualsiasi cosa, farlo implorare. Si divertono un sacco a fare così. Le donne sono...» Si interruppe bruscamente.

«Sono cosa?» gli domandò Abby subito.

«Non so. Niente. Lascia stare.»

Ma lei sapeva cosa stava per dire: "Le donne sono delle stronze... delle rompicoglioni... delle puttane".

* * *

Il *Sand Which is There* era un locale molto grande, affollato e chiaramente alla moda, lontanissimo dall'idea che Abby si era fatta. C'erano un sacco di bambù e oggetti in vimini. Palle di vetro illuminate pendevano dalle travi, proiettando coni di luce giallo limone sui tavoli laccati. Le pale di legno dei ventilatori si muovevano lente, creando fiacchi vortici d'aria. Sopra un bancone di legno teak su un lato della sala c'era una vasta scelta di acqua in bottiglia e bevande alcoliche. Davanti al bancone si aprivano delle porte di vetro che affacciavano su un patio che dava sul pontile.

Il ristorante era chiaramente un luogo di incontro per aspiranti celebrità: attori, musicisti, modelli. Solo in pochi ce la facevano ma tutti possedevano i requisiti base per affrontare la scalata alla notorietà: volti telegenici, corpi fotogenici. Il locale era un mare di curve flessuose e folte chiome selvagge. Abby si chiese come avesse fatto Hickle a capitare in un posto del genere.

Una cameriera li accompagnò a un tavolo d'angolo. Abby sapeva che lui ci avrebbe messo un po' per sentirsi a suo agio. I primi tentativi di conversazione furono brevi e improduttivi. Ordinarono da bere e da mangiare e quando furono serviti Hickle consumò il proprio pasto con voracità, senza quasi parlare.

Iniziò a rilassarsi solo dopo aver stappato la seconda birra. Abby capì che non era abituato all'alcol. Iniziò a biascicare leggermente. Il respiro era meno naturale, le palpebre pesanti e lo sguardo vago. Era un uomo grande e goffo, a disagio nel suo corpo, e la seconda Heineken lo rese ancora più maldestro. Per due volte fece cadere la saliera e una volta gli scivolò il coltello dal tavolo.

«Com'è la tua insalata?» le chiese finalmente, cercando di instaurare per la prima volta un vero dialogo.

«Favolosa. Cavolo riccio e funghi Portobello… una vera delizia. Allora, vieni qui spesso?»

«Quasi mai. A dire la verità…» Un sorriso imbarazzato. «… sono venuto qui solo una volta. Non è l'atmosfera giusta per me.»

«Perché no?»

«Be', guardali.» Appoggiò il gomito sul tavolo e puntò un dito accusatore verso il centro della sala. «Il modo in cui si muovono. Le loro facce. Sono così *sicuri di sé*. Hanno il mondo in pugno.»

Abby seguì il suo sguardo e osservò gli altri clienti. Hickle aveva ragione. Donne bellissime e uomini affascinanti. La differenza tra maschi e femmine non era data dalle capigliature o dai vestiti, che erano piuttosto analoghi. Piuttosto, gli uomini emanavano un senso di delicatezza, di fragile sentimentalismo emotivo; le donne invece erano toste. Corpi scolpiti dalle ore trascorse in palestra, lineamenti duri su volti privi di trucco, gli occhi stretti e severi.

«Hanno il mondo in pugno» ripeté Hickle corrugando la fronte. «Non che *tu* debba invidiarli» aggiunse per farle un complimento, che suonò più come un rimprovero.

«Io non invidio nessuno» disse Abby, facendo piroettare la sua forchetta i cui denti luccicarono al lume di candela. «Il verde non mi dona.»

Hickle si portò alla bocca il suo club sandwich e ne staccò un pezzo con i denti. «Non li invidi perché non ne hai bisogno. Sei una di loro anche tu.»

«E tu no?» Era chiaro che lui non lo era.

Con un gesto largo e sgraziato, Hickle agitò il braccio verso la folla, rischiando di far cadere la birra. «Io sono di un altro pianeta.»

«Non sono poi così speciali.»

«Oh, sì che lo sono. Non avverti il loro potere?» Abbassò la voce, sporgendosi in avanti e incurvando le spalle, sulla difensiva. «Una volta ho visto un film con un titolo strano. *Killer Elite.* Tutte le volte che vengo in un posto come questo, mi viene in mento quel film. Un'élite killer, che ti uccide.»

Abby notò la parola "killer" e il fatto che la utilizzasse per descrivere gli altri quando, in realtà, era molto più realistico collegarla a lui. «Sono solo dei ragazzi che escono per un hamburger e una birra» disse placida.

«Dei ragazzi, certo, ma non semplici ragazzi. Loro hanno la bellezza.»

«Cosa?»

«La bellezza» ripeté con una strana serietà. «Sai quello che si dice, che il mondo si divide in ricchi e poveri? Be', è vero, ma non nel modo in cui pensa la maggior parte della gente.» Avvicinò il boccale di birra alla bocca e prese una grossa sorsata, come un cane, ingollando un terzo del contenuto. «Non sono i soldi a fare la differenza. I soldi non contano; chiunque è in grado di fare soldi. Arriva puntuale al lavoro, mostra un minimo di intelligenza e il tuo capo nel giro di tre mesi ti offrirà una promozione, che tu la voglia o no.»

«Perché mai uno non dovrebbe volere una promozione?» gli chiese Abby, ma Hickle non la ascoltava.

«Quello che davvero importa» disse, il tono di voce alto, gli occhi sgranati, «è la bellezza. Ecco cos'hanno i ricchi e cosa non hanno i poveri. Dovresti saperlo perché tu ce l'hai. Ogni donna di questa sala ce l'ha. E anche gli uomini…» Hickle aveva la mano stretta a pugno sebbene non se ne fosse reso conto. «A parte me.»

La rabbia stava montando dentro di lui pericolosamente. Abby cercò di calmarlo. «Sei troppo duro con te stesso.»

«Sono solo sincero. Vedi, alla fine il cervello non conta. Puoi essere il ragazzo più intelligente della classe, prendere sempre il voto migliore, ma se non sei di bell'aspetto nessuno ti invita al ballo della scuola. Se non hai la bellezza non sei niente. O sei il pagliaccio della classe oppure… il mostro.» Diede un ultimo morso svogliato al panino e posò gli avanzi stancamente. «Che cavolo, tanto tu non capirai comunque. Scommetto che *tu* non avevi problemi con i ragazzi.»

La stava studiando con un sorriso di sbieco che doveva essere amichevole ma che, invece, comunicava una cattiveria fredda e incomprensibile.

Abby mantenne un tono di voce calmo. «Veramente io ero un maschiaccio. Non ero molto popolare e ovviamente non sono mai stata la reginetta del ballo.»

Quell'informazione lo sorprese. La sua espressione si addolcì un po'. «Dici sul serio?» le chiese tranquillo.

«Ero una frana in quasi tutte le materie. La mia mente aveva la tendenza a vagare. In sostanza ero sempre da sola. Quando non ero a scuola, trascorrevo la maggior parte del tempo a fare trekking nel deserto o a strigliare i cavalli al ranch. Ero sempre sporca, con i capelli scompigliati. Non mi truccavo mai. Avevo le braccia piene di pizzichi di zanzare e la faccia ricoperta di lentiggini.» Era tutto vero. «Mio padre diceva che ero un fiore che doveva ancora sbocciare.»

Hickle la osservava e Abby sentì che il suo risentimento si stava affievolendo. «Be'» disse infine, «sei sbocciata bene.»

Lei sorrise. «Sono una persona completamente diversa ora. Quindi immagino che dopo la scuola inizi davvero un'altra vita.»

«*Sbagliato.*» Hickle sbatté il palmo della mano sul tavolo, facendo vibrare i piatti, poi si morse le labbra in preda all'imbarazzo. «Scusa, non volevo. Ma la gente dice sempre così. Me lo sono sentito ripetere in continuazione quando ero un ragazzino. Quando diventerai adulto la tua vita cambierà completamente. Ecco cosa mi dicevano.»

«E non è andata così?»

«Per niente. Il liceo *è* la vita vera. Vita vera senza finzioni.»

Prese un'altra sorsata di birra, ma non era l'alcol a farlo parlare liberamente. Erano le sue domande, ognuna posta gentilmente, con l'obiettivo di indagare la sua anima. Erano la sua calma, il suo sguardo riflessivo e i suoi silenzi, che facevano sì che Hickle potesse dire tutto quello che voleva senza sentirsi giudicato o rimproverato.

«Ti racconto dei miei anni al liceo.» Sollevò una carota da un piattino e iniziò a giocherellarci distrattamente. «Nella mia classe c'era un ragazzo, Robert Chase. Non era particolarmente brillante. Non era un idiota, intendiamoci, ma nemmeno un genio e neppure un bravo studente. Saltava le lezioni, prendeva voti mediocri e a volte insufficienti, fumava erba nei bagni e cazzeggiava in giro. Ma aveva un vantaggio.»

«Tiro a indovinare. Era... un bel ragazzo?»

«Esattamente. Il caro vecchio Bob Chase.» La bocca di Hickle si contorse in un ghigno di disgusto. «Le ragazze lo chiamavano Bobby, con quel tono svenevole, hai presente? Era alto e aveva folti capelli ricci e addominali scolpiti. Era la punta di diamante della squadra di basket. Lo adoravano *tutti*.»

Abby capì che la vecchia invidia gli stava montando dentro. Rimase in silenzio.

«Comunque, un paio di mesi fa stavo leggendo il *Los Angeles Times* e cosa vedo? Robert Chase, il mio vecchio compagno del liceo, era stato nominato capo dello staff di un membro del Congresso a Washington DC. È un personaggio emergente, ha fatto carriera in fretta. Dicono che potrebbe mettersi in lizza per un seggio. Potrebbe diventare lo stramaledetto... scusa... diventare Presidente degli Stati Uniti. Perché? Io sono più intelligente di lui. Avevo voti migliori. Non chiudevo gli altri ragazzi negli armadietti né gli davo dei pugni nei corridoi solo per farmi due risate.» Hickle spezzò la carota, buttò le due metà e ne prese un'altra. «Ma io non ho la bellezza. Sii sincera. Potrei mai diventare presidente?»

Nella sua mente Abby si immaginò una sala congressi, palloncini colorati, brindisi e, sotto i riflettori, la sagoma sciatta e goffa di Raymond Hickle, con quell'ammasso di capelli neri trascurati e in disordine, il collo arrossato dall'acne, il viso tirato e paffuto allo stesso tempo, gli occhi infossati e la pelle spessa e cadente all'altezza della mascella. Se lo vide mentre cercava di fare un discorso, pretendere rispetto, esercitare la sua autorità, e quello che sentì erano le risate della folla presente. «Non sono tutti tagliati per diventare presidente» disse con gentilezza.

Con un gesto della mano Hickle respinse quella risposta come se fosse una mosca fastidiosa. «Quello del presidente era solo un esempio. Le persone come Bob Chase sono dei vincenti nella vita. Possono fare tutto quello che vogliono. Possono avere chiunque vogliano. Tutto e tutti.» Voltò la testa, distogliendo lo sguardo dalle verità che stava pronunciando. «Se vogliono soldi, gliene arrivano a palate. Oppure la fama... Guardali sulle copertine delle riviste importanti. Oppure, be'...» Arrossì. «... il sesso, sai... se lo vogliono, ottengono sempre anche quello.»

Abby annuì, i pensieri le si affollavano nella testa. Anni prima Hickle si era fissato con Jill Dahlbeck, un'aspirante attrice non diversa dalle molte donne presenti in quella sala. Ora Kris Barwood era la sua nuova ossessione, una vera e propria celebrità. Con ogni probabilità ce n'erano state delle altre, tutte famose o alla ricerca di successo. Era attratto dalle belle donne, ma la bellezza non gli bastava. Dovevano anche essere famose o nutrire la speranza di diventarlo. Erano come le stelle dorate nel cielo e lui voleva disperatamente essere uno di loro. Con l'età non aveva perso le sue abitudini adolescenziali, il desiderio di essere accettato e ammirato. Per lui il ballo della scuola era tutto ed era l'unico a esserci andato senza accompagnatrice.

«E la felicità?» chiese Abby dolcemente. «Hanno anche quella?»

«Certo. Siamo appena passati per Beverly Hills. Hai visto che case? Oppure quassù a Malibu...»

Dove viveva Kris. Abby alzò un sopracciglio. «E quindi?»

«È un posto bellissimo. L'hai mai visto?»

«No.»

«È magico.»

«Intendi la spiaggia? Il lungomare?»

«Tutto quanto. Malibu è un luogo perfetto. Uno come potrebbe essere triste vivendo in un posto del genere? È un paradiso.»

In realtà Abby aveva visitato Malibu molte volte. Secondo lei la cittadina non era all'altezza della sua reputazione. Le colline erano aride e spoglie per metà dell'anno, colpite da potenti colate di fango nella stagione delle piogge e da incendi improvvisi nei mesi torridi. Dietro ai cancelli e alle mura si potevano intravedere ville sfarzose, ma la strada principale era costellata di negozi da surf diroccati e noleggio bici. Abby non avrebbe definito quei luoghi un paradiso, ma per Hickle erano i Campi Elisi. La dimora in cui la reginetta del ballo e il suo consorte si erano ritirati per condurre le loro vite da sogno.

Voleva che continuasse a parlarle di Malibu, ma non c'era un modo di farlo senza correre rischi sconsiderati ed evidenti. Perciò disse pacata: «Le persone hanno problemi dappertutto, anche se vivono in bei quartieri».

«Le persone normali sì. Conosci lo scrittore che ha detto che i ricchi sono diversi? Aveva ragione, eccetto che non sono solo ricchi. Sono la *killer élite*. Hanno tutto quello che vogliono, mentre il resto di noi...»

La seconda carota gli si spezzò fra le mani.

«Sì?» gli chiese Abby.

«A noi toccano le briciole. Se siamo fortunati.»

Abby tentò di placare la sua ira con un'alzata di spalle. «Scommetto che quasi nessuno qui è ricco o famoso.»

«Non ancora, sono giovani, ma dagli tempo. Dove saranno fra dieci anni?» La sua voce si ridusse a un sussurro. «E io dove sarò?»

«Non lo so, Raymond» rispose lei con un tono altrettanto basso. «Cosa pensi ne sarà di te?»

«Io credo...» Con gli occhi rivolti verso il basso osservò il tavolo per un lungo momento. Poi sollevò lo sguardo, che incrociò quello di Abby. «A essere sinceri, credo che sarò piuttosto famoso.»

«Davvero?»

«Sì. Tutti sapranno chi sono.»

«Stai scrivendo il più grande romanzo di tutti i tempi o qualcosa del genere?»

«Non proprio.»

«Quindi come farai?»

«È... un segreto.»

«Che segreto è se non lo dici a nessuno? Dammi un indizio.»

«Non posso. Davvero.»

«Fai finta che davanti a te non ci sia solo Abby, ma la cara, vecchia Abby. Le persone le raccontano tutto. Le dicono molte più cose di quelle che probabilmente vorrebbe sapere.» Hickle sorrise ma scosse la testa. Voleva andare avanti ma l'istinto le suggerì che non si sarebbe lasciato convincere. «Ok, d'accordo» disse. «Di qualsiasi cosa si tratti, spero che vada in porto.»

«Oh, ma certo. Ne sono sicuro.»

Eccola. La risposta a una delle sue due ultime domande.

Riteneva di poter mettere in atto un'aggressione con successo? Sì.

18

Era piena crisi, come al solito.

Ogni giorno, nella sezione notizie alla KPTI-TV, si cercava di controllare l'isteria. Le persone che ci lavoravano soffrivano tutte di dipendenza da adrenalina; nel loro ambiente regnava il caos lavorativo; scatenare un pandemonio era l'unico modo in cui riuscivano a portare a termine i loro compiti.

L'allarme rosso che scattò quella sera fu causato dalla nascita di due gemelli di elefante africano allo zoo di Los Angeles. La notizia della nascita dei cuccioli era arrivata in redazione alle 17.15. Alle 18 era stata programmata una diretta dallo zoo.

La cosa più sensata da fare sarebbe stata posticipare il servizio sugli elefanti a notiziario inoltrato, ma ovviamente non fu così. La notizia dei gemelli doveva aprire lo show. I due elefantini avevano messo al secondo posto un inseguimento ad alta velocità della polizia a Pomona, al terzo posto il ricovero di una famosa attrice di soap opera e al quarto l'intervista esclusiva di *Channel Eight* con il sindaco. Le questioni di politica non erano mai degli scoop a LA.

Il furgone della KPTI arrivò allo zoo solo qualche minuto prima dell'inizio del notiziario delle 18. Ci furono dei problemi a stabilire il collegamento, ma non appena la musichetta iniziale finì e Kris Barwood ebbe annunciato il lieto evento, le immagini partirono e, miracolosamente, la linea fu passata senza alcun intoppo a Ed O'Hern in diretta dallo zoo. Il team riuscì perfino a riprendere alcuni passi incerti dei gemelli appena nati, mentre in sottofondo passava la colonna sonora di *Dumbo*.

«Che casino» disse Amanda Gilbert alle 19.30, terminato il punto sul notiziario appena concluso. «Dumbo e Dumba non potevano nascere in un altro momento?»

Parlava con un tono di voce talmente alto che Kris riusciva a sentirla dall'altro lato della stanza. La raggiunse mentre la giovane donna si dirigeva all'uscita, una ventiquattr'ore in una mano e una risma di fogli nell'altra.

«Credo che si chiamino Willy e Wally» disse.

«Sì, va bene. Sono teneri, hanno delle orecchie enormi e sembrano usciti da un cartone della Disney. Non assillarmi con altri dettagli.»

«Comunque sei stata brava. Il servizio è venuto benissimo.»

Amanda alzò le spalle. «È stata una toccata e fuga, ma insomma, è andata come volevamo. Gli impiegati dello zoo che sorridevano, gli elefantini che mangiucchiavano qualcosa e un bel riepilogo finale da parte di Ed. L'unica cosa che mancava era un gruppo di ragazzini lentigginosi con in mano i libri di *Babar l'elefantino*.»

Amanda, la produttrice esecutiva dell'edizione delle 18 di *Real News*, aveva trent'anni e parlava a raffica. Era sempre tesa ed era magra da fare impressione. Probabilmente dormiva meno di quattro ore a notte. Valutandola nel modo più oggettivo possibile, Kris non riusciva a capire cosa ci trovasse Howard in quella cosetta pelle e ossa con i nervi a fior di pelle. Ma ovviamente non era tanto difficile da capire. A suo marito cinquantunenne piacevano quelle giovani.

Non era colpa di Amanda. Howard si comportava così anche con le segretarie, le hostess e le ragazze immagine davanti ai negozi di cosmetici dei centri commerciali. All'inizio Kris provava un mesto divertimento per l'occhio lungo del marito. Ora non più.

«Kris? Sei ancora tra noi?»

«Cosa?»

«Ci avevi lasciati per un momento.»

«Scusa. Ero sovrapensiero.»

«Già, ricordo quando anche io potevo concedermi il lusso di pensare. Adesso tutte le mattine salgo sul treno Ulcera gastrica al binario Isteria e ci rimango fino a sera. A proposito, per me è arrivata l'ora di levarmi dai piedi e per te di ripassare le notizie con Consuelo.»

Consuelo Martinez era la produttrice esecutiva del notiziario delle 22 e del programma di attualità che seguiva.

«L'ho già fatto.» Kris sollevò una manciata di pagine gialle del copione. «Mi hanno già dato le mie battute.»

«Già, tanto te le cambieranno all'ultimo minuto. È inevitabile. 'Notte Kris.»

Amanda stava per avviarsi quando lei la bloccò. «Senti, volevo scusarmi per Howard. Per come si è comportato l'altra sera.»

«Howard? Ma se è un tesoro. Non ha fatto niente di che.»

«Mi è sembrato che... fosse un po' troppo appiccicoso, che ti stesse infastidendo.»

«È che va matto per le strumentazioni tecniche, tutto qui. È un bambinone. Mi ha chiesto di spiegargli a cosa servissero tutti quei tasti. D'accordo, a volte è davvero un rompiscatole, però è carino.»

«Anche io la pensavo così» disse Kris. «Ma credo che i suoi interessi vadano oltre a qualche stupido tasto.»

Amanda le si avvicinò. «Cosa vuoi dire?»

Kris non sapeva quanto poteva dirle. Lei e Amanda non erano esattamente amiche, erano troppo diverse per instaurare una vera amicizia, ma ormai erano due anni che lavoravano insieme e due anni trascorsi in una redazione televisiva erano un'eternità.

«Il fatto è...» disse lentamente, dopo essersi accertata che nessuno stesse ascoltando. «È che Howard non è affidabile.»

Amanda le rivolse uno sguardo accigliato. «Come dovrei interpretare questa cosa?»

«Nella maniera più evidente.»

«Mi stai dicendo che se la spassa alle tue spalle?»

«Ho i miei sospetti.»

«Non mi sembra una cosa da lui. Ho sempre avuto l'impressione che fosse uno all'antica.»

«Le apparenze ingannano. Ha l'occhio lungo e non so se si è limitato solo a guardare. Forse no.»

Amanda arricciò le labbra, intrigata e per niente scioccata dalla notizia. «Vuoi dire che forse lui... insomma... proprio adesso?»

«Non posso dirlo con esattezza. È solo un sospetto.»

«Basato su cosa?»

«Su troppo assenze ingiustificate. Troppi giri in macchina senza un vero motivo. Dice che li fa per mettere a regime la sua nuova auto. È vero che adora i suoi giocattoli, però ho dei dubbi. Una volta l'ho beccato che mandava delle email e ha chiuso subito il programma, come se volesse nascondermi qualcosa.»

«Email d'amore?» Amanda non sembrava convinta.

«Mai sentito parlare di cyber-sesso?» le chiese Kris con tono distaccato. «Siamo nel nuovo millennio. Le persone non scrivono più poesie o semplici lettere d'amore, immagino.» Eccetto Hickle, la corresse una vocina dentro di lei.

Amanda scosse la testa. «Ne avete parlato? Sa che hai dei sospetti su di lui?»

«Lui non sa niente. Courtney, la nostra domestica, è la mia informatrice. Si è confidata con me dopo che... dopo che Howard ci ha provato con lei.»

«A casa vostra? Che bastardo. Chiedi il divorzio.»

«Possiamo risolvere la situazione.»

«No, se non inizi a parlarne.»

«Lo farò quando questa faccenda dello stalker sarà finita.»

Amanda sospirò. «Pensavo che voi due foste una coppia felice. Sai, come quelle che prendono il massimo nel test di compatibilità di *Cosmopolitan*.»

«Una volta lo credevo anch'io. Ora non... io...» Non riuscì a pronunciare una parola di più. «Senti, volevo solo dirti che mi dispiace se l'altra sera ti stava troppo attaccato.»

«Non preoccuparti.» Amanda lanciò uno sguardo all'orologio. «Devo scappare, ma se abbiamo tempo, domani facciamo due chiacchiere, ok? Cuore in mano.»

Kris sorrise. «Non credevo fossi il tipo da giornalismo strappalacrime.»

«È una parte che recito a fatica, ma posso farcela.» Strinse il braccio di Kris per confortarla. «Tieni duro, ragazza.»

Kris la osservò mentre andava via. Sapeva che il giorno successivo non ci sarebbe stata nessuna chiacchierata cuore in mano perché sarebbe mancato il tempo. In posti come quello non c'era mai tempo. Nessun problema, comunque. Non era sicura di volersi confidare con una donna che, dopotutto, era una delle fantasie di Howard.

Il suo sguardo oltrepassò le file di computer e le scrivanie grigie per posarsi sugli orologi a parete, ognuno con un fuso orario diverso. In California erano le 18.45. Meglio muoversi. Doveva ancora mettere qualcosa sotto i denti, rivedere il copione e passare al trucco. Di tutte e tre la cura dell'aspetto era l'attività più importante. Da quando aveva compiuto quarant'anni sembrava che trascorresse più tempo nella stanza del make-up.

«Non è ironico?» mormorò. Doveva aver scelto quella professione in un puro slancio di masochismo, dato che il successo in quel settore dipendeva esclusivamente dall'essere giovani e belle, le stesse priorità che aveva suo marito: sposarlo era stata l'ulteriore scelta che aveva confermato il suo innato masochismo.

19

Hickle sapeva che dovevano esserci le parole azzeccate per dare all'appuntamento con Abby la giusta conclusione. Nei film le persone dicevano sempre frasi intelligenti. Perché nella vita vera era così difficile?

Rimuginò sul problema mentre l'ascensore li portava al quarto piano. Quando l'accompagnò davanti alla porta non aveva ancora trovato una soluzione.

«Allora» disse Abby, «eccoci qui.»

Era il suo momento. Doveva fare un tentativo. Essere spontaneo.

«È stato divertente» riuscì a dire.

Che schifo, cavolo. Qualsiasi coglione avrebbe potuto dire una cosa del genere. Però Abby gli sorrise, sorprendendolo.

«Fantastico» disse. «Hai gusti eccellenti.»

«Oh, be'… lavoro in un ristorante, ricordi?» Non sapeva perché avesse detto di nuovo quella bugia.

«Sì, mi ricordo. Magari uno di questi giorni faccio un salto per scroccare un pasto.»

Beccato, doveva pensare in fretta a una scusa. «Non credo che il proprietario sarebbe d'accordo» rispose, sperando di avere un tono casuale. «Ma non si sa mai. Vedremo.» Decise di concludere la serata prima che saltasse fuori qualche altro imprevisto. «Buonanotte, Abby.»

«'Notte.»

Si chiese se non fosse il caso di baciarla. Non aveva mai dato un bacio a una ragazza, eccetto a Priscilla Gammon in terza elementare, con cui aveva pomiciato per scommessa. Priscilla si era messa a urlare, dandogli poi dello schifoso e pulendosi accuratamente la bocca con la manica della maglia. Per le due settimane successive aveva fatto il gesto di vomitare ogni volta che lo incontrava. Dubitava che Abby potesse comportarsi in una maniera simile. Eppure, era meglio non rischiare.

«Buonanotte» ripeté inutilmente.

Abby sorrise mentre apriva la porta. «Fa' bei sogni... visto che siamo in un posto da incubo.»

Hickle annuì, non sapendo cosa dire. Continuò a muovere la testa finché lei non sparì nel suo appartamento. Poi trovò le chiavi ed entrò nel suo. Avrebbe dovuto controllare che il notiziario fosse stato effettivamente registrato ma, per qualche motivo, la cosa non gli sembrava più tanto importante. Decise che l'avrebbe fatto dopo.

Girovagò per il bagno, ignorandone il motivo, e ne uscì senza aver fatto nulla. Aprì le finestre, lasciando che la brezza soffiasse tra le veneziane. L'aria fresca era piacevole. Andò in cucina e si versò un bicchiere d'acqua che bevve tutto d'un fiato, poi emise un sonoro rutto. Si mise a osservare il suo appartamento e benché l'avesse sempre considerato una topaia, quella sera non gli sembrava così male; era quasi vivibile. Pensò che la sua vita andava abbastanza bene, meglio di quanto non credesse, e si domandò perché improvvisamente la pensasse così.

Be', per via di Abby, ovvio. Erano stati benissimo insieme. Quando la cameriera aveva portato il conto, lui aveva insistito per pagare, ma lei aveva preferito fare a metà. Avrebbe voluto pagarle la cena perché era il genere di cose che gli uomini fanno solitamente e non gli capitava spesso di sentirsi un uomo.

Di certo Jill Dahlbeck non l'aveva mai fatto sentire in quel modo. Si ricordò di quando aveva trovato il coraggio di chiederle di uscire e la falsa e forzata cordialità con cui lei aveva declinato l'invito, con una scusa ridicola. In quel momento l'aveva odiata e aveva continuato a farlo per anni. Aveva castrato la sua mascolinità, l'aveva umiliato, come facevano sempre le donne, perché tutte le donne erano delle stronze in fondo, delle stronze puttane...

Si calmò. Non tutte le donne, disse fra sé. Non Abby.

Il telefono squillò.

Lo guardò, basito. Non lo chiamava mai nessuno. Dovevano aver sbagliato numero.

A meno che non fosse Abby. Aveva trovato il suo numero? Chiamava per fare due chiacchiere? Con mano tremante alzò la cornetta. «Pronto?» disse.

Un momento di silenzio e poi una voce femminile disse: «Hai un messaggio».

Non era la voce di Abby. Non era neppure sicuro che fosse una voce umana. Sembrava finta, elettronica. Perplesso, premette la cornetta contro l'orecchio. «Chi parla? Pronto?»

La voce ripeté: «Hai un messaggio».

Clic. A un tratto partì il rumore di un segnale elettronico.

Lentamente riagganciò il telefono. Aveva capito. Si trattava di una voce registrata, tipo quella che sentivano gli utenti di un fornitore di servizi Internet ogni volta che effettuavano l'accesso.

Voleva dire che l'utente aveva ricevuto una email.

* * *

Raggomitolata sul pavimento di camera sua, con le luci spente, Abby iniziò a guardare le immagini delle telecamere nel salotto di Hickle. Trasmesse in diretta a una TV portatile a tubo catodico da sette pollici, erano nitide e accurate. Il minitelevisore, che Abby si era portata da casa dato che non si fidava dei dispositivi antiquati forniti solitamente dai proprietari, era dotato di un videoregistratore capace di registrare ventiquattro ore di immagini accelerate su una normale cassetta.

L'audio trasmesso dai due microfoni di sorveglianza veniva riprodotto da un impianto stereo e registrato su un nastro a bobina da 33 giri. Entrambi i trasmettitori audio viaggiavano su una delle frequenze standard dei telefoni senza fili. Se per caso qualcuno avesse intercettato il segnale e sentito i mormorii di Hickle, avrebbe ipotizzato che si trattasse di una chiamata telefonica indecifrabile e casuale.

Abby aveva montato l'attrezzatura nell'armadio della camera da letto, nascosta dietro la porta e al sicuro nel caso fosse dovuta uscire. Dato che non si aspettava risultati eclatanti fin da subito, non prestava particolare attenzione alla diretta da casa Hickle, finché il telefono del vicino non iniziò a squillare.

Lo vide rispondere e, tramite i microfoni, sentì che chiedeva chi fosse. Non poteva però sapere cosa stesse dicendo la persona dall'altro capo della linea, sempre che qualcuno stesse veramente parlando. In quel momento desiderò ardentemente di aver installato un trasmettitore infinity nel telefono dello stalker.

Hickle aveva riagganciato e rimase in piedi, immobile, per un momento, poi andò in camera da letto, fuori portata dalla telecamera. Dopo un minuto ricomparve, trasportando il suo borsone. Aveva un'espressione feroce in viso. Uscì dall'appartamento, camminando veloce.

«Ma che diavolo sta facendo?» Abby si era già alzata. Afferrò la borsa e iniziò a correre verso la porta, ma poi temporeggiò. Hickle poteva essere ancora nel corridoio. Sbirciò fuori e vide che le porte dell'ascensore si stavano chiudendo.

Si scapicollò giù per quattro rampe di scale. Quando raggiunse il parcheggio, la macchina di Hickle non c'era più. Lanciò la borsa dentro la Dodge e si immise sulla Gainford. La strada era buia in entrambe le direzioni. Si diresse a nord, verso Santa Monica. All'incrocio non c'erano semafori; svoltare a sinistra nel flusso costante di macchine era impossibile. Se Hickle aveva preso quella strada, si era diretto a est.

Si infilò tra due macchine nel traffico e accelerò, sfrecciando di corsia in corsia alla ricerca di una Golf. Non ne vide nessuna. «Dove sei, Raymond?» sussurrò. «Dove vai così di corsa? E a cosa ti serve il fucile?»

Non aveva idea di quello che sarebbe potuto accadere, ma il suo intuito, che raramente falliva, le suggeriva che Hickle aveva in mente qualcosa di grande, di pericoloso. Pericoloso per Kris? si chiese. *O per me?* Non lo sapeva.

* * *

A due isolati da Gainford, Hickle lasciò Santa Monica Boulevard, tagliando a sud sulla Wilcox e infilandosi in un dedalo di stradine laterali e di viali finché non raggiunse la zona ovest di Los Angeles. Da lì si diresse verso nord, controllando in continuazione lo specchietto retrovisore.

Forse Jack lo stava inseguendo, forse la telefonata era stata uno stratagemma per spingerlo a uscire di casa di notte. Un'eventualità improbabile, ma a Hickle non era dato comprendere le motivazioni di Jack, né era a conoscenza della quantità di informazioni di cui fosse in possesso. Per Hickle lui era solo il nome di un indirizzo email, impossibile da rintracciare e misterioso.

Gli venne in mente la lettera che aveva ricevuto un mese prima, con il francobollo del centro di Los Angeles e priva di mittente. Era un foglio stampato da un computer su cui c'erano poche righe. Nessuna firma. Diceva che era stato creato un account ZoomMail per lui. Lo username era JackBQuick e la password consisteva nel numero di targa della sua Volkswagen. C'era anche scritto di controllare l'email regolarmente. L'ultima riga recitava: *Distruggi questa lettera.*

Hickle si era attenuto alle istruzioni. Per prima cosa aveva bruciato la lettera e la busta, poi era andato in biblioteca e aveva usato un computer pubblico per trovare la homepage di ZoomMail. Aveva effettuato l'accesso utilizzando come username JackBQuick e aveva scoperto che nella posta in arrivo c'erano due messaggi. Una era l'email di benvenuto dallo staff di ZoomMail, che si congratulava con lui per aver scelto il loro servizio gratuito di posta elettronica, mentre l'altra proveniva da una persona. In base all'indirizzo era stata spedita da un utente di ZoomMail che si faceva chiamare JackBNimble. Proprio come nella canzoncina per bambini:

Jack, be nimble
Jack, be quick
Jack, jump over the candlestick[1]

Chiunque fosse a essersi messo in contatto con lui, gli piacevano i giochetti.

L'email, per quanto breve, era ricca di dettagli sulle misure di sicurezza che proteggevano Kris. Senza fiato, Hickle l'aveva letta lentamente, facendo delle pause solo per tornare a respirare. Aveva scoperto che Kris si era rivolta a un'agenzia di sicurezza chiamata Travis Protective Services e che un bodyguard con una Beretta M9, che era anche il suo autista, la scortava ovunque. L'email diceva pure che altri agenti stazionavano in una dépendance della villa e riportava altre informazioni importanti.

Sempre che non fossero false. Potevano essere delle bugie per incastrarlo senza troppo baccano. Non poteva saperlo. Non poteva fidarsi di nessuno, nemmeno di quel benefattore anonimo.

Ma se quel messaggio era autentico, allora Jack aveva accesso alle informazioni interne della TPS. Forse era un impiegato o un dipendente dei Barwood. Quella persona sapeva molte cose su di lui (il suo indirizzo, la sua targa) e voleva che ricevesse informazioni importanti su Kris.

Le ultime righe dell'email erano le più succulente:

L'area della Malibu Reserve è protetta
da cancelli e recinzioni, ma un canale di
drenaggio consente l'accesso alla proprietà

---

1   NdT: Jack, sii svelto/ Jack, sii veloce/ Jack salta oltre il candeliere.

sul lato nord-occidentale, a circa venti metri
dalla Pacific Coast Highway.

Accesso alla proprietà... JackBNimble@zoommail.com voleva
che lui fosse al corrente di questa informazione. Hickle aveva risposto
all'email con una sola parola:

Perché?

Aveva riletto l'email di Jack fino a imprimersela nella mente, poi
l'aveva cancellata dalla sua casella di posta come gli aveva ordinato il
mittente.

Quella notte Hickle non aveva dormito bene. Nei giorni successivi
aveva continuato a controllare l'email ogni pomeriggio. Aveva dovuto
attendere una settimana prima di ricevere un altro messaggio, che
conteneva informazioni aggiuntive sulle misure di sicurezza. L'email
terminava con un'osservazione provocatoria:

Kris è più vulnerabile, passata la mezzanotte,
quando torna dal lavoro con la sua Lincoln
Town Car. Un aggressore potrebbe restare
in agguato nell'oscurità, senza essere visto.
Riflettici.

Lo sconosciuto non aveva risposto alla domanda di Hickle. A
quanto sembrava Jack non voleva rivelargli le sue motivazioni.

La domenica successiva Raymond aveva trascorso il pomeriggio
nei cespugli vicino alla Malibu Reserve, riuscendo a scovare il canale
di drenaggio. Era stretto ma avrebbe potuto strisciarvi dentro. Da lì
riusciva a vedere la villa dei Barwood. Era ritornato diverse volte per
scattare delle istantanee di Kris mentre faceva jogging sulla spiaggia,
accompagnata dal bodyguard. Aveva osservato il cottage degli ospiti

abbastanza a lungo da vedere uomini che entravano e uscivano. C'erano davvero degli agenti in servizio dentro l'edificio. Tutto quello che Jack gli aveva detto era vero.

In seguito aveva ricevuto altri due messaggi, molto diversi dai primi. Jack stava perdendo la pazienza. Lo pungolava. L'ultima email era stata una vera e propria provocazione infantile:

> Kris ride di te. Dice che sei ridicolo. Ha detto agli agenti della TPS di non preoccuparsi perché tanto non hai le palle per agire.

Crudele manipolazione. Hickle non ci era cascato però. Aveva iniziato a perdere fiducia in Jack. C'era sotto qualcosa, qualcosa di complesso e misterioso. Forse la TPS gli stava inviando quei messaggi per spingerlo a commettere un illecito punibile per legge. Dopo aver ricevuto l'ultima email di Jack, aveva deciso di rispondergli con una sola frase:

> Non puoi prendermi per il culo.

Quella settimana non aveva ancora controllato l'email. Pensava che Jack non si sarebbe più rifatto vivo e invece, per la prima volta, l'aveva contattato per telefono.

Quella chiamata lo aveva preoccupato, non aveva idea del perché Jack si fosse spinto a tanto.

A quell'ora la biblioteca era chiusa. Per controllare l'email sarebbe dovuto andare in una copisteria aperta tutta la notte su Western Avenue. Il negozio era a un solo isolato di distanza.

E se Jack avesse anticipato le sue mosse? Se fosse stato lì ad aspettarlo pronto a tendergli la sua trappola mortale?

«Abbastanza improbabile» mormorò Hickle, ma mentre rallentava sulla corsia di destra, allungò la mano verso il borsone sul sedile del passeggero e aprì la cerniera in modo da poter afferrare immediatamente il fucile.

Se qualcuno avesse aperto il fuoco, sarebbe stato pronto. Non si sarebbe arreso senza dare battaglia.

Nessuno gli sparò. Condusse la Volkswagen in un angolo buio del parcheggio da cui poteva osservare il negozio senza essere visto dall'interno. Un'insegna luminosa splendeva sopra la vetrina frontale attraverso cui si vedevano file di fotocopiatrici e computer. C'era un po' di gente; alcuni facevano delle fotocopie, altri battevano sulle tastiere. Il viso del commesso dietro alla cassa era pallido e tirato, illuminato dalla luce fluorescente del neon.

Niente di strano. Hickle mise il borsone ai piedi del sedile del passeggero, nascosto allo sguardo di occhi indiscreti, poi si diresse verso il negozio per scoprire cosa volesse da lui JackBNimble.

20

Abby l'aveva perso. Dopo aver guidato per venti minuti su Santa Monica Boulevard e sulle strade vicine non aveva ancora avvistato la macchina di Hickle. Entrò in una stazione di servizio e parcheggiò di fianco al compressore per fare il punto della situazione.

La telefonata era l'indizio chiave. Doveva sapere da dove proveniva e c'era un solo modo. La Pacific Bell offriva un servizio che permetteva di rintracciare le chiamate. Digitando un codice di tre cifre sulla tastiera del telefono il cliente poteva conoscere l'ultimo numero che lo aveva chiamato. Avrebbero addebitato un costo di 75 centesimi sulla prossima bolletta di Hickle, che probabilmente lo avrebbe insospettito, ma ora non poteva preoccuparsi di quel problema.

Per utilizzare il suo telefono doveva però entrare nell'appartamento. Forzare la serratura non era una buona idea; il grimaldello elettrico era troppo rumoroso e usarlo di sera, quando molti inquilini se ne stavano seduti tranquillamente in casa, era troppo rischioso. A mano avrebbe impiegato troppo tempo. L'unica soluzione era entrare dalla finestra. Lo aveva visto aprire le finestre e quando era uscito non le aveva chiuse perché era di fretta.

Uscì dal benzinaio e si diresse verso il Gainford Arms, guidando a tutta velocità.

* * *

I computer della copisteria potevano essere utilizzati a tempo. Hickle pagò in anticipo e si sedette alla postazione più lontana dalla cassa, dove c'erano meno probabilità che qualcuno lo osservasse.

Non c'era molto movimento. Le piastrelle del pavimento e il bancone bianco risplendevano sotto le luci fluorescenti. Dagli altoparlanti sul soffitto proveniva una musica folk, che diventava impercettibile ogni volta che le grandi fotocopiatrici venivano azionate, emettendo forti rumori elettronici.

Hickle si concentrò sullo schermo di fronte a lui, sul quale, dopo essersi connesso a Internet, si aprì la schermata del browser. Andò sulla homepage di ZoomMail e digitò *JackBQuick* e la sua password. Aveva ricevuto un'email. Il mittente era JackBNimble. Nell'oggetto del messaggio c'era scritto: *Urgente*.

Hickle avvertì un brivido di terrore alla nuca. Aprì il messaggio. Apparvero le prime due righe.

I tuoi nemici sono più vicini di quanto pensi. La TPS sta facendo sul serio. Hanno ingaggiato una spia.

Il rumore intenso e ritmico che sentiva rimbombare nelle orecchie era il battito del suo cuore. «Una spia» disse in un sussurro.

Uno dei commessi al bancone gli lanciò un'occhiata. Hickle si rese conto di aver parlato ad alta voce. Si schiarì la gola nervosamente.

Ma c'era di più nell'email. Per visualizzare il resto del messaggio, avrebbe dovuto far scorrere più in basso la schermata. Per un attimo rimase fermo, gli occhi puntati sullo schermo, riluttante al pensiero di continuare a leggere. Una specie di timore superstizioso lo stava paralizzando. Se non avesse letto il testo mancante, forse quelle informazioni avrebbero perso tutta la loro veridicità. Forse poteva

fingere di non essere mai andato lì. Forse poteva tornare a casa sua,
continuare la sua vita e cenare un'altra volta con Abby...

E a un tratto capì. Era talmente evidente.

La sua nuova vicina, così amichevole. L'aveva incrociato la prima
volta nel corridoio e poi in lavanderia.

Che strana coincidenza.

Sentì qualcosa contorcersi nello stomaco e provò una sensazione
indescrivibile che gli procurò quasi un dolore fisico.

Apatico, iniziò a leggere il resto dell'email.

Si è trasferita ieri nell'appartamento accanto
al tuo. Il suo lavoro è avvicinare uomini come
te, scoprire i loro segreti e fare rapporto su
ciò che viene a sapere. Lavora da sola, senza
scorta. Rappresenta una minaccia per te e,
indirettamente, anche per me. Spero ti renda
conto della gravità della situazione.

Quelle parole gli inondarono la mente. Non riusciva a concentrarsi.
Pensò che la storia del fidanzato infedele non fosse altro che una
bugia per conquistarsi la sua empatia. Pensò che lei non l'aveva mai
considerato un ragazzo simpatico o qualcuno con cui andare a cena.

Chiuse gli occhi e le spalle si curvarono. Il computer ronzava.
Dietro il bancone una delle fotocopiatrici smise di sputare fogli e la
musica tornò a sentirsi. Joan Baez intonava *The Night They Drove Old
Dixie Down*.

L'appuntamento di quella sera... le domande che gli aveva fatto...
le cose che le aveva raccontato. Cos'è che le aveva detto esattamente?
Malibu... aveva detto che quel posto gli piaceva, e che sarebbe diventato
famoso. Quanto avrebbe potuto capire da quei pochi indizi? Abbastanza
da intuire le sue intenzioni? Si chiese se non avesse già contattato la TPS
e raccontato a Kris quello che aveva scoperto.

Guardò l'orologio. Le 21.15. Abby non poteva essere con Kris. Kris era ancora alla KPTI per condurre il notiziario delle 22. Sarebbe partita da Burbank alle 23.30 e sarebbe arrivata a casa poco dopo mezzanotte.

Poteva arrivare a Malibu prima di quell'orario. Aveva già il fucile con sé. Tutto ciò che doveva fare era strisciare nel condotto di drenaggio, nascondersi nelle vicinanze della villa e appena la macchina di Kris si fosse immessa nel viale, lui...

Un colpo di fucile e le avrebbe spappolato il cranio.

La pancia della fotocopiatrice tornò a brontolare, sfornando fogli su fogli, e la voce di Joan Baez si perse in quel rumore fastidioso.

Poteva farcela. Quella notte. Poteva uccidere Kris, ma prima doveva tornare al Gainford Arms e occuparsi di Abby.

Jack aveva detto che la spia lavorava senza scorta. Nessuno sarebbe corso in suo aiuto quando l'avrebbe aggredita di sorpresa e le avrebbe spezzato il collo.

Era facile. Persino troppo facile...

«Un gioco da ragazzi» sussurrò piano.

Nessuno lo sentì. Il rumore della fotocopiatrice inghiottì tutti gli altri suoni.

Per due volte rilesse l'email. Di sicuro Jack sapeva che una donna si era trasferita nell'appartamento 418. Forse era addirittura al corrente che Hickle ci era uscito insieme quella sera. Avrebbe potuto avvistarli mentre uscivano dal palazzo insieme.

Erano settimane che istigava Hickle all'azione. Che avesse deciso di tentare un approccio più sottile? Convincerlo che la sua nuova vicina stava architettando un complotto contro di lui, far nascere in lui una furia omicida?

Quell'informazione era autentica? Abby era davvero una spia?

Non lo sapeva. La testa gli faceva male. Si passò le mani tra i capelli, battendo le palpebre per la luce del soffitto, che improvvisamente diventò troppo forte.

Non poteva fidarsi di nessuno. Jack sosteneva di essere un amico, ma la sua identità e le sue motivazioni erano del tutto sconosciute. Abby era una ragazza apparentemente in fuga dal suo ex, ma quanto sapeva sul suo conto? Poteva essere davvero una spia intenzionata a scoprire i suoi segreti. Oppure era Jack la spia della TPS che faceva il doppio gioco per spingerlo al limite e farlo arrestare. E se quei due fossero stati in combutta?

Rilesse il messaggio. Le parole non avevano più senso. Scivolavano una sull'altra e andavano in pezzi. Abby una spia? Ridicolo.

D'impulso cliccò sull'icona della risposta e scrisse furioso:

NON TI LASCERÒ GIOCARE CON IL MIO CERVELLO!

Ma non spedì l'email. Rimase a fissare quelle parole esplosive. Poi con il mouse selezionò la frase e la cancellò.

Non poteva presumere che Jack stesse mentendo. Supporre che fosse un bugiardo era tanto stupido quanto credere che stesse dicendo la verità. Scrisse un nuovo messaggio:

Sei un amico o un nemico?

Nemmeno questa andava bene. Come avrebbe risposto Jack? Cosa poteva scrivergli per capire se fosse in buona fede oppure no? Gli aveva già raccontato del punto di accesso tramite il canale di drenaggio, degli agenti nella dépendance e dell'autista armato.

Cancellò anche la seconda risposta e fissò lo schermo. Ma cosa stava succedendo? Forse non voleva credere che Abby l'aveva ingannato? Forse.

Era andato dietro a Jill Dahlbeck e alla fine era stato respinto, umiliato e si era ritrovato faccia a faccia con due poliziotti che gli avevano intimato di smetterla. Aveva tentato di incontrare Kris in tutti i modi possibili, ma lei non voleva vederlo e nemmeno riconoscere i sentimenti che provava per lei. Con Abby però le cose erano andate diversamente. Non era come Jill o Kris. Era gentile con lui. L'aveva trattato come un essere umano. L'aveva fatto sentire un vero uomo.

Ma se fosse solo una messa in scena? Se fosse davvero lei il nemico?

Una violenza martellante gli riempiva il cranio. Voleva gridare e spaccare tutto. Abbassò la testa. Doveva riflettere. Jack poteva dire la verità così come mentire. Abby poteva essere chi diceva oppure una spia. Non aveva modo di valutare in prima persona la sincerità di Jack. Ma nel caso di Abby, invece...

La conosceva. Era la ragazza della porta accanto. Non era un nome inventato sullo schermo di un computer, un insieme di pixel che cercava di prendersi gioco di lui. Era vera e accessibile; avrebbe potuto scoprire la verità su di lei.

Digitò una terza risposta.

Controllerò di persona la tua versione dei fatti.

Era la cosa giusta da scrivere. Inviò l'email.

Non aveva un piano ma ne avrebbe escogitato uno. Era in gamba. Avrebbe pensato a qualcosa. E se davvero Abby l'aveva imbrogliato...

L'avrebbe uccisa. Sì.

Prima lei, poi Kris.

Sempre se l'avesse davvero imbrogliato. Se.

Hickle si aggrappò a quella piccola parola mentre cancellava l'email di Jack e si disconnetteva.

Se.

La vita di Abby dipendeva da quella piccola parola.

* * *

Abby si arrampicò sulle scale antincendio e attraversò la stretta piattaforma fino ad arrivare davanti alla finestra della camera di Hickle. Le luci dell'appartamento erano accese, ma le veneziane erano chiuse e non riusciva a vedere dentro. Lanciò un'occhiata al parcheggio per assicurarsi che non fosse tornato.

La finestra della stanza era aperta, ma la zanzariera era abbassata. Se si fosse portata dietro il suo kit da fabbro, avrebbe potuto inserire un nastro di celluloide sottile e flessibile nella fessura e aprire il chiavistello. In quel modo sarebbe stata in grado di fare leva e allentare la zanzariera.

Ma non aveva il tempo di tornare nel suo appartamento per prendere il kit. Rovistando nella borsa trovò un coltellino svizzero. Tra i vari utensili c'era anche una pinza tagliafili. Fece un taglio nella maglia della zanzariera, inserì le dita nell'apertura e sfilò la zanzariera dal telaio della finestra. Scivolò dentro l'appartamento.

Il codice per conoscere il numero dell'ultima chiamata ricevuta era *69. Abby compose la sequenza e rimase in ascolto mentre una voce registrata le rivelava un numero della zona ma con un centralino insolito. Lo dettò nel microregistratore. Più tardi avrebbe fatto qualche ricerca. Si era abbonata a un servizio online che permetteva di rintracciare l'intestatario e l'indirizzo di edifici residenziali e commerciali partendo da telefoni fissi o cellulari. Funzionava in modo esattamente opposto ai classici elenchi telefonici.

C'era ancora un'altra faccenda da sbrigare nell'appartamento di Hickle. Aveva con sé un trasmettitore infinity che inviava il segnale sulla stessa frequenza dei microfoni che aveva già installato. Montò in fretta il trasmettitore alla base del telefono. Hickle se ne sarebbe accorto solo se si fosse preso la briga di alzare e girare l'apparecchio: un rischio che era disposta a correre. Se quell'individuo misterioso gli avesse telefonato ancora, voleva la sua voce registrata su cassetta; in quel modo sarebbe potuta risalire all'identità dello sconosciuto.

Una volta finito, cancellò le sue impronte. Missione compiuta. Era ora di alzare i tacchi.

Tornò nella camera da letto con l'intento di uscire dalla finestra, ma si fermò, incuriosita dal cesto della biancheria. Era pieno fino all'orlo. Non aveva messo i vestiti al loro posto.

Strano. Aveva avuto un sacco di tempo prima di uscire.

Si inginocchiò e rovistò tra la biancheria, ignara di cosa stesse cercando. Sembrava tutto normale a parte il fatto che alcuni capi erano stranamente umidi, mentre gli altri erano completamente asciutti.

Sembrava che alcuni abiti bagnati fossero stati messi nel cesto…

Toccò il tappeto e si accorse di un punto bagnato, poi di un altro e di un altro ancora. La scia di gocce portava al bagno.

Nella doccia di Hickle, appeso al soffione, c'era un paio di slip bianchi gocciolanti a taglio alto della *Maidenform*.

Erano suoi, ovviamente.

Allora non si era immaginata tutto quando aveva avvertito una presenza nella lavanderia. Era Hickle che la stava osservando. Doveva essersi nascosto sotto la tromba delle scale e quando lei si era avventurata nel locale della caldaia, lui si era preso il rischio di sgattaiolare fuori e rubare proprio quel capo di abbigliamento dalla lavatrice.

Il suo premio. Un pezzetto di lei tutto per sé, da toccare e annusare e baciare…

Abby rabbrividì. Per un attimo ebbe la tentazione di afferrare quelle mutande da quattro soldi appese al soffione e fuggire via. Ma non poteva. Hickle avrebbe scoperto che era entrata in casa sua se non avesse più trovato il suo intimo. Doveva lasciarle lì e non pensare a cosa ci avrebbe fatto.

Uscì dal bagno e si aggrappò alla finestra della camera, pronta a scavalcare, quando il suo sguardo superò la ringhiera e atterrò sul parcheggio.

La macchina di Hickle era lì.

Parcheggiata sotto il porticato, con i fari spenti.

Ma di Hickle neanche l'ombra. Doveva già essere nel palazzo, forse stava già salendo al quarto piano con l'ascensore.

Vattene, gridò una voce nella testa di Abby.

Se l'avesse trovata nel suo appartamento, avrebbe dato di matto. E per di più era armato; aveva il borsone con sé. La sua Smith & Wesson non avrebbe avuto nessuna possibilità contro un fucile. Avrebbe dovuto ucciderlo immediatamente, altrimenti lui avrebbe avuto il tempo di sparare un paio di cartucce e, da quella distanza, la potenza del colpo l'avrebbe ridotta in poltiglia.

«Esatto, Abby» sibilò arrampicandosi sulla finestra. «Pensa positivo.»

Atterrò sulle scale antincendio. L'idea era precipitarsi in camera sua, al sicuro, ma non poteva andarsene senza prima avere rimontato la zanzariera.

Dall'esterno, però, l'operazione era più complicata del previsto. La afferrò, sollevandola dal taglio che aveva fatto nella rete, e incastrò il lato superiore nel telaio. La parte inferiore però faceva i capricci, rifiutandosi di entrare nella sede. La struttura era larga e ingombrante, difficile da maneggiare, specialmente con le veneziane tra i piedi, che sbatacchiavano rumorose.

All'improvviso sentì un cigolio di cardini. La porta di Hickle si stava aprendo. Era in casa.

Con un ultimo sforzo riuscì a incastrare la zanzariera.

Udì dei passi nell'appartamento. Stava arrivando in camera da letto, probabilmente per riporre il borsone.

Si abbassò e si appoggiò contro il muro. Non c'era più tempo per fuggire.

Le veneziane della camera da letto sbattevano. Hickle ci avrebbe di sicuro fatto caso. E infatti. Abby sentì le assi del pavimento scricchiolare sotto i suoi passi mentre si avvicinava per controllare. Aprì la borsa e appoggiò il dito al grilletto della sua Smith.

Le veneziane furono sollevate, illuminando le scale antincendio. Si appiattì contro la parete di mattoni sotto il davanzale. L'ombra di Hickle, grande e deforme, si stagliò contro la ringhiera di ferro. La testa inclinata in una posizione inquietante. Guardava nella notte, scandagliando l'oscurità.

Se avesse abbassato lo sguardo l'avrebbe vista.

Abby rimase in attesa senza respirare. Ripensò ai danni che le avrebbe causato un colpo sparato da quella distanza. Come se una granata le fosse esplosa nel petto.

Poteva anche averla vista e forse in quell'istante stava già estraendo il fucile dal borsone, pronto a fare fuoco, mentre lei era lì accucciata come una bambina che gioca a nascondino. Dovette fare appello a tutta la sua forza di volontà per restare immobile.

L'ombra di Hickle ondeggiò. Vide il suo braccio muoversi, come se stesse sollevando un fucile...

Poi ci fu un clangore metallico e tornò il buio. Abby capì che si era semplicemente sporto per tirare la cordicella delle veneziane.

Il suono dei suoi passi svanì in lontananza. Non l'aveva vista. Probabilmente si era convinto che un soffio di vento avesse fatto dondolare gli oscuranti.

Ci è mancato poco, pensò Abby. Esperienze come quella facevano davvero apprezzare la vita.

Sgattaiolò dentro il suo appartamento e passò i minuti successivi a godersi la sensazione di essere viva, tutta intera e in grado di muoversi. Aveva la gola secca e la nuca era tesa per l'agitazione.

Poi decise di dare un'occhiata alle immagini sul monitor a circuito chiuso e vide Hickle marciare avanti e indietro nel suo salotto. Era nervoso. Arrabbiato.

Alzò il volume, cercando di decifrare le parole che mormorava a denti stretti. «Non posso fidarmi di nessuno» stava dicendo. «Né di lui... né di lei. Non posso fidarmi di nessuno dei due.»

Quelle parole non le piacquero per niente.

21

Travis stava uscendo dalla doccia e indossando l'accappatoio quando sentì il campanello della porta.

Le 7.30 era un po' presto per ricevere visite e comunque quasi nessuno lo andava mai a trovare. Abitava alla fine di una tortuosa strada senza uscita sulle Hollywood Hills, in una casa in stile ranch a sbalzo su un canyon, una dimora ideale per le feste, ma lui era un tipo solitario.

Si infilò un paio di mocassini e si incamminò verso l'atrio, fermandosi davanti a uno schermo in un angolo, che mostrava i gradini di ingresso. Vide Abby. Indossava una camicia spiegazzata e un paio di jeans. Il primo pensiero che gli passò per la testa fu che aveva un aspetto insolito. C'era qualcosa di diverso nella sua espressione, difficile da definire. Poi si rese conto che per la prima volta nei suoi occhi leggeva la paura.

Disinserì l'allarme e aprì la porta. «Ciao» disse.

«Ciao.»

Lei entrò senza aggiungere altro. Sembrava non si fosse nemmeno accorta di lui.

«Tutto bene?» le domandò Travis, anche se conosceva già la risposta.

«Non esattamente» disse Abby superandolo e dirigendosi verso il salotto. Gettò la borsa sul divano ma non si mise a sedere. «Hickle potrebbe avere un complice.»

«Un complice?»

«O un informatore. Non ne sono sicura. Veramente non sono sicura di niente.» Camminava su e giù per la stanza, mentre le sue Nike stridevano sul pavimento in legno massiccio. I raggi del sole attraverso le portefinestre della terrazza pugnalavano la sua figura esile e nervosa.

In tutti quegli anni era entrata spesso in quella casa, ma raramente senza preavviso. Travis rimaneva sempre sbalordito per quanto Abby fosse in sintonia con quell'ambiente. L'arredamento era raffinato e funzionale, dallo stile nettamente moderno, e lei lo calzava a pennello, con le gambe snelle, la vita stretta e il collo longilineo e flessuoso.

«Credo che dovresti sederti» disse Travis in tono calmo. «Mi sembri un po' stressata.»

Lei lo ignorò. «È normale, se consideri che sono dovuta stare sveglia quasi tutta la notte. Sono rimasta in piedi finché Hickle non è andato a dormire, dopo le tre.»

«D'accordo, rallenta e raccontami tutto dall'inizio.»

Abby sbuffò e si sforzò di parlare con calma. «Ieri sera alle 20.30 Hickle ha ricevuto una telefonata. È uscito di casa, portandosi dietro il suo fucile, e ha preso la macchina. L'ho perso. Non so dove sia andato o con chi si sia potuto incontrare. Quando è rientrato, era palesemente turbato. Continuava a borbottare che non poteva fidarsi di nessuno. È possibile che qualcuno gli abbia fatto una soffiata.»

«Su di te?»

«Sì.»

«Pensi che abbia capito che sei un'infiltrata?»

«Può darsi.»

Travis le se avvicinò lentamente. «Se riesce a smascherarti…»

«Potrebbe perdere il controllo. Lo so. Hai capito perché non ho chiuso occhio finché lui non si è addormentato? E comunque ho alzato al massimo il volume dei microfoni. Se si fosse alzato durante la notte l'avrei sentito. Temevo che volesse fare qualcosa di estremo.» Prese un profondo respiro. «C'è dell'altro.»

«Cosa?»

«L'altroieri sera sono andata nella vasca idromassaggio del condominio e qualcuno mi ha aggredito alle spalle, tenendomi la testa sott'acqua.»

«Hanno cercato di *annegarti*?»

Annuì. «L'ho messo in fuga con una bottiglia di birra rotta. Non sono riuscita a vederlo, ma non credo fosse Hickle, aveva altro da fare, per quel che ho capito di lui. Ma forse è stato il suo complice. Sempre che ci sia un complice. Non lo so...»

«Perché non mi hai detto che sei quasi morta, ieri pomeriggio quando abbiamo parlato?»

«Non ero sicura che fosse importante.»

«Qualcuno cerca di ucciderti e tu credi che non sia importante? Ti facevo più intelligente, Abby.»

«D'accordo, la verità è che non volevo che mi togliessi questo caso.»

«Capisco.»

Lei lo fissò. «Non hai intenzione di farlo, vero, Paul? Vero?»

Non rispose. «Hai visto Hickle stamattina?»

«Sì, sul monitor.»

«Com'era? Ancora agitato?»

«Credo di sì, ma non posso esserne certa. L'ho visto per poco, poi è uscito alle cinque e mezzo per andare al lavoro. Mentre venivo qui sono passata per il negozio di ciambelle e la sua macchina era nel parcheggio.»

«Se il suo tran tran quotidiano non è cambiato, forse non è nervoso come ti sembra.»

«O forse non l'ha ancora stravolto per concedersi il tempo di pensare.»

«Dici che sta aspettando il momento giusto? Che si sta preparando per attaccare?»

«Sì.»

«Kris... o te?»

«Forse entrambe.»

«Ok. Allora secondo te chi potrebbe essere l'informatore?»

Abby scrollò le spalle. «Qualcuno che ha accesso alle informazioni interne e con un movente.»

«Allora stiamo cercando qualcuno che sa che stai lavorando a questo caso. Qualcuno che può mettersi in contatto con Hickle. Qualcuno che ti vuole dare in pasto al nemico e che vuole Kris morta.»

«Giusto.» Si strinse nelle braccia. «Devo dirtelo. Detesto questa situazione. Mi conosci, sono la classica maniaca del controllo e ora mi sta sfuggendo tutto di mano. Dovrei essere io quella ad avere segreti e invece Hickle ne ha uno che non riesco a scoprire. Questa cosa mi dà sui nervi.»

«Hai dormito un po'?»

«Un paio d'ore, ma ho dormito male. Continuo a fare questo sogno… Lascia perdere, non importa.»

«Una psicologa che dice che i sogni non sono importanti?»

«Non sono una psicologa.»

«Neanche io. Dai, raccontamelo, non va bene tenersi tutto dentro.»

«Allora… continuo a sognare di essere nella vasca idromassaggio e qualcuno mi tiene la testa sott'acqua. Solo che questa volta non riesco a spaventarlo e combatto finché non ho più aria nei polmoni, e poi…»

Travis la abbracciò. «Va tutto bene» le sussurrò cullandola dolcemente.

«No, non va tutto bene. Sto crollando.»

«Non stai crollando.»

«Be'… mi sto sgonfiando.»

«Non è vero. Ma date le circostanze sarebbe meglio… modificare la nostra strategia.»

«Stai dicendo che vuoi togliermi il caso?»

«Potrebbe essere l'unica soluzione…»

Abby si liberò dal suo abbraccio. «Neanche per sogno. Non scapperò come una codarda. Vado fino in fondo.»

«Se Hickle ha ricevuto una soffiata, tutti i tuoi sforzi saranno comunque vani.»

«Sbagliato. Posso continuare a osservarlo come ho fatto ieri notte. E poi non è detto che sappia di me. Potrebbe essere all'oscuro di tutto. E io non sono una che molla, Paul.»

«È in pericolo la tua vita…»

«Proprio così. La *mia* vita. Quindi decido io.»

La scrutò, studiandola. «Non è che c'entra Devin Corbal, vero?»

«Che vuoi dire?»

«Stai cercando di riscattarti ai miei occhi o di dimostrare a te stessa che vali. Qualcosa di simile.»

«Non entrare nella mia testa, per piacere.»

«Voglio solo capire perché insisti nel correre questo rischio enorme.»

«Forse solo perché mi piace vivere al limite. O forse hai ragione tu, a proposito del caso Corbal. Che differenza fa? Questo è il mio lavoro e ho intenzione di portarlo a termine. E questo è tutto.»

Lo gelò con lo sguardo, sfidandolo a ribattere.

Travis cedette. «D'accordo» disse scostandole una ciocca di capelli dalla fronte. «Sei proprio cocciuta.»

«Lo so, e me ne vanto. Torniamo a noi. Conosci una società chiamata Western Regional Resources?»

«Dovrei?»

«Probabilmente no. Non sembra che facciano molta pubblicità. Ho rintracciato la telefonata ricevuta da Hickle e ho scoperto l'origine del numero. La chiamata veniva da un cellulare intestato alla Western Regional Resources. Non ho trovato niente né su Internet né sulla banca dati Lexis-Nexis. Ovviamente non ci sono neanche sugli elenchi telefonici.»

Travis distolse lo sguardo, rivolgendolo al canyon incorniciato dalle portefinestre. «Possiamo trovarli.»

«Potrebbe essere complicato. Io dico che è una società per azioni fittizia.»

«Anche secondo me» disse Travis pacato, lo sguardo ancora perso in lontananza. Poi si sentì gli occhi di Abby addosso.

«Tu sai qualcosa» sussurrò lei.

«Può darsi. Seguimi.»

La condusse verso il retro della casa, passando dallo studio per prendere il suo portatile. Quando entrarono nella camera da letto, Abby scosse la testa simulando un'espressione sconcertata. «Pensi solo a quello.»

«No, oggi si lavora.» Travis aprì le doppie porte di un grande mobile in noce che conteneva un televisore con uno schermo da trenta pollici.

«Non c'è niente di decente a quest'ora» disse Abby.

«Guarda e impara.» Paul prese il telecomando e premette sette tasti in sequenza. Con un rumore metallico, la parte frontale del televisore si aprì di qualche centimetro, scivolando su cardini nascosti. «Una cassaforte» spiegò. «Di ultima generazione.»

«Molto ingegnosa, ma se vuoi vederti un film?»

«La TV funziona normalmente. È dotata di uno schermo piatto di dieci centimetri, i cavi sono alloggiati nel telaio e la parte centrale è completamente cava.»

«Allora, cosa ci tieni lì dentro? I gioielli di famiglia?»

«Sai benissimo dove tengo quelli» disse con una punta di malizia.

Poi Travis aprì del tutto il portello della cassaforte. Dentro c'erano dei CD avvolti in custodie di plastica e infilati dentro appositi porta-CD. «Sono file, file strettamente confidenziali.»

«Referenze e informazioni sui nostri clienti» disse Abby tranquilla.

«Come hai fatto a indovinare?»

«A volte me lo sono chiesto, sai? Mi sembrava una precauzione ragionevole. La TPS viene ingaggiata per proteggere le persone da minacce di ogni tipo. Non tutti gli stalker sono degli sconosciuti. Dei controlli sulla vita personale possono essere utili per alcuni casi. E comunque era plausibile che ti preoccupassi di questo aspetto. Perché no? In fondo curi ogni dettaglio.» Sorrise maliziosa. «Fondamentalmente sei un perfezionista ossessivo-compulsivo, con tratti anali-ritentivi.»

«Lo prendo per un complimento.»

«Quindi la TPS scava nel passato dei nostri clienti e delle persone a loro vicine.»

«Preferiamo chiamarla raccolta di informazioni.»

«Sì, vabbè. Indagate sul coniuge, sui soci di lavoro, sul personal trainer di un cliente, su chiunque possa fargli del male. Ma non glielo dite perché a nessuno piacerebbe vedere i propri cari passati al microscopio.»

«Ecco perché sono documenti confidenziali. Per questo li tengo a casa mia.»

Abby si avvicinò alla cassaforte e sbirciò dentro. «CD» disse. «Circa una cinquantina. Quant'è, trenta giga di dati?»

«Alcuni CD non sono completamente pieni.»

«Sono un sacco di informazioni comunque.»

«Come hai detto tu, sono scrupoloso.»

«Veramente ho detto che sei un perfezionista ossessivo-compulsivo, con tratti...»

«Credo che *scrupoloso* renda l'idea.» Passò le dita tra i dischi finché non trovò quello con la scritta BARWOOD. Lo estrasse dalla custodia. «Però hai ragione. Puoi memorizzare un sacco di informazioni su un CD. Per esempio, tutte le settantacinquemila voci dell'*Enciclopedia Britannica.*»

Abby annuì. «E anche ogni singolo dettaglio della vita di Kris Barwood, degli amici, dei parenti... e di suo marito.»

«Esatto.»

«Il caro vecchio Howard» disse in tono basso e pensieroso.

Travis aggrottò le sopracciglia. «Anche questa volta non sembri sorpresa.»

«Non ho chiuso occhio per quasi tutta la notte, esaminando ogni possibilità. E il marito è sempre una possibilità. Ti prego, dimmi che Howard Barwood ha fondato una società chiamata Western Regional Resources.»

«Vorrei potertelo dire. Ci semplificherebbe la vita.»

«Ma la vita non è mai semplice e una vita senza sfide non è vita. Se non è il proprietario della società, perché hai pensato a lui?»

«Ti faccio vedere.» Travis appoggiò il portatile sul letto e inserì il CD. Sullo schermo comparvero una serie di cartelle. La prima era nominata BARWOOD, HOWARD. Sulle altre c'erano i nomi di varie persone legate a Kris, amici, colleghi, avvocati e manager, persino la sua domestica.

Aprì la cartella di Howard Barwood che conteneva delle sottocartelle elencate in ordine alfabetico: ASSICURAZIONI, BILANCIO FAMILIARE, CARTELLA CLINICA, CONTI CORRENTI, IMMOBILI, LISTA CLIENTI, PATRIMONIO, SOLVIBILITÀ, TASSE, UTENZE TELEFONICHE, VEICOLI.

Abby si sedette accanto a lui, guardando lo schermo da sopra le sue spalle. Sospirò. «Howard non ha più segreti per noi, vero?»

«Non molti. Ovviamente c'è voluto un po' per scoprire tutte queste informazioni. Dal cognome si può risalire alle generalità: patente di guida, libretto di circolazione, tessera elettorale e proprietà immobiliari. La Lexis-Nexis ci fornisce informazioni su residenze passate e temporanee. Controlliamo la storia professionale facendo una ricerca tra i cacciatori di teste. La maggior parte delle informazioni però le acquisiamo analizzando la solvibilità del soggetto. Ci dice dove viaggia, cosa fa per divertirsi, dove va a fare shopping. Poi ci sono le polizze assicurative, le cartelle cliniche, le bollette telefoniche, le dichiarazioni fiscali sugli immobili, i rendiconti finanziari…»

«Tutte informazioni tecnicamente inaccessibili per spioni e hacker.»

«Ma accessibili a quelli che sanno.» Travis aprì la cartella PATRIMONIO. «La prima volta che ho fatto delle ricerche su Howard, ho scoperto che il suo patrimonio ammontava a ventiquattro milioni di dollari. Questo dato risale al 1994. Recentemente abbiamo dato un'altra occhiata e ora la cifra è questa.»

Abby si avvicinò un po' di più allo schermo. «Venti milioni» disse. «O hanno fatto degli investimenti sbagliati oppure c'è qualcosa che bolle in pentola.»

«La cosa strana…» Travis fece scorrere verso il basso la pagina, passando in rassegna i fogli di calcolo ed evidenziando le cifre indicate nella colonna SCADENZE. «... è che Howard ha iniziato a liquidare i suoi beni.»

«Ma in caso di firma congiunta, non avrebbe bisogno anche dell'autorizzazione di Kris?»

«La maggior parte di questi conti non richiede il nullaosta di un cofirmatario. In questo modo è più semplice emettere un assegno per entrambi i titolari.»

«E anche più semplice per un solo titolare spostare certi fondi senza che l'altro lo venga a sapere. Dove vanno a finire i profitti delle vendite?»

«In un conto corrente intestato a Howard.»

«Solo a lui. A Kris no?»

«No.»

Il letto scricchiolò sotto il peso di Abby mentre piegava le gambe in una posizione di yoga. «Sto iniziando a capire cosa c'è sotto. I soldi non andavano a finire in quel conto, vero?»

«Proprio così.» Travis trovò gli estratti conto di Howard Barwood nella cartella CONTI CORRENTI. I prelievi di denaro erano stati fatti a intervalli di tempo irregolari. «Assegni circolari» disse. «Cinquanta o centomila alla volta. Dopodiché, la pista dei soldi non porta da nessuna parte.»

«Non hai idea di dove stiano andando tutti quei soldi?»

«Sì e no.»

«Sapevo che mi avresti detto una cosa del genere.»

«Davvero? E perché?»

«Perché non mi hai ancora spiegato cosa c'entrano le società fasulle in tutta questa storia?»

«Giusto, non te l'ho ancora detto. C'è dell'altro, infatti.» Aprì la cartella IMMOBILI. «Quando abbiamo indagato sulle proprietà immobiliari di Howard Barwood è saltato fuori che possiede una casa a Culver City.» Sullo schermo apparve un indirizzo. «A prima vista non c'è niente di strano. Howard possiede un certo numero di immobili, grandi e piccoli. Recentemente, però, ha venduto questa casa a un prezzo inferiore al valore di mercato. L'acquirente risulta una certa Trendline Investments, una società con sede nelle Antille Olandesi, se questo ti suggerisce qualcosa.»

«Un paradiso fiscale offshore. Regole di riservatezza bancaria: rigorose.»

«Benissimo. Ora, dai un'occhiata ai movimenti della carta di credito di Howard.» Travis aprì la cartella SOLVIBILITÀ. «Barwood ha acquistato biglietti aerei di andata e ritorno per Willemstad, la capitale delle Antille Olandesi.»

«Fammi indovinare. La Trendline Investments è una società fittizia. Howard è il fondatore. Ha venduto la casa di Culver City a se stesso.»

«Penso di sì. Non posso provarlo, ma il suo viaggio alle Antille è un prova circostanziale di un certo peso. È rimasto là per due notti, il tempo necessario per sbrigare tutte le scartoffie richieste per fondare una società fantasma, con tanto di conto corrente.»

«Quando?»

Travis scorse in basso fino alla transazione effettuata all'hotel, datata 22 novembre 1999. «Alla fine dell'anno scorso. Poco prima del trasferimento dell'atto di proprietà alla casa di Culver City e prima che gli altri beni patrimoniali iniziassero a svanire misteriosamente.»

«E Kris non sa nulla?»

«Non ci sono prove che ne sia al corrente. Chiaramente gli estratti conto non possono dirci tutto.»

«Però sembra che ci stiano già dicendo un sacco di cose.» Abby rifletté per un istante. «La casa a Culver City era intestata solo a Howard?»

«Sì.»

«Allora è probabile che Kris non sapesse nemmeno della sua esistenza, anche quando Howard era il legittimo proprietario.»

«Esatto.»

«Capisco.» Si grattò la fronte, esausta.

«Sai cosa significa, vero?»

«Non è che ci vuole un genio per capire cosa c'è sotto. Quando un tizio possiede una proprietà di cui la moglie non sa niente, e si fa in quattro per tenerla nascosta, di solito c'è un'unica ragione. Howard sta mettendo le corna a sua moglie e usa quella casa per i suoi incontri segreti. Vuole divorziare. Vuole lasciare Kris.»

Travis annuì. «Ma le leggi della California prevedono la condivisione dei beni…»

Abby divincolò le gambe e balzò giù dal letto. «Il che significa che il patrimonio dei Barwood deve essere diviso a metà e questo è un grosso problema per Howard, perché sebbene sua moglie sia estremamente ricca, lui lo è almeno il doppio. Non vuole rinunciare a metà del suo patrimonio. Per proteggerne la maggior parte possibile, sta trasferendo segretamente i beni di entrambi oltreoceano, nascondendoli in una società fantasma istituita all'interno di una giurisdizione che prevede leggi di riservatezza bancarie estremamente rigorose. In questo modo, al momento della separazione dei beni, ci sarà meno da dividere.»

«Tutto ciò è assolutamente legale» disse Travis, «finché continua a pagare le tasse negli Stati Uniti. Non c'è nessuna legge che impedisca di trasferire denaro offshore, persino se l'intento è quello di nasconderlo alla parte ricorrente nell'eventualità di una causa legale o di divorzio.» Tirò fuori il CD.

Abby scosse la testa. «Non l'hai detto a Kris?»

«Neanche una parola. Howard gliela sta facendo dietro le spalle, ma come faccio a raccontarle tutto senza rivelare che facciamo controlli sulla vita delle persone?»

«Date le circostanze non credo si arrabbierebbe.»

«Lo farebbe se alla fine venisse fuori che ho torto. Non dimenticare che sono solo congetture. Non sappiamo per certo che Howard sia il proprietario della Trendline né che stia facendo questi trasferimenti tenendo Kris all'oscuro. Forse hanno escogitato questa soluzione insieme. Potrebbe trattarsi di qualche complicato sistema per eludere le tasse, al limite della legalità, e se iniziassi a fare domande…»

«Potresti dire addio a un altro cliente.»

«Proprio così. L'unico che non posso permettermi di perdere.» Travis infilò il CD nella custodia di plastica. «E poi il nostro compito è proteggere la vita di Kris, non i suoi interessi finanziari.»

«È proprio per la sua vita che sono preoccupata» disse Abby con un filo di voce. «Se Howard fa il galletto con un'altra e vuole il divorzio, e se vuole tenersi i soldi a tutti i costi...»

«Allora potrebbe avere un movente per volersi sbarazzare della moglie ancora più in fretta.»

«Fornendo informazioni al pazzoide che la sta perseguitando. Pensi che lo farebbe? Vendere sua moglie al suo ipotetico assassino per togliersela dai piedi?»

«È crudele, ma Los Angeles non è una città famosa per l'accoglienza e l'umanità.»

«E se tutto questo fosse vero, allora Howard potrebbe essere l'aggressore dell'altra sera. Sapeva che stavo lavorando al caso. Forse temeva che scoprissi troppo. Magari teneva d'occhio il palazzo di Hickle, poi mi ha vista nella vasca...»

«Potrebbe aver pensato che fosse l'occasione perfetta per sbarazzarsi di te.»

Abby aggrottò la fronte. «Quel tipo non mi è mai piaciuto. C'è un modo discreto per scoprire se ha un alibi per quella notte?»

«Certo. Gli agenti di sicurezza al cottage annotano tutti gli ingressi e tutte le uscite. Posso scoprire se Howard è andato fuori quella sera, il che è molto probabile.»

«Cosa te lo fa pensare?»

«Esce quasi ogni sera, se ne va in giro con la sua nuova macchina, a quanto dice.»

«O forse è andato nella sua casa di Culver City per incontrare qualcuno e sulla strada di ritorno ha pensato bene di fare un salto da Hickle e di fare una ragazzata. Tutto è possibile, ma dobbiamo metterlo con le spalle al muro.»

Travis annuì. «Ed è quello che faremo. Se Howard ha fondato una società fittizia, potrebbero essercene delle altre e una di queste potrebbe essere la Western Regional Resources: se così fosse, la sede della Western Regional Resources potrebbe essere nelle Antille Olandesi, proprio come la Trendline. Potrebbe persino avere dei legami con la Trendline. Un fantasma dentro un altro fantasma, o una cosa del genere. Dirò ai miei di mettersi all'opera immediatamente.»

«Se riusciranno a trovare una connessione tra Howard e la Western Regional, dovremo dirlo a Kris.»

«Lo so.»

«E alla polizia.»

«Sì.» Travis si strinse nelle spalle. «Vedi, abbiamo delle opzioni, delle piste da seguire. La situazione non è così disperata come credevi.»

Con un gesto della mano Abby cercò di spazzare via quello che gli aveva raccontato. «È stata una nottataccia, tutto qui, e ora ne pago le conseguenze.»

«Ti senti meglio adesso?»

«Decisamente. Be', non è che sono venuta qui per... insomma, volevo aggiornarti sugli ultimi sviluppi. Non volevo essere... confortata.»

Paul si alzò in piedi e la strinse a sé. «Ma se ti consolassi un po', non ti dispiacerebbe, vero?»

«Immagino di no.» Abby guardò la parte bassa del suo accappatoio e sorrise. Da quando era arrivata non aveva ancora sorriso. «Sai, l'ultima volta che ci siamo visti ero io quella in accappatoio.»

«Me lo ricordo. Chiaramente.»

«Anche io.»

Lui la baciò con tenerezza, poi il corpo di Abby schiacciato contro il suo gli ricordò quanto fosse piccola e fragile nonostante la sua forza. Passò le dita tra i suoi capelli e la baciò intensamente.

«Sarà meglio che tu ti vesta» disse lei, «o farai tardi al lavoro.»

«Il lavoro può aspettare.»

«Davvero?»

«Sì.»

Lentamente le tolse i vestiti, indugiando su ogni bottone e su ogni gancio. Il corpo di Abby lo aveva sempre fatto impazzire. Anche prima di iniziare l'addestramento, aveva il fisico snello e muscoloso di un'atleta, privo però di quella innaturale durezza provocata dall'allenamento.

La penetrò senza sfilarsi l'accappatoio né slacciarsi la cintura. Con le mani sulla vita la sollevò, mentre la schiena di lei disegnava un arco sinuoso. Entrò più in profondità e all'apice della passione i suoi occhi incrociarono quelli di Abby in un fremito di eccitazione.

Poi la baciò sul collo delicato e su un lobo che spuntava timidamente dai capelli arruffati, sussurrandole nell'orecchio: «Questa volta sapevamo tutti e due che ce l'avrei fatta a entrare».

«Non avevo dubbi» rispose lei affannata.

Rimasero sdraiati nella luce del mattino, in silenzio ed esausti. Molto tempo dopo, ma sempre troppo presto, lui disse: «Devo andare davvero in ufficio».

«Anch'io devo andare» sussurrò Abby assonata.

«No, tu riposati un po'. Ne hai bisogno.»

«Dieci minuti, forse. Il tempo di un sonnellino.»

«Certo.»

«Svegliami quando stai per uscire.»

«Va bene.»

Ma non lo fece. Quando finì di vestirsi, Abby era ancora profondamente addormentata e sembrava inutile svegliarla. Lasciò una chiave sul cassettone, così avrebbe potuto chiudere la porta. Si chinò e le diede un bacio sulla fronte. «Dormi bene, Abby.»

Le labbra di lei si incurvarono in un sorriso e in quell'istante seppe con certezza che lo stava sognando.

22

Nel primo pomeriggio, un paio di ore prima dell'inizio del suo turno, Wyatt guidò fino alla Hollywood Reservoir, dove lo aspettava il detective Sam Cahill.

«Di cosa volevi parlarmi, Vic?» gli chiese Cahill dopo la classica pacca virile sulle spalle e la stretta di mano. Cahill aveva lavorato nella divisione di Hollywood prima di essere promosso alla furti e omicidi di Parker Center. Lui e Wyatt erano andati a pesca sul lago Arrowhead un paio di volte, ma da quando l'avevano trasferito non si erano visti spesso.

«Ti ricordi il caso di Emanuel Barth?» gli domandò Wyatt. Era stato in quella occasione che aveva incontrato per la prima volta Abby Sinclair. Era andata da lui, facendogli delle domande sul passato di Barth.

«Sì, mi ricordo.» Cahill annuì lentamente. Era un uomo grande, con sopracciglia cespugliose che si univano nel mezzo formando un'unica striscia di peli. «È roba vecchia ormai. Perché rivanghi il passato?»

«Volevo sapere come è stato incastrato Barth la seconda volta. Sai, l'arresto di cui ti sei occupato. Ero in vacanza quando è successo e non ho mai saputo i dettagli.»

«Quanto sarà passato, un anno? È stato uno degli ultimi casi su cui ho lavorato prima di trasferirmi in centro. Perché ti interessa tanto dopo tutto questo tempo?»

«Dai, fammi questo favore.»

Cahill si strinse nelle spalle. «Certo, chi se ne frega, tanto non ho niente di meglio da fare a parte combattere il crimine.» Lanciò uno sguardo all'area e alle sue acque chiare che riflettevano l'azzurro perfetto del cielo. «Secondo te potrebbero riempire questo lago di spigole? Non sarebbe un cattivo posto per venire a pescare.»

«Perché non avanzi la proposta al consiglio cittadino?»

«Potrei anche farlo. D'accordo. Veramente il signor Emanuel Barth l'abbiamo beccato grazie allo straordinario lavoro investigativo che hai fatto tu, come al solito.»

«Risparmiatelo per Ed O'Hern di *Channel Eight*. Come sono andate davvero le cose?»

«Una botta di culo. Non avevamo un cazzo su Barth, non stavamo neppure indagando su di lui, e poi salta fuori dal nulla una soffiata al 911. L'informatore ci dice che nella casa di Barth c'è un sacco di merce rubata.»

«Che tipo di merce?»

«Videoregistratori, computer portatili, gioielli. Sai che aveva una vera e propria fissa per infilarsi nelle case della gente ricca e spaccare tutto… Be', dopo la prigione, ha ripreso a entrare nelle case, solo che si è fatto furbo. Ha iniziato a indossare dei guanti per non lasciare impronte e a portarsi via gli oggetti di valore invece che romperli.»

«Cosa ci faceva tutta quella roba in casa sua? Pensi che la tenesse per ricettarla?»

«Il suo obiettivo era accumulare una fortuna per poi ricettarla tutta in un colpo. Forse in quel modo avrebbe fatto affari migliori, oppure pensava di minimizzare il rischio. Non lo so.»

«Allora chi è che vi ha fatto la soffiata?»

«Una donna.»

«Avete idea di chi possa essere?»

«Probabilmente la domestica di Barth. Questa è sempre stata la mia teoria. Andava a casa sua due volte alla settimana per mettere in ordine. Io credo che abbia trovato per caso la merce facendo le pulizie e si è resa conto che era roba che scottava.»

«Perché è solo una teoria? Non le hai parlato?»

«Mai trovata. Dev'essere fuggita dalla città dopo aver fatto la chiamata. Immagino fosse preoccupata che le accuse contro Barth non tenessero e che lui la andasse a cercare. Ma le prove erano schiaccianti e adesso lui è al fresco.»

«Lavorava da molto per lui?»

«La domestica? Solo da un mese, credo.»

«Come si chiamava?»

«Diamine, non me lo ricordo. Aspetta un momento, ce l'ho sulla punta della lingua. Sai, mia moglie dice sempre che oltre al peso di un elefante ho anche la memoria di un elefante.»

«Il nome?» lo imbeccò Wyatt.

«Connie Hammond, un nome abbastanza comune, difficile da rintracciare. Non ci siamo fatti in quattro per trovarla.»

Wyatt annuì lentamente. «Connie Hammond.»

Cahill gli lanciò uno sguardo contrariato. «Non è che conosci la signorina Hammond, vero Vic?»

«Io? No.»

«Perché, per la cronaca, mi piacerebbe farci due chiacchiere.»

«Non l'ho mai incontrata.»

«Giusto, certo che no. Tu non sai un cazzo. Mi hai trascinato qui un venerdì pomeriggio, in questa pozza schifosa, solo perché eri curioso su un caso di anni fa, non è vero?»

Wyatt incrociò il suo sguardo. «Esatto, proprio per questo.»

Continuarono a parlare, di pesca, della moglie di Cahill e di un omicidio nella Valley che stava occupando la maggior parte del tempo del detective. Poi Cahill se ne andò e Wyatt rimase da solo con lo sguardo perso nell'acqua.

La riserva naturale era un luogo piacevole, un paradiso per chi amava fare jogging e lunghe camminate e per le persone che volevano un posto tranquillo per la pausa pranzo. Lui ci andava spesso per scappare dall'aria sabbiosa e dagli ingorghi della città e per pensare. Aveva molto su cui riflettere in quel momento.

Abby gli aveva fatto delle domande su Emanuel Barth proprio un mese prima che tornasse in prigione. Wyatt aveva sempre pensato che non fosse una coincidenza. All'epoca aveva pensato che nel corso delle sue ricerche avesse scoperto dei fatti incriminanti che poi aveva passato alla polizia. Wyatt non si era mai informato su quella faccenda e non voleva saperne troppo.

Successivamente, quando si era assunta altri incarichi, lui aveva iniziato a sospettare che quello che faceva fosse più di semplice ricerca. Si era immaginato che pedinasse sospettati o che li osservasse da lontano. Lavoro di sorveglianza, forse un paio di bustarelle discrete agli informatori. Ora sapeva che c'era di più.

Un runner gli passò accanto. Paonazzo e sudato. Da qualche parte un uccello si alzò in volo con un battito d'ali. Wyatt lo guardò volare via nell'azzurro profondo del cielo e per un istante desiderò poter volare con lui.

Il resoconto di Cahill sul caso Barth aveva senso, anche se di certo c'erano dei punti oscuri, ma era perfettamente normale nel mondo del crimine. La domestica, Connie, aveva fatto la spia sul suo datore di lavoro ed era scappata per la propria salvezza. Tutto aveva senso, ma c'era qualcosa di estremamente sbagliato. Non c'era mai stata nessuna Connie. C'era solo Abby... e Constance era il suo secondo nome. Wyatt si ricordò di averlo letto sui documenti della motorizzazione.

Aveva ottenuto il lavoro come domestica a casa di Barth, probabilmente un paio di giorni dopo aver parlato con lui. Due volte la settimana si recava a casa sua, per pulire e passare l'aspirapolvere, forse anche per perquisire ogni volta un angolo diverso della casa di Barth, finché alla fine aveva trovato la refurtiva. A quel punto era arrivata la chiamata al 911. E infine Connie, che non era mai esistita, era scomparsa.

Abby non si era limitata a indagare su Barth da una certa distanza, era diventata parte della sua vita. Adesso stava facendo la stessa cosa con

Raymond Hickle, un tizio che aveva un debole per le belle donne e che aveva cercato di lanciare dell'acido in faccia a Jill Dahlbeck.

Wyatt si chiese quanto spesso Abby avesse messo alla prova le sue capacità in quel tipo di competizione. Era incredibile che fosse ancora viva. O era estremamente brava o estremamente fortunata. Forse entrambe le cose. Ma tutti commettevano degli errori, e la fortuna di nessuno durava per sempre.

Wyatt sospirò debolmente. Come avrebbe gestito quella situazione? Non lo sapeva. Forse la cosa migliore da fare era restarsene fuori, lasciarla in pace. Gli aveva detto che non le serviva il suo aiuto. "So badare a me stessa."

Ma se fosse nei guai? Lo ammetterebbe? O tirerebbe dritto, troppo cocciuta e orgogliosa per tirarsi indietro?

Era abbastanza sicuro di conoscere la risposta.

23

Abby si svegliò in un letto che non era il suo. Immediatamente in allerta, capì dove si trovava: nella camera da letto di Travis. Sapeva anche che era tardi, ben oltre mezzogiorno, e che Paul l'aveva lasciata dormire quando era andato al lavoro.

Guardò l'orologio sul comodino. Le 15.47. Aveva dormito quasi tutto il giorno. Si sarebbe dovuta sentire in colpa ma sapeva che doveva riposare. Il corpo riusciva a funzionare sotto adrenalina solo per un po'.

A svegliarla era stata la fame. La spinse fuori dal letto. Andò in cucina è svaligiò il frigo di Travis, dove trovò una porzione di pasta congelata che mise nel microonde e che mangiò direttamente dal contenitore di plastica. La confezione indicava che il pasto conteneva solo duecento calorie, non abbastanza, ma l'avrebbero rinvigorita.

Quando finì, tornò in camera da letto per prendere le chiavi di casa che Travis le aveva lasciato sul cassettone. Diede un lungo sguardo alla televisione che in realtà era una cassaforte. Quando Paul aveva digitato le sette cifre sul telecomando lei lo stava osservando. Conosceva il codice.

Sentendosi vagamente sleale, sollevò il telecomando e premette i tasti giusti. Il falso pannello della televisione si aprì. Guardò all'interno. I CD erano in ordine alfabetico. Passò le dita tra le custodie di plastica finché non trovò quello che voleva. Quando lo sollevò, la superficie del CD riflesse la luce.

L'etichetta recitava SINCLAIR, ABIGAIL.

Non ne fu sorpresa. Se Travis controllava amici e soci d'affari dei suoi clienti, c'era da aspettarsi che prendesse simili precauzioni anche con i propri collaboratori.

Ovviamente lei era più di una semplice collaboratrice, o no? Era l'amante di Travis da quattro anni, la sua protetta, la sua confidente. Eppure la sua vita, o almeno tutto quello che se ne poteva raccogliere in un database, era stata memorizzata su quel disco magnetico e conservato lì, nella stessa camera da letto in cui lei e Travis avevano fatto l'amore, non solo quel giorno, ma tante altre volte.

Forse si sarebbe dovuta sentire oltraggiata. Ma sapeva come funzionava il loro lavoro. Nessuno si poteva fidare ciecamente. Tutti dovevano essere controllati.

«Anche le persone che ti porti a letto?» si chiese ad alta voce, ma conosceva già la risposta.

Soprattutto le persone che ti porti a letto.

Quelle erano le regole del gioco. Doveva accettarle.

Rimise il CD nella custodia di plastica e chiuse la cassaforte, poi uscì di casa desiderando essere abbastanza ingenua da arrabbiarsi. La rabbia sarebbe stata una bella sensazione in quel momento.

* * *

La casa di Culver City sorgeva in una stradina anonima, appena fuori Sawtelle Boulevard. Piccoli condomini decrepiti e intramezzati da bungalow in vecchio stile americano, case che una volta erano stati nidi confortevoli per giovani famiglie. All'epoca i prati venivano curati, veniva passata una mano di vernice ogni anno, adesso le macchine erano parcheggiate su cemento armato, su vialetti dove crescevano erbacce, e i graffiti decoravano le pareti di mattoni innalzate inutilmente come barriere contro il crimine. Ovunque si vedevano finestre sbarrate. Sebbene fosse pomeriggio inoltrato, non c'erano bambini che giocavano nelle strade e in giro non si vedeva un'anima. L'unica forma di vita era un cane randagio che annusava i rifiuti accumulati lungo il ciglio della strada.

«Sembra che quelli della Trendline abbiano fatto un grande investimento» mormorò Abby mentre parcheggiava.

L'indirizzo era apparso sullo schermo del computer mentre Travis visionava i dati con lei. Era rimasto visibile abbastanza a lungo perché lei lo memorizzasse. Aveva avuto la sensazione che dovesse fare una visita a quella proprietà.

Uscì dalla macchina e si avvicinò al bungalow. A differenza di quello dei vicini, era stato verniciato di recente e il prato non aveva l'aspetto di una giungla. Alla fine di un corto vialetto c'era un garage separato dal resto della casa. Passò tra la casa e il garage e raggiunse un piccolo cortile senza recinzione, facendo una breve pausa accanto al garage e sbirciando attraverso la finestra laterale. Nessuna macchina. Probabilmente in casa non c'era nessuno.

La porta posteriore era nascosta agli occhi dei vicini dal garage da una parte e da un albero di fico dall'altra. Avrebbe potuto forzare la serratura senza timore di essere vista. Il suo set completo da fabbro era rimasto nell'appartamento a Hollywood, ma nella borsa aveva un grimaldello e un tensionatore. Inserì il grimaldello nella serratura e mise la barra contro il chiavistello. In due minuti aveva aperto.

Non scattò nessun allarme.

«C'è nessuno?» disse e la sua voce echeggiò nella casa.

Nessuno rispose, nessun cigolio del pavimento, niente che indicasse la presenza di un'altra persona all'interno.

Rapida, iniziò a esplorare l'ambiente. Era il tipico villino della California del sud, un edificio su un unico piano, soffitti alti, finestre grandi. Il salotto aveva un finto camino. La cucina era talmente piccola e priva di utensili che assomigliava più a un angolo cottura. Due camere da letto e un bagno.

Nel mobiletto del bagno trovò qualche oggetto personale. Un rasoio elettrico, dopobarba, una boccetta di colonia, articoli per l'igiene personale femminile e un rossetto. C'erano degli asciugamani appesi e altri erano dentro un piccolo armadio. Controllò il guardaroba della camera da letto ma lì c'erano solo due accappatoi. Il letto era comodo e di qualità superiore al resto del mobilio. Diede una sbirciata nel cestino e trovò un preservativo usato. «Lui almeno fa sesso sicuro» mormorò.

Lui. Aveva utilizzato un pronome. Voleva credere che Barwood fosse il lui in questione, ma niente di quello che aveva trovato in casa poteva essere collegato a quell'uomo.

Evidentemente chi usava quel bungalow seguiva una routine semplice: due salti a letto e poi una doccia veloce. Il luogo non veniva utilizzato per altri scopi. Non c'era cibo nella dispensa né nel frigo, a parte cioccolatini, un pezzo di formaggio smangiucchiato e una bottiglia di vino sigillata. Non c'erano libri né riviste, nessuna prova di corrispondenza inviata a quell'indirizzo. Con ogni probabilità le bollette venivano spedite direttamente alla Trendline Investments e venivano domiciliate sul conto corrente delle Antille Olandesi.

Abby perquisì i cassetti di tutti i mobili e armadi, sperando di trovare qualche documento di Howard Barwood o un cellulare intestato alla Western Regional Resources. Non fu fortunata.

La maggior parte dei cassetti era vuota, ma nel comodino accanto al letto trovò una pistola. Era una Colt 1911, calibro .45, caricata a sette colpi. Era un'arma eccellente, solida e affidabile. Una delle poche che poteva essere smontata e riassemblata senza l'uso di utensili, anche se richiedeva cura e attenzioni che l'attuale proprietario aveva trascurato. Doveva essere lubrificata, e l'estrattore aveva perso un po' di tensione e sarebbe dovuto essere sostituito.

Abby aggrottò la fronte. L'idea di una pistola nelle mani di un dilettante non le piacque, e per di più un dilettante disattento e imprudente. E se il dilettante in questione fosse stato davvero Howard Barwood, e Howard fosse stato davvero il complice di Hickle, quell'idea le piaceva ancora meno.

Si diresse verso la seconda camera da letto che era stata trasformata in studio. La stanza disponeva di poco mobilio: una TV tredici pollici, un mobile di qualità scadente, un divano logoro e una poltrona, un paio di mensole a parete tristemente vuote e un telefono.

Non era un cellulare come quello utilizzato per chiamare Hickle la sera precedente, eppure le poteva rivelare qualche indizio. Alzò la cornetta e digitò il tasto R. Rimase in attesa e poi il segnale vibrò come se la chiamata fosse stata trasferita. Un attimo più tardi si sentì una voce femminile registrata: «*Questa è la segreteria di Amanda Gilbert*».

Abby riagganciò. Quel nome non le diceva niente. Non l'aveva visto in nessuna delle cartelle dei file di Barwood. Forse il proprietario della casa aveva chiamato Amanda al lavoro, o la stessa Amanda aveva chiamato per riascoltare i suoi messaggi. In ogni caso fu portata a supporre che gli interessi di Amanda in quella casa andassero oltre il lavoro.

Prima di uscire dallo studio, Abby cancellò le proprie impronte digitali dal telefono, una procedura che aveva eseguito su ogni altro oggetto della casa. Controllò le altre stanze e alla fine ritornò nella camera padronale. Le era venuto in mente che avrebbe dovuto controllare meglio gli accappatoi dentro l'armadio.

La perseveranza la ripagò. Quano portò un accappatoio sotto la luce, nell'esaminarlo con più attenzione trovò un monogramma: HB. Ovviamente c'erano un sacco di HB nel mondo, le vennero in mente Halle Berry e Humphrey Bogart. Ma non se la vedeva Halle Berry a fare due passi in quel quartiere, e Bogart era morto.

«Ti ho beccato, Howard» bisbigliò. «Sei stato un bambino molto molto cattivo.»

Rimise l'accappatoio al suo posto, poi rimase ancora qualche tempo in camera da letto. Alla fine, uscì dal bungalow dalla porta posteriore. Con la macchina fece un giro intorno all'isolato e parcheggiò lungo la strada, abbassò il finestrino e reclinò il sedile, mettendosi comoda. Aveva intenzione di aspettare un po' e vedere se Howard e Amanda sarebbero arrivati. Travis aveva detto che Barwood usciva quasi tutte le sere per fare un giro con la nuova macchina. C'erano buone probabilità che quell'indirizzo fosse la sua destinazione.

Ormai non aveva più dubbi: Howard era il proprietario della casa, ma la faccenda era troppo importante per fidarsi unicamente di una sigla. Se Howard era veramente l'HB in questione, Abby avrebbe saputo tre cose con certezza: la casa era ancora sua, stava tradendo Kris, era il proprietario della misteriosa Trendline. E se la Trendline poteva essere collegata alla Western Regional Resources, be', avrebbe messo insieme tutti i pezzi del mosaico.

Dentro di sé, però, sperava che la situazione non si risolvesse in quel modo. Kris era stata ferita già abbastanza. Sarebbe stato meglio per lei se tanto la Trendline quanto Amanda Gilbert non avessero il benché minimo legame con suo marito. Ma Abby non ci avrebbe messo la mano sul fuoco. Il mondo non era un bel posto.

24

La riunione di redazione del notiziario delle 18 finì poco dopo le 17. Kris uscì di corsa, infilando il bloc-notes nella valigetta mentre saliva in ascensore con Amanda Gilbert. Entrambe andavano al piano terra.

«Un altro giorno un altro incubo» commentò Amanda.

Kris sorrise. «Almeno oggi non sono nati all'ultimo minuto due pachidermi delle dimensioni di un'utilitaria.»

«Sembra di stare in un manicomio. Sembra che non avremo tempo per la nostra chiacchierata a tu per tu.»

Kris fu sorpresa che Amanda si ricordasse della loro conversazione. Sorpresa e... commossa. Non aveva mai pensato che fosse il tipo capace di preoccuparsi dei sentimenti e delle crisi altrui. «Forse dopo il notiziario» propose, giusto per dire qualcosa.

Amanda scosse la testa. «Non ce la faccio. Ho... un impegno.»

«Un appuntamento? È questo che stavi per dire?»

Amanda distolse lo sguardo, imbarazzata. Quella fu la seconda sorpresa per Kris. Non aveva mai pensato che Amanda potesse provare imbarazzo per qualcosa.

«Tu che hai un appuntamento vero? Tu, la drogata di lavoro?» La colpì scherzosamente sul braccio. «Chi è?»

«Preferirei non parlarne.»

«Invece parlerai. Questa è roba grossa. Voglio sapere tutti i dettagli.»

Le porte dell'ascensore si aprirono. Amanda uscì per prima, impaziente di andarsene. «Adesso proprio non posso. Devo mandare in onda un telegiornale.»

«Allora domani.» Kris la fermò sulla porta della redazione. «Mi dirai i segreti della tua vita amorosa e io ti dirò i miei, d'accordo?» disse scrollando le spalle «Chissà, forse abbiamo più cose in comune di quanto non pensiamo.»

Amanda aprì la porta spingendola. «Non ci sarebbe niente di strano, dopotutto.»

«Siamo d'accordo?»

«Certo, d'accordo. Ora devo scappare.» Sparì dietro la porta.

Kris si diresse verso l'ingresso del suo ufficio, sorridendo. Il suo matrimonio stava andando in pezzi, ma la sua produttrice esecutiva aveva trovato un ragazzo. Forse c'era un equilibrio cosmico nell'universo, come dicevano i suoi amici New Age.

Il suo ufficio era una stanza grande e avvolta dal sole, piena zeppa di premi, riconoscimenti, ricordi e souvenir ricevuti dalle emittenti televisive in cui aveva lavorato e cornici che ritraevano lei e Howard in tempi più felici. Ellen, la sua assistente personale, era seduta alla scrivania e stava scrivendo al computer. Quando Kris entrò, sollevò lo sguardo.

«Ehi, boss.»

«Ciao. Sono passata a prendere il mio abito.»

«Linda l'ha lasciato qui un'ora fa.» Ellen fece un cenno con la testa verso la porta del camerino di Kris adiacente l'ufficio.

«È nuovo, molto chic.»

Kris trovò il suo abito appeso nell'armadio. Era color celeste-violetto, abbinato a una camicetta color crema, una buona scelta. Quella particolare sfumatura di blu stava sempre bene in televisione. Avendo fatto quel mestiere per anni, sapeva cosa andava e cosa no. I colori a tinta unita andavano bene; le fantasie, soprattutto motivi piccoli e complicati, non funzionavano. Le tonalità biancastre andavano bene; il bianco puro stonava.

Si cambiò e si diede un'occhiata allo specchio e decise che aveva un aspetto elegante, fatta eccezione per le scarpe da ginnastica. Dato che era sempre seduta dietro alla scrivania, nessun telespettatore poteva vedere cosa indossava ai piedi.

Per completare il look selezionò un paio di orecchini e una collana di perle, bigiotteria senza valore, grandi, fuori misura e appariscenti. La gioielleria di piccole dimensioni distraeva in telecamera; invece gli oggetti di grandi dimensioni risaltavano di più. Dopo aver infilato i gioielli in una busta di plastica, si diresse verso l'uscita dell'ufficio ma si fermò sulla porta.

«Quante chiamate?» chiese.

«Ho un sacco di messaggi, ma nessuno urgente.»

«Intendo dire messaggi... da lui.»

«Ah, nessuno. Sul serio.»

«Nessuna chiamata?»

«Oggi no.» Ellen si strinse nelle spalle.

«Forse sta perdendo interesse.»

«Io non ci conterei.»

Kris si diresse lungo il corridoio verso la stanza del make-up. Era strano che Hickle non avesse chiamato, solitamente a quell'ora avrebbe già dovuto aver lasciato diversi messaggi alla sua segreteria telefonica e altri due al centralino. Quel silenzio avrebbe dovuto tranquillizzarla, invece lo trovò inquietante.

Julia, la truccatrice, e Edward, il parrucchiere, la stavano aspettando con espressioni impazienti. Il primo a iniziare fu Edward. Il lunedì le faceva un'acconciatura completa, mentre per il resto della settimana bastava semplicemente un ritocco. Svolgeva il lavoro con grande facilità, spuntando e spiumacciando e spruzzando un po' di lacca qua e là.

«Fatto» esclamò. «Però, lo sai, con un bel taglio...»

«Non ho intenzione di portare i capelli corti.»

«Sto solo dicendo, tesoro, che dopo una certa età i capelli lunghi sono poco trendy.»

«Non ho ancora raggiunto quell'età.» Prese in mano le forbici e le fece scattare minacciosa.

«Te lo faccio io un bel taglio… ma non ai capelli.»

Edward impallidì. «Sono completamente d'accordo. Ho capito benissimo quello che vuoi dire, sei stata chiarissima.» E schizzò via in un baleno.

Poi toccò al trucco. Kris si sedette pazientemente ripassando i cambiamenti del copione, mentre Julia applicava uno spesso strato di fondotinta Shiseido su ogni centimetro della sua pelle, persino all'interno delle orecchie. Seguì il fard. Sembrava che rimodellare la sua faccia diventasse sempre più complicato ogni mese che passava. Di lì a poco avrebbe condotto il telegiornale dietro uno strato di cosmetici spesso centimetri, assumendo le sembianze di una geisha. Nessuno l'avrebbe riconosciuta. Avrebbe dovuto cambiare nome, trasferirsi in un'altra città e continuare a fare il suo mestiere… Hickle non l'avrebbe mai trovata.

Cercò di sorridere a quella fantasia, ma non c'era niente di divertente su Hickle. Non l'aveva chiamata al lavoro. Strano.

«Julia?»

«Mmh?»

«Potresti portarmi il telefono? Devo fare una chiamata.»

Con aria imbronciata, Julia obbedì.

Come ogni artista, le interruzioni la infastidivano.

Kris chiamò il numero di casa. Quando qualcuno dall'altra parte le rispose, chiese di poter parlare con uno degli agenti della TPS.

«Parla Pfeiffer.»

«Salve, sono io, volevo sapere il numero delle chiamate, cioè delle *sue* chiamate.»

«Zero, signora.»

«Zero?»

«Non ha fatto nemmeno uno squillo.»

«Non ha neppure chiamato il mio numero al lavoro. Non le sembra un po' strano?»

«Con questi tipi non si può mai sapere, domani potrebbe chiamare una ventina di volte.»

«Immagino lei abbia ragione. Grazie.»

Riattaccò. Julia le chiese di cosa si trattasse.

«Sembra che il mio stalker abbia cambiato le sue abitudini.»

«È una cosa negativa?»

«Non lo so.»

Julia applicò gli ultimi tocchi di trucco.

«Sai, ho sempre pensato che fosse stupendo essere famosi» disse. «Adesso non ne sono più così sicura.»

«Ha i suoi alti e bassi.»

Nonostante Julia avesse finito di truccarla e se ne fosse andata, Kris rimase seduta sulla sedia pensando a Hickle e al suo silenzio innaturale.

«Kris.» Il direttore di studio era alla porta. «Dieci minuti.»

«Grazie.»

Non si era resa conto che mancava poco all'inizio del notiziario.

Stava per uscire dalla stanza ma all'improvviso cambiò idea. Alzò la cornetta e chiamò Travis.

25

Abby trascorse un'ora a guardare il bungalow, in silenzio. Dopo le 18 il cielo iniziò a scurirsi. Alle 18.30 un sole infiammato lambiva le cime dei tetti. Stava pensando di andarsene. Doveva tornare a Hollywood. Hickle era a casa, ma finché Kris fosse rimasta alla KPTI, non c'era alcun pericolo immediato. Decise di aspettare ancora un po'.

Per utilizzare il tempo in maniera più produttiva pescò il piccolo registratore dalla borsa e iniziò a dettare degli appunti. Raccontò della visita fatta a Travis, omettendo la parte intima ma includendo tutto il resto, compresa la successiva effrazione al bungalow e tutto ciò che aveva scoperto. Se fosse morta, almeno avrebbe lasciato una registrazione aggiornata dei suoi movimenti.

Nella vasca idromassaggio aveva visto la morte in faccia e, se le cose fossero andate in maniera diversa quando era scappata dall'appartamento di Hickle, la sera precedente, lui avrebbe potuto scaricare il suo fucile su di lei al culmine della rabbia. Aveva già sfiorato la morte due volte. Non c'è due senza tre? si chiese onestamente, ma poi dei fari lampeggiarono nello specchietto retrovisore.

Si abbassò ancora di più sul sedile e vide una Lexus nera avvicinarsi. Mentre le passava accanto, diede un'occhiata al profilo del conducente illuminato dal bagliore del cruscotto. Era Howard Barwood. Non ne fu sorpresa.

La Lexus entrò nel vialetto del bungalow; Howard scese per aprire la porta del garage e parcheggiò la macchina all'interno. Entrò in casa passando dall'ingresso principale. Un attimo dopo le luci si accesero, ma le tende rimasero tirate.

Abby aveva visto più del necessario, ma rimase in attesa, curiosa di vedere Amanda che, sicuramente, si sarebbe fatta viva fra non molto.

Alle 19.15 una BMW bianca parcheggiò vicino al marciapiede a qualche casa di distanza. La donna che si affrettava verso la casa era magra, pelle e ossa, abbastanza giovane, e iniziò ad aprire la porta principale del bungalow con le proprie chiavi, ma poi quella si aprì dall'interno e Howard la trascinò dentro.

Abby scese dalla macchina e fece un giro in parte per stiracchiarsi le gambe e ripristinare la circolazione al sedere, ma principalmente per controllare la BMW. Osservò il numero di targa e, posato sul cruscotto, vide un permesso di parcheggio della KPTI. Amanda Gilbert lavorava a *Channel Eight*. Era una collega di Kris e, a giudicare dalla macchina, ricopriva una posizione piuttosto alta.

Mentre si allontanava dal quartiere e si dirigeva verso Hollywood, Abby accese il cellulare. Tramite il servizio informativo ottenne il numero della KPTI e chiamò la stazione televisiva. «Ho una comunicazione per Amanda» disse alla centralinista. «Potrei conoscere il suo ruolo esatto?»

«Produttrice esecutiva» le risposero.

«Della sezione notizie?»

«Proprio così.»

«Grazie mille.» Abby chiuse la chiamata.

Quindi Amanda era la produttrice esecutiva di Kris. Tutto a un tratto Abby sentì il proprio disgusto per Howard crescere esponenzialmente. Aveva immaginato che conoscere l'identità dell'amante non avrebbe inciso sulla valutazione del soggetto, ma invece non era così, perché intuitivamente sapeva che a Howard piaceva da morire farsi la capa di Kris e che nel farlo otteneva una forma di controllo e di potere su sua moglie, che nessuna centralinista o segretaria gli avrebbe mai potuto conferire.

Fermò l'auto nel parcheggio di un minimarket e si diresse verso un telefono a monete. Quella chiamata era troppo delicata per affidarsi al cellulare. Compose il numero dell'ufficio di Travis, sapendo che avrebbe lavorato fino a tardi. Rispose personalmente, la sua assistente doveva essere andata a casa.

«Il bungalow è il nido d'amore di Howard Barwood» disse a voce bassa per essere sicura di non essere sentita. «Il luogo d'incontro con la sua ragazza.»

«Chi è?»

«Fa differenza? Se non ti dispiace, lasciamo il suo nome fuori da questa storia. L'importante è che Howard possiede il bungalow. Ciò significa che, quasi certamente, possiede la Trendline e sta trasferendo dei soldi oltreoceano all'insaputa di Kris.»

«Vuol dire che ha un movente per sbarazzarsi di lei.»

«Vero, il matrimonio è diventato scomodo per lui. Sembra pronto per un nuovo inizio. Dubito che sarebbe stato capace di organizzare l'omicidio di Kris da solo, ma da quando è spuntato Hickle, potrebbe aver colto la palla al balzo.» Abby sbuffò, esausta.

«Ti ricordi quanto era preoccupato per la mia sicurezza, quando mi chiese se avrei avuto una scorta o se sarei stata sola? Io pensavo che fosse un gesto cavalleresco o sessista, dipende da come vuoi vederla. Ma forse no, forse voleva semplicemente valutare la mia vulnerabilità, in modo da potermi attaccare.»

«Forse ha avuto la sua opportunità. I dati ricevuti dagli uomini in servizio al cottage rivelano che ha lasciato Malibu alle 18 di mercoledì sera e non è rientrato fino a mezzanotte passata, più tardi del solito.»

«Io ero nella vasca idromassaggio verso le 22, 22.30.»

«L'orario combacia. Visto che non è riuscito a finirti personalmente, forse ha deciso di venderti a Hickle e fare gestire a lui la situazione.»

«È uscito ieri sera? Hickle ha ricevuto la chiamata verso le 20.30.»

«Howard è stato fuori dalle 18.30 alle 23.»

«Ok, quindi potrebbe aver trascorso la prima parte della serata al bungalow. Dopo di che ha chiamato Hickle utilizzando il cellulare della Western Regional perché non sapeva se il telefono di Hickle fosse sorvegliato e perché ha pensato che sarebbe stato più difficile collegare il cellulare a lui. A tal proposito...»

Travis prese la parola. «Stiamo ancora cercando di inchiodare Howard, cercando un legame tra la Western Regional e la Trendline. Finora niente, ma due dei miei geni del computer stanno mettendo a dura prova i modem ad alta velocità. Sono dei professionisti. Possono stanare i segreti di chiunque.»

Anche i miei? si chiese Abby. «Che cosa mi dici di Hickle? I suoi tentativi di contattare Kris sono aumentati?»

«Esattamente l'opposto. Una chiusura totale. Nessuna chiamata a casa e al lavoro per tutto il giorno. Kris è preoccupata.»

«Fa bene a esserlo. Faresti meglio a intensificare la sicurezza.»

«Lo farò. Dove ti trovi adesso?»

«Sto tornando a Hollywood. Non tentare di fermarmi.»

«Non lo farei mai.» Lo sentì sospirare. «Buona fortuna, Abby. Sta' attenta, mi raccomando.»

«Come sempre.»

* * *

Le luci nell'appartamento di Hickle erano accese quando Abby raggiunse il Gainford Arms. La Volkswagen era parcheggiata all'estremità opposta del parcheggio in cui si trovava il suo posto auto. Abby era contenta che lui fosse a casa. Almeno non si trovava a Malibu, pronto a preparare un'imboscata fuori della villa dei Barwood.

Entrò in ascensore e salì fino al quarto piano. Mentre rovistava nella borsa in cerca delle chiavi, Hickle emerse dal suo appartamento.

«Eccoti» disse.

La prima cosa che Abby notò fu che teneva la mano destra dietro la schiena in una posizione strana: nascondeva qualcosa. La sua mente passò in rassegna diverse possibilità: fucile, pistola, barattolo pieno di acido di batteria.

Non aveva ancora aperto la porta (era intrappolata nel corridoio, Hickle a due metri di distanza) e la Smith .38 nella sua borsa non era a portata di mano.

Hickle stava sorridendo, ma era un sorriso tirato, falso.

«Ti stavo aspettando.»

«Davvero?» Fece scivolare la borsa, posando due dita sulla fibbia.

«Già. Ho una specie di sorpresa per te.» Fece un passo in avanti mostrando la mano destra.

Abby vide cosa nascondeva: non era un barattolo di acido né una pistola, né qualsiasi altro tipo di arma. Era un sacchetto rigonfio con su scritto SHANGAI PALACE.

«Spero che tu non abbia già mangiato» disse Hickle. «Ho ordinato cinese.»

26

Abby continuò a sorridere mentre faceva entrare Hickle nel suo appartamento ed emise le opportune esclamazioni di entusiasmo mentre lui estraeva il cibo dal contenitore e la cucina si riempiva di un miscuglio di aromi.

«Maiale in agrodolce, pollo alle mandorle, e dato che so che ti piacciono i cibi vegetariani, broccoli con funghi.»

«Tutto ha un aspetto fantastico» disse lei senza smettere di sorridere. Ma quella situazione non le piaceva, non le piaceva affatto. Hickle era un uomo profondamente antisociale, non il tipo di persona che stringe un'amicizia intima con qualcun altro. Era troppo insicuro, troppo spaventato dalle donne, dalle persone in generale, per prendere l'iniziativa in maniera così audace, a meno che non avesse una motivazione impellente, nascosta.

Forse progettava di attaccarla nel suo appartamento. O forse aveva messo qualcosa nel cibo, nel piatto vegetariano, quello che aveva comprato per lei. Poteva essere del veleno, o un sedativo.

Una cosa era certa, quello non era un incontro casuale. Era una mossa di scacchi, una tattica in una gara di strategia mortale, e lei aveva il presentimento che il gioco si stesse rischiosamente avvicinando alla fine.

«È ancora caldo» disse Hickle toccando il contenitore sigillato. «Spero non sia stato presuntuoso da parte mia ordinare tutta questa roba senza chiedertelo.»

«Assolutamente no.»

«Stavo solo pensando… Be', mi sono divertito l'altra sera.»

«Anche io.»

«Immagino che dovrei uscire di più.»

«Non so se cenare a casa mia possa essere definita esattamente un'uscita.»

«È un problema se mangiamo qui? Potremmo andare da me se vuoi.»

Abby ponderò quella possibilità, ma se sul serio aveva in mente qualcosa di losco avrebbe potuto metterlo in atto molto più facilmente a casa sua. *Mi casa es su casa* disse. «Fammi solo aprire le finestre, ok? C'è odore di chiuso.»

Aprì le finestre in entrambe le stanze, controllando che i suoi strumenti di sorveglianza fossero al sicuro, nascosti dietro la porta chiusa dell'armadio di camera sua, poi posò la borsa sul tavolino di fianco al divano. Detestava l'idea di separarsi dalla pistola, ma non sarebbe sembrato normale tenersi la borsa a tracolla mentre era in casa. Comunque era a portata di mano.

«Vado a prendere qualche piatto.» Gli diede un colpetto con il gomito mentre allungava la mano verso l'armadietto. «Apparecchiamo, poi ci abbuffiamo.»

«Mi sembra un ottimo piano.» Hickle aveva l'aria spensierata, quasi divertita, un tratto che fece preoccupare Abby perché sapeva che si trattava di una messa in scena.

Rovistando nella credenza si rese conto delle sue carenze da padrona di casa, almeno in quella sistemazione temporanea. Le mancavano i tovaglioli, un servizio di piatti, bicchieri, le posate e qualsiasi bevanda che non fosse acqua.

«Temo che dovremo cenare come se fossimo a un pic-nic» gli disse. «Piatti di polistirolo, forchette e bicchieri di plastica, fazzoletti di carta invece che tovaglioli. E se vuoi bere qualcosa di diverso dall'acqua dovrai andare a prendertelo dal tuo frigo. Mi dispiace.»

«L'acqua va benissimo.»

«Se non ti dispiace prendo un po' di maiale e di pollo.» Abby si servì una grossa cucchiaiata e la mise nel piatto. «Non sono una vegetariana rigida. E perché tu non prendi un po' di broccoli?» Se davvero Hickle aveva messo qualcosa nella porzione vegetariana, avrebbe trovato un modo per declinare l'offerta.

«Certo» rispose lui pacato.

Forse allora il cibo non era stato avvelenato. Gli sedette accanto sul divano, tenendo il piatto in equilibrio sulle ginocchia. Per qualche minuto nessuno disse una parola. Di solito Abby era un meccanico esperto quando si trattava di intavolare una conversazione. Sapeva come lubrificare gli ingranaggi e ricaricare la batteria e far ripartire il motore. Quella sera invece sembrava paralizzata. E sapeva il perché. Non aveva il controllo. In quel caso non era l'unica ad avere segreti.

Mangiò esclusivamente le porzioni di carne finché non vide Hickle assaggiare quella vegetariana. Sembrava non avesse alcuna riserva. Lo vide masticare e ingoiare. La paura che il cibo fosse avvelenato iniziò a dissiparsi. Ma comunque non aveva troppo appetito.

«C'è qualcosa in TV?» domandò Hickle.

«Non credo.»

«La guardi molto?»

«Un po'.»

«Tipo, cosa guardi?»

«Niente di speciale, a volte quei programmi giornalistici… di investigazione… sai, tipo *Dateline*.» Non l'aveva mai visto in tutta la sua vita ma aveva l'impressione che lo dessero quasi tutte le sere, quindi doveva essere molto popolare. «E tu? Quali sono i tuoi programmi preferiti?»

Hickle temporeggiò. «Mi piace guardare i notiziari locali.»

Abby era convinta che lui stesse studiando la sua reazione. Se la giocò bene, mostrando un leggero cenno di repulsione. «Il telegiornale? Non è un po' deprimente?»

«Penso che sia una cosa giusta, mmh, rimanere informati... sai, sulla comunità.»

Sì, pensò. *Ha parlato quello dal senso civico.* «Ma in giro c'è così tanta criminalità.»

«Il crimine fa parte della vita. Senza persone che infrangono le leggi, dove saremmo?»

«Nel Giardino dell'Eden?»

«Forse. Ma qual è lo scopo di vivere in paradiso se non stai davvero vivendo? Capisci quello che intendo?»

Abby infilzò un broccolo con la forchetta di plastica. «Spiegati.»

«Ok, il fatto è questo. Adamo ed Eva erano persone a cui la vita era capitata, mi segui? Erano semplicemente soddisfatti di esistere. Non avevano nessuna ambizione. Non sono mai andati alla ricerca... be', del loro destino.»

«Tu credi nel destino?»

«Sì, fermamente.»

«Cos'è il destino secondo te?»

«Il destino...» Hickle trasse un lento respiro pensoso. «Il destino è quello che è successo a Dante e a Beatrice. Conosci quella storia?»

«Veramente no.»

«Dante era un grande poeta, ma il suo destino fu segnato quando aveva solo nove anni. Era stato allora che aveva visto una ragazza da lontano, una ragazza della sua stessa età. Il suo nome era Beatrice. Si innamorò e dedicò la sua vita a lei. Anni dopo, quando era sulla quarantina e Beatrice era morta, scrisse un poema epico come tributo alla sua amata. Lei continua a vivere grazie alla sua arte. Lei era il suo destino. Anche se non sono mai stati amanti e nemmeno amici, io credo che lei fosse fatta per lui, e alla fine lei si unì a lui, non nella vita ma nella morte.»

«Capisco» disse Abby.

Hickle doveva aver percepito una nota dubbiosa nel suo tono di voce. «Non sei d'accordo con me, vero? Non pensi che sia destino?»

«Io credo…» Abby calcolò il rischio di una risposta sincera e poi lo guardò dritto negli occhi. «Penso che tutta questa storia sia una follia, Raymond.»

Lui si irrigidì ma si sforzò a sorridere. «Il genere di follia che infrange tutte le regole» disse con tono piatto. «Quindi immagino che siamo tornati al punto di partenza.»

«Intendi il crimine.» Abby distolse lo sguardo rompendo il contatto visivo. Sfidarlo non era una mossa saggia. «Dove c'è il crimine, solitamente c'è anche la punizione.»

«Alcune persone non hanno paura della punizione.»

«Ma forse dovrebbero.»

Hickle rimase in silenzio, perso nei suoi pensieri. Abby si sforzò di mangiare un altro paio di bocconi. L'argomento della punizione era stato un rischio. Non aveva idea di come avrebbe reagito. Forse con violenza, o semplicemente chiudendosi in se stesso. Era convinta di essere pronta per qualsiasi cosa, ma quando Hickle parlò la sua domanda la colse di sorpresa. «Vieni davvero da Riverside?»

«Certo» disse, mantenendo un tono di voce calmo.

«E avevi davvero un fidanzato che ti ha tradita?»

«Sì, certo.» Non le piaceva essere interrogata. Cercò di cambiare le carte in tavola. «Perché me lo chiedi?»

«A volte ho l'impressione che tu non sia quello che sembri.»

Le cose si mettevano male. Come rispondere? Con un sorriso. «E allora cosa sono?»

Anche lui sorrise, ma era un sorriso spento.

«Un'immagine. Un'illusione. O forse sei quello che ho pensato fossi la prima volta che ci siamo incontrati: un'attrice.»

«Te l'ho detto, sono una ragazza che sta cercando di rimettersi in sesto dopo una relazione finita male. Niente di complicato.»

«Tutto è più complicato.» La studiò apertamente, dimenticando il cibo. Abby sapeva che c'era dell'altro e rimase in attesa. «Sai come ci si sente quando vuoi credere disperatamente a qualcosa... o a qualcuno... ma non sai se ti puoi fidare di quella persona?» le chiese alla fine.

Lei vide un'espressione di angoscia sul suo viso e per un istante provò compassione per lui. «So cosa si prova. Ma ci sono dei momenti in cui l'unica cosa da fare è fidarsi.»

«Perché?»

«Perché le relazioni sono costruite sulla fiducia.» Pensò a Travis, mentre pronunciava quelle parole, Travis con il suo mucchio di CD.

Hickle scivolò più vicino a lei sul divano. Abby poteva percepire il suo tremore, ma non capiva se si trattasse di un segnale di paura o di rabbia. «Tu ti sei fidata del tuo fidanzato» disse, «e lui ti ha mentito.»

«Non tutti mentono.»

«Io credo di sì, invece.»

Le andò ancora più vicino. Lei percepì il calore sprigionarsi dal suo corpo e sapeva che il suo cuore stava galoppando. Forse si preparava ad attaccare. Stava quasi per tendere i muscoli pronta alla battaglia, ma se lo avesse fatto lui lo avrebbe avvertito.

«Io credo...» disse Hickle lentamente, la sua voce un bisbiglio. «... che tutti mentano in continuazione. Tutti mettiamo su un teatrino, ci nascondiamo dalla realtà.»

«Compreso te?» gli domandò.

«Sì.»

«E io?»

«Credo anche tu, Abby.»

«Quindi non ti fidi di me.» Disse quelle parole senza giudicarlo.

«Mi piacerebbe, mi piacerebbe davvero potermi fidare di te.»

«Ma non lo fai.»

«Dovrei?»

«Certo che dovresti. Sto cercando di esserti amica.»

«Cos'altro sei?»

«Nient'altro.»

Vide il suo sguardo diventare più intenso. «Chi sei tu, veramente?» le sussurrò.

La borsa era sul tavolino ma per afferrarla Abby avrebbe dovuto fare un balzo in avanti, e con il corpo di Hickle premuto contro il suo non era sicura di riuscirci. «Io sono tua amica, Raymond.» Sapeva che non l'avrebbe bevuta. «Sono una tua amica.» Se avesse avuto con sé una qualunque arma sarebbe morta.

«Una mia amica.»

«Sì.»

«Lo spero tanto» disse avvicinandosi ancora di più e colmando la distanza che li separava. Poi la baciò.

Fu un bacio brevissimo, un tocco di labbra, Abby sapeva che non era pianificato, era stato un gesto d'impulso. Non oppose resistenza né ricambiò. Fu Hickle ad allontanarsi, arretrando violentemente e facendo cadere il piatto dalle ginocchia.

«Scusami» borbottò. «Non avrei dovuto… non volevo…»

Abby non sapeva se sentirsi sollevata o imbarazzata ma immediatamente capì che non rappresentava una minaccia immediata. «È tutto ok, Raymond» gli disse per calmarlo. «Non ti preoccupare. Va tutto bene.»

Lui distolse lo sguardo, il suo viso assunse una colorazione violacea, poi vide una macchia multicolore sul divano. Erano il suo pollo e il suo maiale.

«Accidenti» disse Abby seguendo il suo sguardo. «Sarà meglio dare una pulita.»

«Ci penso io.»

«Ti aiuto. Aspetta qui.» Si diresse in cucina e mise dei fazzoletti di carta sotto il getto dell'acqua. Quando tornò in salotto vide che Hickle era in piedi davanti al tavolino e ondeggiava nervosamente come un ragazzino che deve andare in bagno. Quali che fossero state le sue intenzioni, darle un bacio non era in programma.

Le prese i fazzoletti dalle mani e tamponò la macchia. «Scusami» ripeté.

«Non ti preoccupare. I mobili non sono neanche miei. E poi si direbbe che la macchia sia venuta via.»

«Così sembra.» Hickle posò i fazzoletti e iniziò a dirigersi verso la porta. «Sarà meglio che vada. È tardi.»

«Sono solo le nove.» All'improvviso non voleva che se ne andasse. Si era aperto con lei in maniera goffa. E lei voleva esplorare quella nuova strada .

«Sono parecchio stanco.» Mise la mano sulla maniglia.

Lei cercò di prendere tempo. «Sono rimasti degli avanzi.»

«Tienili tu. Puoi mangiarli per pranzo.» Aprì la porta in modo maldestro e fece un passo nel corridoio.

«Raymond, se ti va di parlare con me di… qualsiasi cosa… fammi un fischio, d'accordo?»

Non si girò per guardarla. «Lo terrò a mente. Grazie.»

Poi la porta si chiuse e lei rimase sola. Abby desiderò che non se ne fosse andato. Aveva intuito la possibilità di instaurare un dialogo, di fare breccia nel muro. Era un'opportunità che forse non si sarebbe più presentata.

$$* * *$$

Hickle rimase immobile nel corridoio per molto tempo, pensando a un'unica cosa.

L'aveva baciata. Baciata sulla bocca.

Non era stato nelle sue intenzioni, non voleva farlo né porle tutte quelle domande. Semplicemente, non aveva saputo fermarsi. Era come se fosse stato trasportato da una corrente di energia che fluiva fra lui e Abby, ostacolando la sua forza di volontà, il suo autocontrollo.

Entrò nel suo appartamento e si mise a camminare avanti e indietro per il salotto. Dopo un po' si accorse di avere fame, con Abby seduta così vicino a lui era riuscito a buttare giù solo un paio di bocconi. Andò in cucina e mise sul fuoco un po' di fagioli e li mangiò da una ciotola bevendo Coca-Cola. Mangiare lo calmava.

Si era comportato come uno stupido, ma lei sembrava non averci fatto caso. Gli aveva sorriso gentilmente e gli aveva offerto il suo aiuto nel caso lui volesse parlare. Gli aveva detto che era sua amica... Magari avesse potuto crederle! Ma le parole dell'email della sera prima ancora gli bruciavano nella mente: *Il suo mestiere è quello di avvicinare uomini come te, scoprire i loro segreti e riferire ciò che scopre.*

Finì il pasto e andò in bagno, poi si sedette sul letto con le spalle incurvate. Ancora non sapeva se Abby fosse un'amica o una traditrice, ma l'avrebbe scoperto. Ora era semplice, semplice come premere un tasto.

Hickle mise la mano in una tasca dei pantaloni e tirò fuori l'oggetto che aveva rubato dalla borsa di lei.

C'erano anche altre cose nella borsa, cose che aveva a malapena avuto il tempo di guardare mentre rovistava frenetico. Una pistola ultraleggera, una prova sospetta ma non definitiva; a Los Angeles molte donne uscivano armate. Un portafoglio contenente una patente di guida intestata a Abby Gallagher e un indirizzo di Riverside non significavano nulla; l'identità poteva essere falsificata. Un paio di piccoli attrezzi, dallo scopo indefinito.

L'ultimo oggetto che aveva trovato era l'unico che volesse: l'aveva fatto scivolare nella tasca e si era allontanato dal tavolino prima che Abby emergesse dalla cucina con i fazzoletti bagnati. Ora lo teneva nel palmo della mano.

Un registratore a microcassette. Premette il tasto REWIND e il nastro incominciò a riavvolgersi.

Se davvero Abby aveva dei segreti, lui li avrebbe scoperti ascoltando la registrazione. Le sue riflessioni, i suoi promemoria, i suoi appunti personali. Tutto ciò che doveva fare era ascoltare quel nastro.

Il nastro si riavvolgeva emettendo un basso sibilo.

Si domandò se volesse davvero ascoltarlo. Forse sarebbe stato meglio non sapere nulla. Se fosse riuscito ad accettare la Abby che sosteneva di essere, se fosse riuscito a mettere da parte tutti quei dubbi e tutti quei sospetti, non sarebbe stato più felice?

Soppesò il registratore nella mano come se stesse soppesando la scelta che rappresentava. Poi con il dito premette PLAY.

Dal piccolo altoparlante giunse la voce di Abby, debole come un bisbiglio. Hickle si sdraiò sul letto con il registratore a pochi centimetri dall'orecchio e si mise ad ascoltare.

27

«Per quanto ancora andremo avanti così?»

Howard Barwood si bloccò mentre si tirava su i pantaloni. Guardò Amanda, nuda nel letto. «Te l'ho detto» disse, «noi due staremo insieme.»

«Quando?»

«Quando Kris sarà fuori dai piedi.»

«Io sono una cinica ragazza di città, Howie. E sto iniziando a chiedermi quando accadrà.»

«Accadrà.» Finì di tirarsi su i pantaloni e si allacciò la cintura. Non sopportava che lo chiamasse Howie.

L'abat-jour sul comodino era l'unica fonte di luce della stanza. Era munita di una lampadina da tre candele, ma le due superiori si erano fulminate e solo quella più in basso funzionava ancora. La lampadina proiettava un debole bagliore giallognolo su metà della stanza, lasciando gli angoli lontani nell'ombra.

«Sai una cosa?» Amanda continuò come se lui non avesse parlato. «Comincio ad avvertire una certa tendenza alla procrastinazione da parte tua. Hai avuto mesi per dirglielo.»

«Ci sono altri aspetti da tenere in conto.»

«Tipo?»

«Le tempistiche di alcune transazioni finanziarie» si arrischiò a dirle.

«Suona molto misterioso» sussurrò Amanda, «e fastidiosamente poco specifico.»

«Diciamo che non saremo poveri.»

«C'è mai stata questa eventualità?»

«Povero è un termine relativo. Povero per i miei standard potrebbe significare ricco per quelli di un altro. Avremo tutto ciò che ci serve.»

«E Kris cosa avrà?»

Howard si voltò. «Non devi preoccuparti per Kris.»

Trovò la camicia e se la infilò. Si sentiva più a suo agio quando non era a petto nudo. Da giovane era sempre stato orgoglioso del suo petto muscoloso, ma adesso i suoi pettorali erano flosci e il suo addome aveva perso tonicità, mentre la vita gli si era ingrossata. Era fuori forma, non gli piaceva più guardarsi allo specchio, o forse c'erano altre ragioni per cui non voleva guardarsi.

Fuori la sirena di un veicolo d'emergenza (macchina della polizia, ambulanza, vigili del fuoco) miagolò in qualche strada secondaria. Le sirene erano un sottofondo costante in quel quartiere. Howard pensò al rumore delle onde che si frangevano sulla spiaggia di Malibu, l'unico suono che avesse mai sentito dalla terrazza della casa sulla spiaggia, e per un momento si chiese cosa stesse facendo in quel posto.

Be', era un po' tardi per farsi quella domanda, giusto? Aveva già messo in moto una serie di eventi che lo avrebbero liberato dai suoi obblighi coniugali e da sua moglie. A volte rimpiangeva la piega che aveva preso quella faccenda, ma non poteva disfare quello che aveva fatto. Ormai non poteva più tornare indietro.

«Cosa?» gli chiese Amanda.

Si rese conto che aveva detto l'ultima frase ad alta voce. «Niente» rispose abbottonandosi la camicia.

«D'accordo, sii pure riservato. È irritante, ma anche virile, stile uomo dell'Ottocento di poche parole.»

Si rotolò su un lato, dandogli la schiena. Sopra la natica sinistra aveva tatuata una rosa rossa. La prima volta che l'aveva vista, Howard ne era rimasto affascinato. Era stato con molte donne ma mai con una che avesse un tatuaggio. Gli era sembrato esotico ed eccitante. Ora lo guardava con indifferenza e con un vago senso di superiorità. Si chiese se guardava anche Amanda nello stesso modo.

No, certo che no. Da dove gli era venuto quel pensiero? Aveva intenzioni serie con lei. Era esattamente quello di cui aveva bisogno. Era giovane. Aveva energia, ambizione e determinazione. Parlava velocemente e proponeva un migliaio di idee all'ora. E poi era... com'era la parola?... avventurosa. Avventurosa a letto, senza mezzi termini. Faceva le cose con entusiasmo, cose che Kris non avrebbe mai voluto fare.

Si ricordò della sua prima notte con Amanda... di come lei gli avesse abbassato i pantaloni all'altezza delle ginocchia e glielo avesse preso in bocca, facendoglielo diventare duro con la lingua, e in quel momento era tornato ventenne, non un uomo di mezz'età con i peli sui lobi delle orecchie, una pancia che lo lasciava senza fiato ogni volta che faceva una rampa di scale.

Non che la loro relazione fosse basata sul sesso. Anzi. Parlavano anche. Come quella sera, per esempio. Aveva parlato con lei per quasi tutto il tempo mangiando una pizza alle acciughe e bevendo una bottiglia di Merlot. Solo molto più tardi si erano diretti verso la camera da letto per godere di un tipo diverso di intimità. Quella che aveva con Amanda non era un'avventura insignificante. Era una storia d'amore. Doveva essere così.

Con uno sbadiglio elaborato, Amanda scivolò fuori dal letto e gli veleggiò accanto dirigendosi in bagno. Si versò un bicchiere d'acqua e lo bevve tutto d'un fiato prima di far ondeggiare i capelli. A differenza di lui, lei non aveva problemi con lo specchio. A Howard piacevano la forma slanciata del suo corpo, il suo piccolo seno con i capezzoli turgidi, le sue cosce sode e lo stretto spazio che ospitavano, uno spazio che negli ultimi sei mesi aveva imparato a conoscere bene.

L'aveva conosciuta alla KPTI mesi prima. L'aveva corteggiata e lei c'era stata. Howard era incapace di resistere alle tentazioni. A volte si diceva che Kris doveva essere per forza a conoscenza di quella sua debolezza e si chiedeva se avesse deciso di sposarlo lo stesso pur conoscendo la situazione in cui si sarebbe cacciata. Da un punto di vista razionale quella spiegazione non valeva molto, ma era l'unico appiglio a cui poteva aggrapparsi.

La verità era che un tempo l'aveva amata, ma ora quel sentimento era tramontato. Immaginò che Kris avesse ragione quando gli aveva detto che per lui la novità di una donna con il tempo era destinata a svanire, come un vecchio giocattolo da buttare. Ma c'erano sempre nuovi giocattoli che potevano essere comprati se un uomo aveva i soldi... e se i suoi acquisti precedenti non diventavano troppo gravosi.

«Ha dei sospetti, lo sai?» disse Amanda dal bagno.

Howard, che stava cercando le scarpe in mezzo al groviglio di lenzuola sul pavimento, alzò lo sguardo perplesso. «Cosa hai detto?»

«Pensa che tu abbia una storia con un'altra. Mi ha detto così.»

A un tratto gli sembrò che il mondo gli si raggelasse attorno, o forse era semplicemente il suo respiro a essersi congelato nel petto. «Quando?»

«Ieri. È stato un momento di intimità, almeno da parte sua.» Amanda fece un sorrisetto, ma poi assunse un tono serio. «Non dovrei trovarlo divertente. Dopotutto, in un certo senso, è mia amica.»

Rimase in piedi nuda sulla soglia del bagno. Le anche inclinate e le braccia sui fianchi. La clavicola sporgeva contro il candore della pelle.

Non era bella quanto Kris, pensò Howard distrattamente. Ma era giovane. «Perché non me lo hai detto prima?» le domandò.

Amanda scrollò le spalle con indifferenza. «Mi è passato di mente.»

«Be', che cosa ti ha detto, esattamente?»

«Pensa che tu vada in giro a divertirti. Le avevo promesso una chiacchierata a tu per tu ma alla fine non abbiamo avuto tempo. Sarebbe stato come il gatto che gioca con il topo. Si potrebbe anche provare un certo piacere sadico, ma non è il genere di divertimento che aumenta l'autostima.»

«No.» La sua voce assunse un tono piatto. «Immagino di no.»

«Non sto dicendo che lei sappia qualcosa di certo. Ha soltanto un presentimento, tutto qui, chiamalo intuito femminile o qualcosa del genere. Comunque, è una cosa positiva, vero?»

Positiva. Perché aveva detto quella parola? Inappropriato da parte sua utilizzarla. «Davvero?»

«Sarà più facile per te dirle di noi.» Amanda aggrottò la fronte. «Perché tu glielo dirai, vero, Howie?»

«A tempo debito.» Sapeva di sembrare frettoloso e che lei si sarebbe arrabbiata.

E infatti fu così. «Spero tu non stia per avere i proverbiali ripensamenti da maschio. Mi sono assunta un rischio incredibile, lo sai. All'emittente tua moglie ha molta più influenza di me. È una bambola bionica. La donna da sei milioni di dollari. Quello che sto cercando di dirti è che potrebbe farmi licenziare, e se non avrò niente su cui cadere...»

Lui alzò una mano intimandole di smettere. «Avrai molto su cui cadere. E non verrai licenziata. Non finirà così.»

«E come finirà?»

«Per il meglio.» Howard sospirò, improvvisamente esausto. «E a proposito, tu non sei l'unica a correre rischi qui.»

«Ah no? Cos'hai fatto finora, a parte farti trovare con un rigonfiamento nei pantaloni?»

«Ho fatto più di quanto tu sappia. Più di quanto tu debba sapere. Ora, dove sono le mie dannate scarpe? Devo andare a...» Stava quasi per dire "a casa". «Devo andare.»

Erano quasi le dieci di sera e ci avrebbe messo un'ora per tornare a Malibu. Kris sarebbe arrivata verso mezzanotte e lui voleva essere già lì. La sera prima era stato un po' strano rientrare più tardi del solito e trovarla già in casa.

Gli aveva fatto delle domande, domande riguardanti i suoi supposti viaggi in macchina lungo la costa, e gli aveva chiesto perché fosse così irrequieto e agitato. Era chiaro che avesse dei sospetti su di lui. Adesso lo capiva, però la sera prima non aveva voluto crederci, aveva deciso di distogliere lo sguardo intenzionalmente.

Vabbè, ormai non importava più. Era troppo tardi per Kris, a prescindere da quello che si aspettava. Le cose si stavano dirigendo verso una conclusione e presto si sarebbero risolte, una volta per tutte.

Trovò le scarpe in un angolo buio dove la luce della lampada non riusciva ad arrivare. Quando si inginocchiò per indossarle gli sfuggì un grugnito involontario, da vecchio. Odiava emettere suoni come quello.

Amanda era il suo biglietto per la gioventù. E se non Amanda, allora qualche altra compagna ancora più giovane e senza tatuaggi.

Ma non Kris. Kris era il passato. Kris era un peso morto che lo trascinava verso l'abisso.

Doveva sbarazzarsi di lei. L'avrebbe fatto.

Presto.

28

Dopo che Hickle fu uscito dall'appartamento, Abby aprì l'armadio della camera da letto. Il videoregistratore e l'impianto audio non avevano smesso di registrare un momento, ma la TV era spenta e il sonoro della console era disattivato.

Accese lo schermo e gli altoparlanti, poi si sedette sul pavimento in un'approssimativa posizione del loto, appoggiando la schiena contro il letto, lo sguardo fisso sul monitor. Vide che Hickle camminava su e giù per il salotto e che poi si dirigeva in cucina per prepararsi qualcosa da mangiare. Si chiese se mangiare fosse una semplice reazione allo stress oppure se avesse fame perché non aveva mangiato a sufficienza.

Divorò il suo pasto in piedi, praticamente fuori portata della telecamera. Quando ebbe finito, lasciò le stoviglie nel lavandino e andò in camera. Abby controllò l'orario. Le 21.40. Il notiziario presentato da Kris sarebbe iniziato tra venti minuti. Suppose che non se lo sarebbe perso per niente al mondo.

Ma Hickle non riapparve dalla camera. Il microfono non registrava alcuna attività, alcun suono. Abby rimase in attesa, mentre un'ansia nuova e pungente si faceva strada dentro di lei.

Lanciò un'altra occhiata all'orologio. Erano quasi le 22. Di Hickle neanche l'ombra. Strano. Un segno funesto. Il rituale di sedersi sul divano e vedere i programmi di Kris era una sacrosanta abitudine quotidiana.

«Che succede, Raymond?» bisbigliò. «Che cos'hai in mente?»

Alzò il volume. Riuscì vagamente a distinguere un suono, basso e costante, difficile da identificare. Un brusio.

Aveva acceso un ventilatore? Non le pareva di averne visto uno, e comunque quel rumore era diverso da quello di un motorino elettrico. Era un suono ondulante, fluttuante.

Si avvicinò agli altoparlanti, impostando il volume al massimo, ma i suoni contingenti (i rumori di sottofondo di qualsiasi ambiente o locale) si trasformarono in un crepitio alto e costante, sovrastando quasi completamente il brusio indistinto.

* * *

«Si è fissato su Kris perché rappresenta il suo ideale di donna, quello che lui chiama *la bellezza, l'aspetto esteriore*. Nella mente di Hickle esiste sotto forma di una versione più matura e perfezionata di Jill Dahlbeck, anche lei aveva occhi blu e capelli biondi. Ma questa volta ha scelto una donna completamente diversa da Jill in qualsiasi altro aspetto: Kris è una celebrità, è sposata, ricca, famosa e più grande di lui. Vuole una donna che sia inarrivabile. Vuole rincorrerla e fallire nel tentativo, perché sarà proprio questa umiliazione a dargli l'espediente di cui ha bisogno per annientarla e annientare se stesso...»

Supino sul letto, Hickle ascoltava. Aveva i crampi allo stomaco. Lentamente si rotolò su un fianco e si raggomitolò in posizione fetale.

«Ma chi è davvero Kris Barwood per lui? L'amante delle sue fantasie, la moglie dei suoi sogni, e non bisogna essere Freud per capire che Kris incarna anche il suo ideale di madre, una figura autoritaria che ha una casa e un marito. Rappresenta tutti i tratti della natura femminile, la seduttrice sensuale, la compagna dedita alla casa e la madre amorevole. E lei è abbastanza matura da ricoprire tutti questi ruoli, si erge al di sopra di tutto. La sua faccia è su schermi, cartelloni pubblicitari e riviste. È ovunque. È la Donna. Prendendosela con lei, Hickle non colpisce esclusivamente Kris ma l'archetipo del sesso opposto, il sesso che odia e teme. Non è un sostenitore della *diversité*.»

La voce di Abby, fredda e analitica, lo stava sezionando. No, vivisezionando, dato che l'operazione veniva svolta su un corpo ancora in vita. A volte veniva effettuato persino senza anestesia, senza nulla che potesse alleviare il dolore.

«Non ha il minimo interesse per Kris come essere umano, poiché, per lui, non è tale, è solo un simbolo. Hickle vive in un mondo fatto di simboli, immagini e fantasie. Rimane legato alla società solo grazie alla tv e alle riviste di gossip. A pensarci bene, non è poi così diverso da molti di noi di questi tempi, e potrei perfino sentirmi dispiaciuta per lui se non rappresentasse una minaccia per…»

Sentirmi dispiaciuta. Dispiaciuta.

Chi si credeva di essere per dire quelle cose, per giudicarlo?

Dovrebbe essere lei a vergognarsi di quello che è e di quello che ha fatto.

Era stata lei a inventarsi tutte quelle storie su una relazione andata a rotoli, era stata lei ad avvicinarlo nella lavanderia e a farlo parlare dei telegiornali. Era lei quella che si faceva largo nelle vite degli altri, sbirciando e frugando alla ricerca di segreti da svelare. Era una bugiarda, un'infiltrata, una spiona, una puttanella infida, e si meritava…. si meritava…

Il fucile.

Ecco quello che si meritava, sì, il fucile. Assolutamente.

Hickle si mise a sedere, ignorando la cassetta che continuava ad andare.

Era una stronza del cazzo. L'aveva ingannato, manipolato, usato come una pedina per aiutare i suoi nemici. L'aveva spiato e aveva riferito tutto a Kris. E l'aveva fatto così magistralmente che se non fosse stato per il suo amico JackBNimble non sarebbe mai venuto a saperlo.

Il suo informatore anonimo era l'unica persona di cui si potesse fidare, l'unica persona che era stata sincera dall'inizio alla fine. Ogni singola informazione fornitagli da Jack si era rilevata veritiera. Gli aveva dato buoni consigli. E gli aveva anche detto cosa doveva fare, vero? Vero?

Prima Abby, poi Kris.

Tutte e due… morte.

Adesso, senza indugiare oltre.

Si alzò dal letto e aprì il lucchetto dell'armadio. Prese il suo borsone e tirò la cerniera, poi estrasse il fucile. Si assicurò che fosse carico.

Bang. Addio Abby.

Bang. Addio Kris.

Tutto sarebbe finito nel migliore dei modi, quella notte. Avrebbe vinto e loro avrebbero perso.

Il nastro continuava a girare, mentre la voce di Abby sussurrava tra le pieghe del copriletto. Non c'era bisogno di ascoltare di più.

* * *

Per isolare quel suono misterioso, Abby inserì un filtro sull'impianto audio per bloccare le frequenze superiori agli 8 kilohertz. In questo modo, il brusio venne parzialmente isolato, ma non era sufficiente. Iniziò quindi ad armeggiare con un equalizzatore grafico a dieci bande, abbassando i cursori su delle frequenze più alte e, allo stesso tempo, incrementando i toni di campo intermedio.

Cercò di ridurre il sibilo che disturbava il brusio. Era difficile. I due suoni erano su frequenze simili, ma dopo qualche piccola modifica, il brusio divenne più definito e Abby riuscì a distinguere una voce.

Era Hickle che borbottava tra sé?

Improbabile. Forse stava ascoltando la radio, ma non le sembrava di averne vista una in camera da letto.

Poi, a un tratto, udì dei suoni nuovi. Si bloccò e si inginocchiò sul pavimento vicino alla console, appiccicando l'orecchio agli altoparlanti.

Cigolio del letto, rumore di passi. Una porta che si apriva. Qualcosa che veniva trascinato rapidamente sul pavimento.

«Che intenzioni hai, Raymond?» Trasse un lungo respiro.

Ancora dei passi. Speranzosa, lanciò un'occhiata allo schermo, ma Hickle non era andato in salotto.

Poi Abby sentì qualcosa sbatacchiare, un tonfo che non era un rumore di passi, e… silenzio, eccetto il sibilo costante che disturbava il brusio che sembrava essere una voce.

La frequenza della voce umana viaggia principalmente tra gli 1,5 e i 2,5 kilohertz. Aumentò la portata, attenuando le frequenze più alte, e il rumore di sottofondo svanì. Abby riuscì a isolare il brusio, che ora era chiaramente udibile.

Era la sua voce.

«… tutto dipende dal fatto se ha i nervi o no per portare a termine quello che ha iniziato; finora si tratta solo della fantasia ben architettata di una vendetta violenta…»

Le riflessioni che lei aveva dettato al registratore.

Hickle doveva averglielo preso, rubato.

Stava ascoltando la registrazione.

Sapeva tutto.

La pistola di Abby era nella borsa, che però era in salotto. Balzò in piedi e si allontanò di scatto dall'armadio…

Troppo tardi.

Incorniciata nel telaio della finestra, c'era la sagoma di Hickle. In piedi sulle scale antincendio, il fucile in mano.

Con un movimento rapido puntò la canna verso di lei. Abby si accucciò dietro il letto, impedendogli di prenderla di mira, ma aveva guadagnato solo un paio di secondi. La finestra era aperta. Hickle non doveva fare altro che dare un colpo alla zanzariera ed entrare.

In una vaga zona del suo cervello le venne in mente l'ultima domanda sulla sua lista personale: la paura l'avrebbe distolto dalle sue intenzioni?

Ora conosceva la risposta. No.

Sdraiata prona sul pavimento, udì lo scricchiolio della rete e il tonfo della zanzariera quando si staccò dal telaio e cadde. Capì da dove provenivano i rumori indefiniti che aveva sentito prima nella stanza di Hickle: la zanzariera che veniva rimossa e cadeva per terra. Era salito sulle scale antincendio passando dalla finestra.

Ora stava scavalcando il suo davanzale. Sentì lo strofinio dei vestiti contro la parete.

Doveva andare in salotto e prendere la sua rivoltella. Ma se fosse emersa dal nascondiglio, lui l'avrebbe uccisa con un solo colpo.

Va bene, allora avrebbe strisciato sotto il letto. Avrebbe potuto avere il tempo di sbucare dall'altro lato prima che lui si rendesse conto che era scappata.

Bel piano, peccato che il letto era troppo basso, non c'era abbastanza spazio.

Era in trappola e lui stava arrivando. Abby sentiva i suoi passi vibrare sulle assi del pavimento.

Le rimaneva un'unica possibilità: combattere. Era stata addestrata a rispondere a un attacco da una posizione sfavorevole e quelle potevano senz'altro essere considerate circostanze sfavorevoli.

Mentre Hickle girava attorno al letto, Abby balzò in piedi, posizionando la testa sotto la canna del fucile, poi sollevò il braccio destro e con la nocca dell'indice mirò alla laringe dell'uomo.

Hickle schivò il colpo, ma lei riuscì comunque a colpirlo su un lato del collo, facendogli perdere l'equilibrio.

Lui alzò il fucile, Abby però gli sferrò un calcio sul braccio destro, vicino al gomito.

Le dita si aprirono e il fucile cadde.

Finiscilo, prima che riesca a riprenderlo.

Emise un grido di rabbia e fece per colpirlo sulla faccia con il palmo della mano, ma Hickle riuscì a scansarsi. Mancato. Ora era lei ad aver perso l'equilibrio.

La prese per i capelli e la lanciò sul letto, poi sparì per un attimo dal suo campo visivo, per riemergere con il fucile in mano.

Abby cercò di rialzarsi, dimenandosi, ma ormai era sopra di lei. La canna del fucile puntata contro la sua faccia.

«Ti sentiranno» disse ansimando. «Un solo colpo e chiunque nel palazzo ti sentirà.»

Quelle parole erano sbucate dal nulla. Non sapeva neppure se Hickle stesse ascoltando.

Una piccola flessione dell'indice e la sua vita sarebbe finita in quell'istante. Si preparò.

Ma lui non sparò.

Allontanò il fucile di qualche centimetro.

Lei attese.

«Ben detto, Abby» disse Hickle con un tono di voce talmente basso che lei riuscì a malapena a sentirlo sotto i battiti assordanti del suo cuore. «Sempre che questo sia il tuo nome. Ti chiami così?»

«Sì.»

«Bene. L'unica cosa su cui non hai mentito.»

«Dobbiamo parlare, Raymond.»

«Allora parla.»

Si passò la lingua sulle labbra. Sentì l'odore del lubrificante sulla bocca del fucile. Sentì un formicolio al naso, come se dovesse starnutire. «Potresti abbassare quel coso? Credo di essere allergica.»

Lui si allontanò di un passo dal letto, spostando la presa sul fucile dal calcio alla canna.

«D'accordo» disse. «Sembra che tu mi abbia scoperto.»

«Così pare.»

«Sei in gamba, Raymond. Ti avevo sottovalutato.»

«Sì.»

«Ora che so quanto sei intelligente, le cose cambieranno. Posso essere sincera con te.»

«Continua, dimmi cosa sta succedendo.»

«Certo. Ti dirò tutto.» Stava recuperando il controllo della situazione. Se l'era vista male pochi minuti prima, ma adesso aveva delle opzioni davanti a sé, delle possibilità.

Si mise a sedere, selezionando con cura le parole da dire, ma col fucile Hickle le sferrò un colpo violento sulla nuca.

29

Abby cadde dal letto e collassò a terra. Fu scossa da un breve fremito, poi non si mosse più.

«Niente più bugie, puttana» sussurrò Hickle.

Si erse sopra di lei, per controllare che non stesse recitando. Avrebbe potuto fingere di essere svenuta, ma Hickle ne dubitava. Col calcio del fucile aveva assestato un colpo molto violento. In ogni caso mantenne la presa sull'arma mentre si inginocchiava di fianco a lei e le alzava una palpebra. L'occhio era rivolto in alto, nella parte superiore dell'orbita. Era svenuta ma respirava. Era ancora viva. Be', non per molto.

Aveva ragione quando aveva detto che sparare un colpo di fucile in un palazzo affollato non era una buona idea. Se ci avesse pensato meglio, anche lui se ne sarebbe reso conto. Ma c'erano altri modi per ucciderla. Per esempio tagliarle la gola con un coltello da cucina. Sì, avrebbe fatto così. Era a metà strada dalla camera da letto quando si ricordò che le posate e gli utensili di Abby erano di plastica.

Poteva sempre spezzarle il collo, allora. Si inginocchiò e l'afferrò per la gola irrigidendosi per imprimere una forza letale ai suoi polsi, ma qualcosa in quel gesto intimo lo fece ritrarre. Doveva esserci un altro modo.

Asfissia. Avrebbe potuto soffocarla. Si voltò verso il letto, prese un cuscino, poi si fermò.

Oltre al letto c'era l'armadio con le ante aperte. Dentro c'erano delle apparecchiature elettroniche. Nella frenesia dell'attacco e nella calma successiva non si era reso conto di tutta quella roba.

Gli parve strano che Abby avesse un'attrezzatura audiovisiva montata nell'armadio e la cosa ancora più strana era che l'immagine sullo schermo della TV mostrava il suo salotto. Come mai il suo salotto era in TV? Poi capì. Stava guardando una trasmissione a circuito chiuso. La TV doveva ricevere un segnale da una telecamera che Abby aveva impiantato.

Ma ciò significava che era stata nel suo appartamento. Era entrata di nascosto e aveva piazzato delle cimici. Poi, comoda comoda, l'aveva guardato quando lui credeva di essere solo.

«Mi ha osservato.» Trasse un profondo respiro. Il pensiero lo fece rabbrividire.

Con passo rigido si avvicinò all'armadio, sotto la TV c'era un videoregistratore per registrare le riprese dal vivo. Vicino, un impianto audio con delle bobine a nastri che giravano. Abby doveva aver registrato la sua voce tutte le volte che aveva parlato da solo, come spesso capitava. Conosceva ogni suo pensiero. Non aveva semplicemente invaso la sua vita nella maniera più ovvia. Si era introdotta nei suoi momenti più privati, nella sua solitudine. Aveva guardato e ascoltato e registrato tutto.

Un nuovo pensiero gli attraversò la mente. Un pensiero orribile. Hickle si domandò quale fosse il giorno esatto nel quale Abby si era introdotta nel suo appartamento. Prima o dopo essere entrato di soppiatto nella lavanderia? Perché se era successo dopo…

… allora lei aveva visto quel che le aveva rubato dalla lavatrice. Gli slip bianchi che indossava sul suo corpo. I suoi slip.

Li aveva visti, aveva capito chi li aveva rubati e di certo aveva immaginato perché li voleva.

O forse, forse non era stato necessario tirare a indovinare. Forse aveva montato una telecamera anche nella sua stanza.

Forse quella telecamera aveva lenti a infrarossi capaci di mostrarlo al buio.

L'aveva guardato la notte prima, quando aveva portato quegli slip a letto con sé, quando li aveva utilizzati nel modo in cui gli altri uomini utilizzavano le immagini pornografiche? Aveva visto tutto? Aveva registrato tutto sul nastro?

Avvertì un moto di rabbia.

Estrasse la cassetta dal videoregistratore e la spaccò in due, poi tirò il nastro fuori dai rocchetti e se lo attorcigliò fra le mani.

Forse aveva registrato anche gli effetti sonori, il cigolio delle molle del materasso, i bassi sussulti del suo respiro mentre ansimava.

Estrasse con violenza le bobine, estrasse il nastro spargendolo dappertutto, finché non gli caddero dalle mani tremanti.

Era inutile. Non avrebbe ottenuto nulla. Chiunque avrebbe potuto riavvolgere la cassetta, metterla sul rocchetto, riavvolgere il nastro e vedere il video, sentire l'audio.

Razionalmente si rendeva conto che non aveva alcuna importanza ciò che gli altri avrebbero visto o sentito. C'erano buone probabilità che morisse nell'agguato a Kris. E anche se fosse rimasto in vita, sarebbe stato arrestato a causa di quel crimine imperdonabile.

Eppure non sopportava l'idea che degli sconosciuti potessero sbirciare nei suoi momenti personali, guardarlo come un animale allo zoo. Ridere della sua perversione. O, peggio, dispiacersi per lui, provare compassione per il povero mostro malato.

No. Si sarebbe assicurato che nessuno potesse mai vedere o sentire quei nastri. Si sarebbe sbarazzato di quei dannati affari, li avrebbe cancellati o qualcosa del genere.

Ma prima doveva rimuovere le cimici che Abby aveva impiantato. Non poteva permettere che qualcuno vedesse quello che aveva fatto.

Si accertò che Abby fosse ancora incosciente, poi tornò nel suo appartamento passando per le scale antincendio. Per prima cosa perquisì il salotto. Dalle immagini di Abby si capiva chiaramente che le riprese venivano da un punto sopra il divano. Aprì il rilevatore di fumo e trovò un obiettivo e un trasmettitore, ma nessun microfono. Mise la telecamera sotto il piede e la schiacciò con il tallone. Poi si guardò intorno alla ricerca di un posto in cui potesse essere nascosto un microfono. Il telefono? Lo capovolse e vide qualcosa che assomigliava a una microspia; scaraventò il telefono contro il bancone della cucina mandandolo in pezzi.

Ci potevano essere altre cimici nella stanza. Sbirciò dietro il divano, dietro la televisione, nei mobili della cucina, nel frigorifero. Non sapeva nemmeno cosa stesse cercando. Avrebbe potuto avere di fronte a sé una microspia e non l'avrebbe riconosciuta. Quella puttanella ingegnosa avrebbe potuto impiantare una dozzina di microfoni, o anche un centinaio. Non poteva saperlo.

Arrancò in camera da letto. Che avesse impiantato un microfono anche lì o che avesse ascoltato tutto attraverso la parete che avevano in comune tramite uno stetoscopio? E quella seconda telecamera? Poteva esserci un obiettivo nascosto che lo riprendeva attraverso un buchino dietro uno dei poster di Kris. Strappò via i manifesti dalla parete. Nessuna telecamera. Nessun microfono. Doveva esserci qualcosa. Era improbabile che avesse impiantato delle microspie in una stanza e nessuna nell'altra. Doveva essergli sfuggita. Controllò sotto il letto, dietro al comodino. Svitò la base dell'abat-jour, ma niente.

«Dov'è, dove l'hai nascosta, brutta puttana?» Il suo tono di voce era di un'ottava più alto del solito. In un paio di giorni avrebbe di sicuro trovato tutti i dispositivi che lei aveva impiantato. Ma lui non aveva neanche un giorno, e nemmeno un'ora. Doveva agire contro Kris quella sera stessa. Posticipare l'azione avrebbe messo a repentaglio tutta l'operazione; perché se Abby non si fosse fatta viva, i suoi colleghi avrebbero scoperto che qualcosa era andato storto. Sarebbero andati a cercarlo. E anche se fosse scampato all'arresto, Kris avrebbe ricevuto protezione aggiuntiva e lui non sarebbe mai più riuscito ad avvicinarla.

Erano quasi le 22.30. Kris avrebbe lasciato gli studi della KPTI fra un'ora circa. Sarebbe arrivata a casa dopo mezzanotte. Doveva essere lì quando la sua macchina si fosse immessa nel viale della villa sulla spiaggia. Per fare in tempo doveva partire subito. Ma non aveva tolto tutte le cimici dall'appartamento. Non aveva ancora cancellato quelle registrazioni.

«Non c'è tempo.» Hickle girava su se stesso. Non poteva disfare tutto quello che Abby aveva fatto. Ma non poteva neanche permettere che la polizia scoprisse tutto quel materiale.

Distruggilo, allora. Distruggi tutto, tutto ciò che c'è negli appartamenti, ogni cosa.

«Va bene» sussurrò, riacquistando un po' di autocontrollo mentre il piano prendeva forma nella sua mente.

«Va bene, sì, funzionerà, andrà tutto bene.»

Prima di uscire dall'appartamento, radunò tutte le cose che gli sarebbero servite per quella notte. Sia lì sia a Malibu. Prese il borsone dall'armadio e ci infilò dentro la carabina, l'obiettivo, il sistema di puntamento laser e l'HK 770 che era stato un investimento costoso e aveva intenzione di averlo con sé come arma di scorta nel caso in cui il fucile avesse fatto cilecca.

Cos'altro gli serviva? Altre munizioni per entrambe le armi. Una torcia. Una giacca, di notte faceva freddo. Prese l'impermeabile blu scuro e lo indossò. Vestito di scuro si sarebbe mimetizzato meglio.

E poi il lucchetto e la catena con cui aveva chiuso l'armadio. Prese anche quelli con sé, insieme al borsone. Uscì dall'appartamento passando dalla finestra, senza voltarsi indietro.

Ora lo schermo della televisione di Abby mostrava solo delle interferenze. Abby era ancora incosciente. Hickle la calciò debolmente con il piede. Lei non si mosse di un millimetro. Le si inginocchiò accanto per un minuto o due, poi rivolse lo sguardo verso la finestra della camera da letto. La zanzariera si era danneggiata a causa della sua effrazione, ma il vetro era intatto. Chiuse bene sia la finestra della camera sia quella del salotto. Ora l'appartamento era a tenuta stagna. Si accovacciò per accertarsi che la fiamma pilota blu della caldaia fosse accesa.

Ora veniva la parte difficile. Facendo lavorare i muscoli, spostò il forno lontano dalla parete della cucina finché non sentì un rumore metallico e uno sfiato di gas. Il manicotto del tubo del gas si staccò, permettendo alla sostanza aeriforme di espandersi dalla tubatura principale in tutto l'ambiente. Puzzava di uova marce. Il gas era la bomba. La fiamma pilota, la miccia. Quando una quantità notevole di gas avesse riempito la stanza…

«Bang» sussurrò Hickle.

Metà del quarto piano sarebbe stato spazzato via. L'appartamento di Abby, il suo e, con un po' di fortuna, anche il 422 in cui abitava quella ficcanaso della signora Finley, tutto sarebbe stato cancellato in una violenta esplosione accecante. Voleva a tutti i costi cancellare quelle registrazioni. E quello era l'unico modo per farlo. E in più avrebbe cancellato ogni traccia della sua vita precedente e… ah sì, anche Abby.

Mise il secondo fucile nel borsone e si diresse verso il corridoio, chiudendosi la porta dell'appartamento di Abby alle spalle. Veloce, salì sull'ascensore, scese nell'atrio e corse frenetico verso il parcheggio. Mentre correva, un pensiero lo spronava. Lo stava facendo, lo stava facendo sul serio. Dopo mesi di indugi aveva trovato la forza e il coraggio.

Hickle lanciò il borsone sul sedile del passeggero della sua Volkswagen e accese la macchina. L'orologio del cruscotto segnava le 22.59.

In quell'esatto momento il notiziario della sera di *Channel Eight* stava per finire, e Kris Barwood sarebbe uscita dalle porte della KPTI per l'ultima volta.

30

Kris vide Travis attraversare la sala audio mentre lei e Matt Dale concludevano l'edizione delle 22.

Erano mesi che Travis non andava alla KPTI. La sua presenza la innervosì e si impappinò durante i commenti finali. Matt salvò la situazione in corner, facendo una battuta spiritosa e permettendo a entrambi di sorridere radiosi alla telecamera 1 mentre partiva la sigla e lo schermo si scuriva.

«Tutto bene?» le chiese Matt, togliendosi il microfono auricolare.

«Mi sono distratta. C'è una visita per me.»

Matt seguì il suo sguardo. «Quello è il tizio della TPS, vero?» Dopo il caso Devin Corbal chiunque lavorasse nei mass media a LA conosceva la sua faccia.

«Proprio lui.»

«Pare che abbia a cuore la protezione dei suoi clienti.»

«Bello slogan. Dovrebbe usarlo.» Kris si alzò dalla sedia, aggirando il bordo curvilineo della scrivania. «È meglio che vada a vedere cosa vuole. Ci vediamo lunedì.»

«Buon weekend.»

Kris avrebbe tanto voluto che fosse un buon weekend, ma era improbabile.

Camminando veloce oltrepassò le telecamere, allontanandosi dal piccolo set munito di uno schermo a parete e di uno sfondo fotografico di LA di notte. Le luci artificiali della città brillavano come polvere di stelle. Il set, illuminato da riflettori che conferivano alla luce diffusa tonalità più calde, sembrava un'isola magica ma, visto da vicino, rivelava una qualità scadente, pacchiana. La scrivania non era altro che un pannello frontale, le sedie girevoli erano scomode e lo sfondo strappato era stato riparato alla bell'e meglio, lasciando una riga sfilacciata simile a una faglia. Impostate a massima potenza, le luci erano calde e intense, ma lo studio invece era freddo, dato che gli operatori passavano giornate intere a spostare e a muovere l'attrezzatura che sferragliava sul pavimento.

Vedendola arrivare, Travis le sorrise. Quel sorriso la preoccupò. Sembrava un gesto automatico volto a rassicurarla. «Che succede?» gli domandò guardinga.

«Stasera pensavo di accompagnarti a casa con una delle nostre macchine aziendali.»

«Perché non possiamo usare la mia?»

«Se non ti dispiace, vorrei che questa sera viaggiassi su una nostra auto. Ho scelto un modello esattamente identico al tuo.»

«Se sono uguali, perché dobbiamo prendere la tua?»

«La nostra auto ha degli accorgimenti aggiuntivi.» Travis fece una pausa e tornò a parlare solo quando un paio di macchinisti, che camminavano con un'andatura rilassata, passarono oltre. «Vetri antiproiettile, rivestimento blindato, tutto quanto.»

«Perché un livello di protezione così alto? Solo perché Hickle oggi ha variato la sua routine e non mi ha chiamata?»

«Anche per quello.»

«Cos'altro c'è?»

«Abby ha scoperto un paio di cose. Non posso entrare nei dettagli adesso.» Travis le posò una mano sul braccio, abbassando la voce. «Potrebbe essere pronto a sferrare il suo attacco.»

«Un bell'eufemismo che si traduce in: potrebbe essere pronto a uccidermi.»

«Forse è un falso allarme. In ogni caso, Steve Drury sarà al volante e io mi metterò a sedere dietro con te. La squadra a casa tua è stata allertata. Le guardie al cancello della Reserve sono state informate, e anche la security della TPS. Abbiamo preso tutte le precauzioni. Tranquilla, Kris, non ti succederà nulla.»

Travis aveva ancora la mano sul suo braccio. Kris si scostò con gentilezza. Non voleva essere rassicurata. Per lui era facile rimanere calmo. Affrontare le minacce era il suo mestiere. Riduceva il problema a una serie di procedure, a un piano di azione. Gli piaceva. Per lei era solo un incubo senza senso, senza via di uscita.

Rivolse lo sguardo al set. Da una certa distanza, la magia che lo avvolgeva rimaneva intatta. In quell'istante avrebbe solo voluto tornare dietro quella finta scrivania, illuminata dai riflettori, e continuare a leggere le righe sul gobbo elettronico e a sorridere alle telecamere. Lì, mentre faceva ciò che le riusciva meglio, si sentiva al sicuro, protetta. Lo spettacolo però era finito e l'unica cosa da fare era uscire nell'oscurità e sperare che Travis e il suo team la proteggessero.

«D'accordo.» Pensò che Travis si meritasse un sorriso per la sua gentilezza, ma nel suo arsenale non riuscì a trovarne neanche uno. «Devo solo struccarmi. Ci vediamo nel mio ufficio. Sai dove si trova.»

«Kris... mi dispiace molto. Forse la nostra valutazione è errata, ma non possiamo correre questo rischio.»

Gli disse che capiva la situazione. Ed era così, infatti. La sua parte razionale capiva benissimo, ma c'era un'altra parte di lei, meno accondiscendente e poco diplomatica, che voleva urlare che non era giusto, che era stanca, che voleva che Hickle la lasciasse in pace e se la prendesse con qualcun altro.

Nel camerino si chinò sul lavello, togliendosi il trucco con un panno. Quando ebbe finito, si osservò allo specchio. Vide un viso bellissimo, altezzoso e spaventato. Non era la sua faccia quella. La sua faccia non aveva mai mostrato paura, e invece quella sì.

Hickle le aveva rubato tutto. La serenità, le sue abitudini, la tranquillità, forse persino il suo matrimonio. Anche la faccia riflessa nello specchio non era più la sua.

Non gli restava più niente da sottrarle. A parte la vita.

* * *

Alle 23.15, più tardi del previsto, Howard parcheggiò la macchina nel garage della villa sulla spiaggia. Prima di uscire dal bungalow aveva deciso di addolcire le cose con Amanda, una scelta che lo aveva fatto tardare e disfare di nuovo le lenzuola del letto.

Ma tutto era andato per il verso giusto. Aveva battuto Kris sul tempo di almeno mezz'ora.

Fece il giro della dépendance, dove incontrò due agenti in servizio della TPS. Si chiamavano Pfeiffer e Mahoney, anche se non sapeva chi dei due fosse chi. Sembravano particolarmente vigili. Persino quando lo salutarono, si misero a scrutare l'oscurità su Malibu Reserve Drive.

«C'è qualcosa che non va?» chiese Howard.

I due lo rassicurarono, dicendogli che andava tutto bene. Howard non fu del tutto convinto da quell'affermazione. Qualcosa bolliva in pentola. I suoi sospetti furono confermati quando uno dei due gli disse che Kris sarebbe stata scortata a casa su una delle macchine della TPS.

«Un'auto aziendale? Perché?»

«Una semplice misura di routine» disse Pfeiffer, o era Mahoney.

«Se è di routine, perché non l'aveva mai fatto prima?»

«È una procedura standard» sentì replicare l'altro, ignorando sempre chi fosse tra Pfeiffer e Mahoney. Entrambi mantennero lo sguardo fisso sul fogliame in ombra al di là della strada.

Una risposta che non diceva niente. Era chiaro che i due non volevano scucire informazioni. Howard pensò di farglielo notare ma alla fine rinunciò. Era Kris la cliente di Travis. Gli agenti della TPS rispondevano sempre a qualsiasi sua domanda, raramente estendevano quella cortesia anche a lui.

Diede la buona notte a Pfeiffer e a Mahoney e poi imboccò il vialetto di casa. Courtney aprì la porta mentre lui stava salendo le scale. Doveva aver ricevuto la comunicazione via interfono dagli agenti della TPS.

«Buonasera, signor Barwood.»

Howard la salutò con un cenno della testa, prima di vederla arretrare non appena lui ebbe varcato la porta. Courtney aveva mantenuto le opportune distanze dal giorno in cui, molti mesi prima, lui le si era avvicinato nella sala giochi e le aveva accarezzato la scura chioma di capelli. Era stato un impulso stupido e irriguardoso da parte sua. Lei si era ritratta ed era scoppiata a piangere. Lui aveva provato una sensazione spiacevole, ma non così tanto da impedirgli di ricorrere alle minacce per farle tenere la bocca chiusa, intimandole di non dire niente a nessuno, soprattutto alla signora Barwood.

Ora si chiedeva se effettivamente avesse taciuto. Forse aveva detto qualcosa a Kris, ecco perché la moglie sospettava che avesse una tresca.

Courtney chiuse la porta. «Com'è andato il suo giro?» gli domandò.

«Spettacolare. Sono andato fino a Santa Barbara. Quella macchina è fantastica.»

Cercò di mostrare entusiasmo, ma Courtney si limitò a mormorare in tono spento: «Che bello».

Non gli credeva. Sapeva benissimo che non era andato a fare un giro in macchina. Si immaginava dove fosse stato, e anche Kris. Ora era talmente ovvio. Forse un uomo più perspicace se ne sarebbe accorto molto prima.

«Mi sa che andrò in terrazza» disse Howard. «È una bellissima serata.»

«Ha proprio ragione.» All'idea di disfarsi di lui Courtney sembrò sollevata.

S'incamminò verso il retro della casa, giungendo alla conclusione che era stato stupido da parte sua pensare di poter ingannare sia sua moglie sia la domestica. Le donne avevano un sesto senso per quelle cose. Capivano quando un uomo le tradiva con un'altra nello stesso modo in cui un cane avvertiva un terremoto in arrivo. Era inspiegabile il modo in cui funzionava la mente delle donne. Avrebbero dovuto essere tutte detective, chiromanti o strizzacervelli.

Eppure Kris non aveva ancora scoperto tutti i suoi segreti, o no?

* * *

Hickle sfrecciava sulle superstrada di LA. Prima aveva preso la 101, poi la 110 e infine la 10, guidando come un folle verso la strada costiera. Ora era a West LA sulla Santa Monica Freeway, il pedale dell'acceleratore schiacciato a tavoletta, la lancetta del contachilometri fissa sui 140.

In quel momento il tempo era il suo nemico numero uno. Doveva essere in posizione, fuori dalla villa sulla spiaggia, entro le 23.50 al massimo.

Controllò l'orario sul cruscotto. Le 23.21. Mancavano ancora circa sei chilometri alla Pacific Coast Highway. Il tempo stringeva.

Affiancò un veicolo più lento, superandolo sulla corsia di destra, fregandosene altamente del codice della strada. Ma poi, dallo specchietto retrovisore, vide il lampeggiare di luci blu e rosse.

Una volante della polizia. Dietro di lui.

Disastro.

Non poteva permettersi una multa per eccesso di velocità. Solo per accostare avrebbe perso cinque o dieci minuti e non sarebbe riuscito ad arrivare a Malibu in tempo. Ma c'era di peggio. I poliziotti avrebbero potuto chiedergli che cosa ci fosse dentro il borsone. Il possesso di armi era legalizzato, ma era sicuro che lo avrebbero trattenuto per interrogarlo, nel mentre sarebbe arrivata la segnalazione di un'esplosione al suo indirizzo.

No.

Aveva sempre fallito, ma quella notte non avrebbe accettato la sconfitta. Quella notte niente lo avrebbe fermato. Quella notte, per una volta in vita sua, avrebbe vinto.

Hickle accelerò, sfrecciando di corsia in corsia e saettando nel traffico lento. La macchina della polizia si lanciò all'inseguimento mentre dall'altoparlante una voce gli impartiva degli ordini, ma lui non ascoltava.

«Vaffanculo» disse ansimando. Era tutta la vita che prendeva ordini. Aveva umilmente eseguito tutte le richieste dei proprietari dei lavaggi auto, dei direttori di supermarket e anche quelle del signor Zachareas, il proprietario del negozio di ciambelle. Era sempre stato tranquillo, puntuale e affidabile; non aveva mai ribattuto, mai una parola scortese. Ora si sarebbe fatto sentire da tutto il mondo.

I poliziotti cercavano di stargli alle costole mentre lui zigzagava tra le macchine ma, a differenza sua, loro dovevano fare attenzione agli altri veicoli. Il fascio di luce alle sue spalle si fece più lontano. Davanti a lui vide una rampa di uscita.

Accompagnato da un'esplosione di clacson, si spostò nella corsia di destra, tagliando la strada alle macchine dietro di lui.

La volante voleva seguirlo ma si trovava nella corsia di sorpasso, e Hickle dubitò che i poliziotti potessero fare la sua stessa manovra, mettendo a repentaglio la sicurezza dei guidatori.

E anche se lo avessero fatto, non l'avrebbero mai trovato. Non sarebbe di certo stato così stupido da rimanere sulla stessa strada. Imboccò vie secondarie, passando per quartieri residenziali, per poi immettersi nuovamente sui viali principali finché non fu certo che la volante avesse perso le sue tracce.

31

La prima cosa di cui si rese conto fu il dolore.

Abby batté le palpebre e alzò la testa. Poi, di fronte alla nuova sofferenza, richiuse gli occhi. Qualcosa la schiacciava dal retro del cranio fino al ponte del naso. Le pulsava dietro gli occhi.

«Cavolo» mormorò, «gran brutta sbronza.» Le parole le uscirono di bocca roche e confuse. La lingua era un gigantesco rotolo di ovatta che le bloccava la gola.

Era sdraiata sul pavimento di camera sua e nell'aria c'era una puzza terribile. Un odore simile a quello di dozzine di sacchi della spazzatura mischiati insieme in un giorno di caldo torrido, un tanfo di acquitrino.

Aveva perso i sensi, non riusciva a ricordarsi come. L'ultimo ricordo era la faccia di Hickle.

Si era sporto minaccioso sopra di lei, il fucile in mano.

Le aveva sparato? Le sembrava di no. Non le parve di avere buchi nel corpo, ma in qualche modo le aveva fatto perdere conoscenza e l'aveva lasciata lì. E quell'odore acido, salmastro...

Gas. L'appartamento si stava riempiendo di gas.

Il gas naturale era inodore, ma le compagnie aggiungevano un additivo in caso di perdite. Le perdite di gas potevano essere pericolose, fatali. Una scintilla avrebbe potuto innescare un'esplosione.

Una fiamma libera, la fiamma pilota della caldaia.

In quell'istante capì con precisione quale fosse il piano di Hickle.

Quello che doveva fare era chiaro: aprire le finestre e chiudere il gas. Facile, peccato che non riuscisse a muoversi. Ogni muscolo del suo corpo era privo di energia. Il polso era rapido e debole. Avvertì un'ondata di vertigini in testa.

Cercò di alzarsi ma le braccia non riuscivano a sostenerla. Collassò ansimando. Non c'era aria per respirare. Sentiva solo il tanfo di acquitrino. Il gas naturale era nemico della respirazione. Inibiva la capacità del sangue di trasportare l'ossigeno. Più gas avesse inalato, più affannato e irregolare sarebbe diventato il suo respiro. I muscoli, affamati d'ossigeno, avrebbero perso tutta la forza rimanente. Sarebbe rimasta lucida per un momento, poi sarebbe svenuta. Be', no. Dubitava che avrebbe resistito così a lungo. L'esplosione l'avrebbe uccisa prima.

«Sei la solita Abby» gemette. «Guardi sempre il lato positivo.»

Più l'attesa si prolungava, più si indeboliva. Doveva fare qualcosa, adesso, doveva aprire la finestra della stanza e far entrare un po' di aria in quella trappola mortale. Ma non riusciva ad alzarsi. *Va bene, striscia.* La finestra era solo a due metri di distanza. Anche un bambino avrebbe potuto gattonare fin là.

Si girò sulla pancia. Qualcosa la frenava, percepì un ostacolo. La caviglia sinistra era legata a un piede del cassettone da una catena e dal lucchetto dell'armadio della camera di Hickle. Il cassettone, come tutti i mobili di quella topaia, era saldato al muro. Impossibile sollevarlo. L'aveva legata lì per impedirle di scappare nel caso avesse ripreso conoscenza.

Bella mossa, ma Hickle era stato uno sciocco. Abby conosceva la combinazione. Si piegò e afferrò il lucchetto, allineò i numeri e diede uno strattone alla catena.

Il lucchetto non si aprì.

Ma come, impossibile. A meno che...

Hickle aveva cambiato la combinazione.

Abby chiuse gli occhi. «Devo ricredermi, Raymond, a quanto pare la sciocca sono io.»

* * *

Hickle sapeva benissimo che il rischio maggiore che correva era che i poliziotti avessero rilevato la sua targa durante l'inseguimento. In quel caso, la targa e la descrizione della sua Volkswagen sarebbero state segnalate ad altre unità, alla polizia di Los Angeles e alle vetture di pattuglia di Santa Monica. Poteva seminare una macchina, non una dozzina.

Raggiunse Ocean Avenue e si diresse verso nord guidando nel traffico frenetico, tipico del venerdì sera. Motociclisti e tamarri con auto truccate lo circondavano. Un ammasso di gente rozza, quella che attirava l'attenzione di un sacco di pattuglie. Passò in rassegna il mare di tettucci in cerca di una barra luminosa. Non ne vide neanche una, ma ciò non significava che non ci fosse una pattuglia nelle vicinanze. Forse erano dietro di lui, forse si stavano avvicinando.

Il panico lo assalì. Stava per vomitare.

Il traffico diminuì un po' quando entrò in un quartiere più bello. A sinistra, il Palisades Park gremito di turisti e ragazzini. Alberghi, ristoranti e alti condomini riempivano il lato destro. Gli venne in mente che presto, anche se le cose non fossero andate esattamente come da programma, sarebbe morto o finito in prigione. Non avrebbe mai più camminato in un parco né mangiato in un ristorante. Non avrebbe mai più visto la luna che, in quel momento, si stagliava sull'oceano. Al massimo avrebbe potuto vederla attraverso le sbarre di una cella.

Ma se fosse rimasto in vita, Kris avrebbe tormentato i suoi pensieri per l'eternità, sarebbe stata con lui ogni giorno, il corpo insanguinato e dilaniato, la sua vittima sacrificale. Ogni volta che avrebbe chiuso gli occhi avrebbe visto solo lei. Avrebbe rinunciato alla luna per tutto quello. E se non fosse sopravvissuto…

Con la morte giungeva l'immortalità. Sarebbe stato ricordato. Il suo nome e la sua faccia sarebbero diventati famosi. Lui, non Kris, sarebbe stato su tutte le prime pagine dei giornali. Lui, non Kris, avrebbe guardato il mondo di spettatori dalla televisione. E chi poteva dirlo? Forse c'era una seconda vita dopo la morte, dove tutti i destini compivano il loro corso. Se così fosse stato, sarebbe rimasto con lei per sempre, come si meritava.

Ma solo se prima l'avesse uccisa. Per farlo doveva arrivare a Malibu e il tempo stringeva.

Davanti a lui c'era la deviazione per l'autostrada costiera. Si immise nella corsia di uscita, ma rimase imbottigliato in una fila di macchine a un semaforo rosso. Attese per un minuto. Era disperato. Se una pattuglia l'avesse avvistato in quel momento non ci sarebbe stato niente da fare a parte sparare. Finalmente il semaforo divenne verde. Seguì il traffico che si dirigeva a valle, respirando affannosamente, il petto che si gonfiava con uno sforzo indicibile. Aveva la faccia, le ascelle e l'inguine bagnati di sudore. Puzzava. Ma fino a lì era riuscito ad arrivare.

Si immise nella corsia di sorpasso sfrecciando tra le candide scogliere e il mare. La paura di attirare l'attenzione gareggiava con il bisogno di recuperare il tempo perduto. Vinse l'urgenza.

Hickle accelerò, 120 chilometri all'ora, 125, 130, superando i limiti di velocità mentre costeggiava la costa ondulata della Santa Monica Bay diretto a Malibu.

* * *

D'accordo, Abby, rifletti. Pensa.

Il piano A si era rivelato un fiasco. Era tempo di passare al piano B, sempre che ci fosse un piano B, diverso dal rimanersene sdraiata ad aspettare che tutto saltasse in aria.

Scosse la testa. Respinse quella visione pessimistica. C'era sempre un piano B, e se anche quello avesse fallito ci sarebbe stato un piano C e un piano D, e così via fino alla fine dell'alfabeto. Mai arrendersi, quello era lo spirito.

Il piano B era tentare diverse combinazioni basate sul compleanno di Kris, 18 agosto 1959.

Abby mosse le quattro camme su 0859, 1859, 5918, 5908. Niente da fare. Qual era il compleanno di Hickle? Travis glielo aveva detto. 27 ottobre 1965.

A un certo punto sembrò che le camme cominciassero a diventare scivolose. No, erano le sue dita a essere bagnate di sudore. Si asciugò le mani tremanti sulla camicia e girò i dischi. 1007, 1065, 0765 e tutte le combinazioni opposte di tutte quelle sequenze. Non successe nulla.

La puzza di gas continuava ad aumentare. Avvertì un conato di vomito e un forte senso di nausea. D'accordo. Piano C. Si sfilò le scarpe e cercò di far scivolare il piede attraverso la catena. Inutile. Il cerchio dei dentini di acciaio le perforava la pelle del tallone. O la catena era troppo stretta o il suo dannato piede era troppo grosso.

Qualcosa di simile al panico divampò dentro di lei. Lo respinse. Non doveva perdere il controllo. Farsi prendere dal panico non era una buona tattica di sopravvivenza.

Era ora di tentare il piano D. Ma qual era? Avrebbe potuto dare dei calci al pavimento e gridare aiuto. Il guaio era che non credeva di poter inspirare aria sufficiente a emettere un urlo decente, e se avesse solo calciato il pavimento, i vicini al piano di sotto l'avrebbero ignorata oppure avrebbero chiamato la polizia. E i poliziotti avrebbero impiegato ore a rispondere a una chiamata di bassa priorità in quel distretto, posto che avessero risposto.

Lei non aveva tutto quel tempo. Il gas era sempre più denso. Tra non molto avrebbe raggiunto la massa critica necessaria a innescare l'esplosione e a far scoppiare l'incendio. La temperatura avrebbe raggiunto i settecento gradi. Sarebbe stato talmente caldo da friggerla.

«Dannazione Abby.» Batté le palpebre per togliersi il sudore dagli occhi. «Dovresti essere in gamba, giusto? E altamente addestrata e in grado di padroneggiare un certo tipo di abilità…»

Lei possedeva delle abilità. Tra quelle c'era l'abilità a forzare i lucchetti. Non aveva strumenti ma forse non le servivano. Tese la catena e iniziò a lavorare sulle camme. La seconda si era indurita, girava con difficoltà. Era la prima su cui lavorare. Con molta cura fece girare la camma facendo scorrere tutte e dieci le cifre. Al numero sei si allentò, il secondo numero della combinazione era il sei. Il suo cuore cominciò a battere all'impazzata. La vista iniziò ad annebbiarsi. Le sue condizioni generali non erano buone e la prognosi era delicata. *Nel menu questa sera abbiamo tagliata di Abby servita ben cotta.*

Piantala. Doveva concentrarsi.

Più facile a dirsi che a farsi. La sua testa era schiacciata in una morsa di dolore e la camera da letto aveva iniziato a girare come se lei fosse su una giostra; e poi quell'aria satura di pannolini sporchi le riempiva il naso e la bocca.

Continuando a fare pressione sulla catena, iniziò ad armeggiare con le altre tre camme. Ora era la prima a ruotare con difficoltà. Lentamente iniziò a muovere il disco cercando di non pensare al gas e alla fiamma pilota e ai settecento gradi. Sarebbe stato più caldo che a Phoenix nel mese di luglio, sempre che potesse esistere un posto più caldo di Phoenix.

La camma si allentò quando Abby impostò il disco sul numero otto. Quello era il primo numero della combinazione. Il sei era il secondo. Otto e sei. *Fa' uno sforzo, Abby. Otto e sei.*

Channel Eight. Il notiziario delle 18… e delle 22.

Le ultime due cifre erano uno e zero. 8610 era la combinazione. Doveva esserlo per forza. Impostò le camme in quella sequenza, il lucchetto si aprì. Era libera.

Ora apri la finestra. Fa' in fretta.

Prona, iniziò a strisciare sul pavimento. Il suono del suo respiro era orrendo.

Il petto si abbassava e non riusciva a far entrare ossigeno nei polmoni, la sua testa stava letteralmente sfrigolando e percepì un forte dolore dietro agli occhi, come se qualcuno li stesse schiacciando. A volte, pensò, odio davvero il mio lavoro.

Si appoggiò alla parete della camera da letto. La finestra era sopra di lei, vicina, ma non riusciva a raggiungerla, non riusciva ad alzarsi dal pavimento. Era troppo debole. Andiamo, si rimproverò, davvero non sei in grado di metterti in piedi?

Allungò un braccio e riuscì ad afferrare il davanzale. Usandolo come punto d'appoggio si mise in ginocchio.

La finestra era serrata. Hickle, quel bastardo, si era anche preso la briga di tirare il chiavistello. Cercò di aprirlo ma le dita madide di sudore non riuscivano a trovare una presa. L'intera situazione stava iniziando a darle sui nervi. Non ne andava bene una e il tempo stava per scadere.

Alla fine riuscì ad aprire il chiavistello. *Ok, apri la finestra.* Mise entrambi le mani sulla barra e fece un enorme sforzo per sollevarla. Non accadde nulla, non aveva forze. Diede un pugno al vetro. Ma i suoi colpi erano deboli come delle piume. Un gattino avrebbe colpito con più forza.

Tentò nuovamente di alzare la finestra ma senza fortuna. La debolezza prese il sopravvento, Abby abbassò la testa e iniziò a tossire. Dio, com'era stanca. Voleva dormire…

Più tardi avrebbe avuto tutto il tempo del mondo per riposare. Il riposo eterno, se non si fosse inventata qualcosa. Era ancora viva. Non avrebbe sprecato il tempo concessole. L'appartamento avrebbe potuto esplodere in qualsiasi momento. Doveva diluire i fumi del gas con aria pulita oppure sarebbe morta. *Apri quella maledetta finestra. Fallo.*

Raccolse tutte le forze che le erano rimaste e con uno sforzo finale spinse la finestra verso l'alto. Si aprì di pochi centimetri.

Fatto!

Posò la mano destra sul davanzale e cercò di prendere aria, ma la gola le si era chiusa. L'aria pura stava entrando nella camera, ma lei non riusciva a respirarla. Che cavolo era successo ai suoi polmoni?

La risposta era semplice. La vista le si stava annebbiando e iniziò a sentire un ronzio nelle orecchie, stava per perdere conoscenza. Stava per collassare e anche se aveva aperto la finestra non sarebbe riuscita a salvarsi.

«Ci hai provato, ragazza» mormorò, «ma il primo premio non è per te.»

Finì con la faccia sul pavimento e piombò nell'oscurità.

32

«... il veicolo è una Golf Rabbit ricercata per mancata sosta a un'ingiunzione di blocco, numero di targa...»

Wyatt ascoltò la chiamata sulla radio mentre ritornava alla stazione di Hollywood dopo aver supervisionato una scena del crimine a Highland: rapina a mano armata in un negozio, nessun ferito. Il sospettato aveva rubato un centinaio di dollari dalla cassa e tre confezioni di preservativi. Apparentemente aveva in programma una serata col botto.

Non essendo niente di che, Wyatt aveva passato il tempo a riflettere su cosa fare con Abby. Aveva deciso di vederla di persona il giorno seguente. L'avrebbe chiamata e sarebbero andati a pranzo insieme, poi le avrebbe chiesto in quale situazione si fosse cacciata. E una volta che glielo avesse detto? Non lo sapeva. Il suo piano arrivava solo al pranzo.

Alle 23.40 era stato sollevato dalla responsabilità sulla scena del crimine grazie all'arrivo di un annoiato detective accompagnato dal fotografo, altrettanto annoiato. Ora stava guidando sulla Melrose e ascoltava l'avviso di un blocco della polizia non rispettato sulla Santa Monica Freeway, a molti chilometri da lì, risalente a circa venti minuti prima. Si chiese perché la comunicazione di allerta fosse trasmessa sulla frequenza di una divisione di Hollywood. Quando girò sulla Wilcox, ebbe la sua risposta.

«... intestata a un residente di Hollywood...»

Ecco perché. C'erano buone possibilità che il sospettato fosse così stupido da tornare a casa. Le unità di pattuglia a Hollywood erano state avvisate di stare attenti a una Golf con il numero di targa indicato e di tenere d'occhio l'indirizzo di residenza del sospettato.

«... 1554 Gainford...»

Wyatt si irrigidì. Il Gainford Arms.

«... nome, Hickle, Raymond, qui Henry Ida Charles...»

Era Hickle quello che aveva tirato dritto sull'autostrada, era lui che non si era fermato al controllo stradale. Wyatt non aveva idea di cosa significasse, a parte il fatto che quell'uomo era fuori controllo, un pazzo furioso.

«Abby» sussurrò, avvertendo una morsa allo stomaco.

* * *

Alle 23.48 Hickle lasciò la macchina nel parcheggio di una piccola spiaggia lontano dalla Pacific Coast Highway.

Ce l'aveva fatta. Era a Malibu. Il territorio di Kris. La polizia non lo aveva intercettato.

Il sentiero di ingresso alla spiaggia pubblica non era mai chiuso. Trascinò il suo borsone lungo il sentiero, poi si diresse nel bosco che circondava la Malibu Reserve, con la torcia in mano a setacciare il fogliame.

La mezzanotte era vicina, il tempo stringeva ma non aveva più paura di fallire. Era destinato ad avere successo. Se lo sentiva. Kris si era presa gioco di lui e per questo avrebbe pagato, come aveva pagato Abby.

Si chiese se la ragazza fosse già morta. Erano passati cinquanta minuti da quando aveva aperto il gas. A quell'ora doveva essere già asfissiata o saltata per aria.

Adesso era Kris che doveva morire.

Non lontano dalla recinzione perimetrale dell'area individuò l'ingresso del canale di drenaggio. Era largo poco meno di un metro e spuntava da un monticello di terra sotto un albero di eucalipto. Lì vicino c'era un piccolo stagno salmastro e, evidentemente, il canale era stato posizionato in quel luogo per evitare le inondazioni. Il suo scopo era indirizzare le piene dello stagno lontano dal sentiero e farle defluire nella gola lungo la zona recintata.

Hickle strisciò carponi dentro il canale tirandosi dietro il borsone. All'apertura la borsa rimase incastrata e per un momento temette che non sarebbe passata (non aveva mai portato delle armi nelle visite precedenti, era andato lì solo con la macchina polaroid), ma poi girò il borsone e riuscì a farlo passare. Strisciò sopra foglie, ramoscelli, carte di caramelle e altri detriti portati dalle tempeste. Gli scarafaggi guizzavano via dal percorso, alcuni tornavano indietro e gli camminavano sopra facendogli il solletico. Non ci fece caso, doveva per forza fare quella strada e gli insetti c'erano ogni volta.

Però non c'era mai andato di notte. La torcia proiettava pallidi anelli e spirali sulla parete interna del canale interrato. Oltre quel cono di luce c'era solo oscurità, non i rassicuranti raggi del sole che lo avevano accompagnato nelle occasioni precedenti. Ipotizzò di essere arrivato a metà strada, il che significava che si trovava sotto la recinzione. Dentro la Reserve.

Kris si era protetta da lui grazie alla recinzione e a una guardiola, una guardia del corpo al volante della sua macchina e altre posizionate nella dépendance per gli ospiti; eppure tutte quelle precauzioni si erano dimostrate inutili contro di lui. Niente l'avrebbe fermato. Era una forza della natura, l'uomo del destino.

Accelerò.

* * *

Wyatt parcheggiò vicino a un estintore fuori dal Gainford Arms e salì gli scalini d'ingresso due alla volta. La porta dell'atrio era chiusa e non aveva un passe-partout con sé. Citofonò all'appartamento di Abby ma nessuno rispose. Fece il giro per controllare la porta posteriore, chiusa anche quella. Si mise a scrutare il parcheggio e vide la Dodge di Abby al suo posto.

Era a casa. Non rispondeva al citofono. E Hickle, l'uomo che lei stava spiando, era in fuga dalla polizia.

Con il manganello ruppe il pannello di vetro vicino alla porta posteriore, infilò una mano e aprì il chiavistello. Una volta dentro, premette con forza il tasto dell'ascensore ma dato che non arrivò immediatamente decise di correre su per le scale. Uscì al quarto piano. C'era la possibilità remota che Hickle fosse già ritornato e potesse fare un'imboscata al primo poliziotto che fosse intervenuto. Sarebbe stato corretto chiamare rinforzi e almeno controllare se la macchina di Hickle era nel parcheggio. Sarebbe stata una buona idea. Ma era troppo tardi per entrambe le cose.

Impugnò la pistola di servizio e si avvicinò all'appartamento di Hickle. Provò ad aprire la porta, ma era chiusa a chiave. Non sentì rumori dall'interno. Decise comunque di abbassarsi, passando al di sotto dello spioncino. L'appartamento di Abby era quello dopo. Il numero 418. Diede un pugno alla porta, poi aggrottò la fronte. «Oh, cazzo» bisbigliò.

Provò a girare la maniglia e la porta si aprì. Entrò in una densa nuvola di fumo, muovendosi velocemente, ormai sicuro che Hickle non gli avesse teso una trappola. L'uomo non era lì, non sarebbe tornato. Aveva trasformato l'appartamento di Abby in una bomba gigante ed era scappato prima che esplodesse.

Il tanfo era quasi insopportabile. Ormai il gas doveva aver raggiunto la concentrazione critica. Qualsiasi scintilla avrebbe potuto innescare la detonazione. Wyatt avanzò nella stanza, grato che le luci fossero accese. Non avrebbe mai osato far scattare l'interruttore, per nessun motivo.

Vide il forno smontato e la tubatura del gas rotta. Per prima cosa chiuse la valvola di emergenza, sigillando il condotto, poi aprì la finestra del salotto. Appoggiandosi al davanzale inalò l'aria fresca per eliminare quel senso di stordimento. Stava tremando. Tremare gli sembrava normale. Si trovava in un appartamento che era stato trasformato in un micidiale esplosivo. Sarebbe potuto esplodere in ogni momento.

Trovò Abby in camera da letto. Giaceva immobile in una strana posizione, davanti alla finestra aperta di qualche centimetro.

Di certo non era stato Hickle a lasciarla aperta. Doveva essere stata lei a sollevarla. Lo sforzo le aveva prosciugato tutte le energie, ma consentendole di inalare una piccola quantità di aria pulita e di diluire la concentrazione letale dei vapori, le aveva anche salvato la vita.

Sempre che fosse ancora viva. Wyatt controllò solo dopo aver alzato completamente la finestra. Si inginocchiò e le sentì il battito carotideo. Con la punta delle dita percepì una debole pulsazione.

Trascinò Abby attraverso la finestra e la fece sedere sulle scale antincendio. Respirava a malapena. Le piegò la testa all'indietro per aprire le vie aeree, con due dita le chiuse le narici, le sigillò la bocca con la sua e le soffiò aria nei polmoni. Lo fece una seconda volta, poi si fermò osservando il suo petto e attese un respiro. Non accadde nulla. Ripeté la procedura, soffiandole aria in gola, costringendo il suo petto a gonfiarsi. Ancora non respirava. Continuò a farlo, non si sarebbe arreso. Non l'avrebbe fatta morire.

33

Hickle uscì a fatica dal canale di drenaggio portandosi il borsone a tracolla e divincolandosi attraverso lo stretto passaggio, prima di emergere vicino a Gateway Road. La Gateway era una strada a due corsie di macadam bucherellato, ai cui lati crescevano alberi di eucalipto. Era l'unico modo in cui le macchine potessero entrare o uscire dalla Malibu Reserve. La guardiola con il cancello era alla fine della strada, l'autostrada costiera alle sue spalle.

Doveva attraversare la Gateway, un'impresa rischiosa nel caso in cui la guardia stesse guardando in quella direzione. Trasse un profondo respiro e si buttò, il pesante borsone che sbatteva contro l'anca a ogni passo. Sparì nel bosco alla fine della strada, sicuro di non essere stato visto.

Veloce, si diresse verso l'odore del mare. Riusciva a sentire il frangersi delle onde. Il nome di Malibu veniva proprio da quel rumore: gli indiani Chumash l'avevano soprannominata il *luogo dalle forti onde*, ma quella notte ci sarebbe stato qualcosa di più rumoroso del mare. Ci sarebbero stati colpi di fucile. E urla.

Hickle raggiunse Malibu Reserve Drive che incrociava la Gateway e correva parallela alla spiaggia. La casa dei Barwood si trovava nel punto più lontano della strada, una delle tante ville sulla spiaggia, costruite una vicina all'altra, la maggior parte delle quali disponeva di un cottage per gli ospiti e ingressi raffinati.

Si abbassò dietro un cespuglio e osservò la casa. Le luci nella dépendance erano accese e attraverso le finestre si percepivano movimenti frenetici. Mentre studiava la casa, un uomo con la giacca scura e un dolcevita uscì dal cottage, guardandosi intorno; un minuto dopo tornò dentro ma lasciò la porta aperta.

Brutte notizie. I due agenti a protezione della casa sembravano in stato d'allerta. Possibile che la TPS fosse già stata informata dell'esplosione a Hollywood? Dubitava che la notizia potesse viaggiare così rapidamente. Era più probabile che i rapporti precedenti di Abby avessero fatto scattare uno stato di allarme più alto.

L'idea era attraversare la strada e nascondersi nei cespugli lungo il viale dei Barwood, poi fare fuoco contro la Town Car quando avesse accostato. Ora non era più sicuro che il piano avrebbe funzionato. Qualcuno l'avrebbe potuto avvistare mentre si avvicinava alla casa o mentre si nascondeva vicino alla dépendance.

Controllò l'orologio. Mezzanotte. Kris sarebbe arrivata da un momento all'altro. Se doveva rivedere le modalità dell'imboscata, avrebbe dovuto farlo in fretta.

L'uomo della TPS scivolò verso la porta lanciando un altro sguardo circospetto alla strada. Quello sguardo decise tutto. Non c'era possibilità di successo se si fosse attenuto al suo piano originale. Doveva improvvisare.

Hickle scivolò tra gli alberi muovendosi in parallelo a Malibu Reserve Drive, finché non giunse all'incrocio con Gateway Road. Dopo essere entrato nella Reserve, la Town Car di Kris avrebbe proceduto lungo la Gateway, poi avrebbe girato su Malibu Reserve Drive, dirigendosi verso la villa. Era una curva stretta che avrebbe costretto l'autista a rallentare. Una volta che la macchina avesse rallentato e il guidatore avesse girato il volante, Hickle avrebbe agito.

Si accovacciò nell'erba alta. Alla sua destra vide le tenui luci della guardiola a novanta metri di distanza. La guardia sarebbe arrivata correndo non appena avesse sentito il rumore degli spari, e lo stesso avrebbero fatto gli agenti di sicurezza nel cottage, ma nessuno avrebbe raggiunto il luogo in tempo per salvare Kris.

Hickle posò a terra il borsone ed estrasse il fucile mettendosi delle altre munizioni nelle tasche dell'impermeabile. Si chiese per quanto avrebbe dovuto aspettare, quanto tempo da vivere rimaneva a Kris. Ora non la odiava. Era oltre l'odio. Voleva solamente sistemare la situazione, animato da un senso di giustizia.

Alla fine di Gateway Road vide dei fari. Una macchina aveva appena accostato di fianco al gabbiotto. Non riusciva a capire se fosse una Lincoln.

Hickle si accovacciò, il fucile stretto nelle mani fredde e sicure.

* * *

Nei polmoni di Abby c'era aria, respirava. La puzza di uova marce stava abbandonando le sue narici. Sentiva la forza tornare nelle braccia e nelle gambe.

Quelle furono le prime sensazioni che avvertì quando emerse da un tunnel di luce brillante, ritrovandosi sdraiata sulle scale antincendio con Vic Wyatt chino su di lei.

«Andrà tutto bene, Abby» disse lui. «Ti rimetterai.»

Non aveva idea di come fosse arrivata lì, forse stava sognando. Ma le fredde decorazioni di ferro della grata sotto di lei erano reali, così come lo era il dolore pulsante alla testa.

Più tardi avrebbe scoperto come avesse fatto a salvarla. Ora doveva pensare a qualcos'altro. Qualcosa di urgente, se solo fosse riuscita a ricordare cosa.

Un'immagine le esplose davanti agli occhi: Devin Corbal immobile sull'asfalto fuori dal locale. Era Corbal a essere in pericolo? No, per lui era troppo tardi. Vide la macchia di sangue allargarsi sotto il suo corpo. Era morto, ed era stata colpa sua. Non importava quello che dicevano tutti. Doveva riparare a quel fallimento. Non poteva perdere un altro cliente. Non poteva perdere Kris…

Kris.

Hickle. Imboscata a Malibu. Quella sera.

Presa dal panico cercò di mettersi a sedere.

«Riprenditi, Abby» disse Wyatt.

Non c'era tempo per riprendersi. Doveva dirglielo. Si sforzò di parlare ma dalla gola le uscì solamente un colpo di tosse, l'addome scosso dagli spasmi.

«Abby, sta' giù, ok? C'è mancato poco.»

Ma lei non lo ascoltava. Inspirò e trovò un modo per formare delle parole.

«Telefono» ansimò. «Portami il telefono...»

* * *

Era la Lincoln. Ora Hickle riusciva a vederla perfettamente mentre il cancello si apriva e la guardia faceva un cenno all'autista.

La macchina di Kris. Ne era sicuro.

La Lincoln avanzò muovendosi lentamente. I fari puntati sull'asfalto dissestato. Hickle si piegò ancora di più, preparandosi al momento in cui sarebbe balzato in piedi e avrebbe fatto fuoco.

Prima i finestrini. Kris era seduta sul sedile posteriore. *Uccidila con colpi multipli alla testa e alla parte superiore del corpo.* Non c'era bisogno di mirare, bastava solo puntare e sparare. Sapeva come quelle cartucce potevano ridurre un essere umano da una distanza così ravvicinata. Ogni bossolo era come una piccola bomba di proiettile che avrebbe scagliato una nuvola di detriti letali. Il corpo di Kris sarebbe stato lacerato. Non avrebbe avuto tempo di reagire. Nessuna possibilità di abbassarsi o nascondersi. E anche se ci avesse provato, nella parte posteriore della macchina non c'erano nascondigli.

Era in trappola. Chiusa in una scatola. E ucciderla sarebbe stato letteralmente come sparare a un pesce in un barile.

«Avresti dovuto rispondere alle mie lettere, Kris» disse Hickle.

34

Appena la Town Car si fermò all'ingresso della Malibu Reserve, Travis aumentò il livello di attenzione.

Era seduto accanto a Kris sul sedile posteriore. Dentro alla giacca, nella fondina appesa alla spalla sinistra, c'era la Walther da 9 mm. Sbottonò la giacca e posò la mano destra sul bavero, pronto a estrarre la pistola in caso di necessità.

Quando il cancello si aprì, Kris sembrò rilassarsi un po', senza dubbio si sentiva più sicura dentro la Reserve. Non era a conoscenza delle foto trovate nell'appartamento di Hickle, quelle che la ritraevano mentre correva sulla spiaggia. Non sapeva che lì non era affatto al sicuro. Anzi, il contrario. Quello era il luogo e il momento di massimo pericolo. Se Hickle aveva pianificato un'aggressione, quello era il luogo in cui l'avrebbe messa in atto.

La Lincoln avanzò lungo Gateway Road. Al volante Steve Drury guidava a una velocità moderata. Nello specchietto retrovisore si intravedevano i suoi occhi, che saettavano avanti e indietro.

La macchina ora era a metà strada lungo la Gateway. Mancavano solo 180 metri all'incrocio con Malibu Reserve Drive.

«Quasi a casa» disse Kris traendo un profondo respiro.

Travis le lanciò un'occhiata, osservando il profilo longilineo che si stagliava contro il fogliame sul lato sinistro della strada. Si accorse, e non per la prima volta, che il suo viso aveva una struttura ossea perfetta. Probabilmente Kris era preoccupata dall'avanzare dell'età, di perdere la sua bellezza, ma quello che non capiva era che una bellezza come la sua non dipendeva dalla pelle delicata o dalla carnagione olivastra, ma dalla robustezza del suo osso frontale e dagli zigomi ben definiti. Sarebbe stata bella anche a ottant'anni, se avesse vissuto fino a quell'età.

Ancora 130 metri all'incrocio. Nessun problema. Kris sospirò, rilassandosi un po' di più: l'errore del dilettante. La vicinanza a casa aumentava il pericolo. Hickle avrebbe semplicemente aspettato che la macchina avesse limitato la velocità una volta entrata nel viale.

Travis notò che Drury era ancora in stato d'allerta. Era un vero professionista. Sotto la giacca indossava un giubbotto antiproiettile in kevlar; era stato Travis a darglielo. Lui invece non l'aveva. Aveva temuto che Kris, vedendolo, si sarebbe fatta prendere dal panico. E comunque lui era una persona fatalista. Valutava sempre i rischi che avrebbe corso prima di entrare in azione. Una volta che li aveva individuati liberava la mente, eliminando tutti i fattori di pericolo. O almeno tutto il pericolo per se stesso. La minaccia a Kris era tutta un'altra storia. A lei non doveva succedere nulla.

Ancora ottanta metri a Malibu Reserve Drive. Dentro la macchina regnava il silenzio, interrotto solamente dallo sfregare degli pneumatici, dal ronzio ovattato del motore e dal respiro di Kris, lento e costante.

Poi un rumore improvviso, una vibrazione forte e insistente. Il suo cellulare. Ma chi lo chiamava a mezzanotte?

Rapido, estrasse il telefono e lo portò all'orecchio, lo sguardo fisso sul ciglio della strada immerso nell'oscurità. «Travis» abbaiò irritato.

«Signore, qui parla Hastings.» Uno degli esperti informatici della TPS incaricato di fare indagini sulla Trendline Investments e i possibili legami con la Western Regional Resources. «Ci aveva detto di farle sapere se avessimo trovato qualcosa.»

«L'avete trovato?»

«Sì, signore. Direi proprio di sì.»

«Fa' veloce» ordinò Travis con lo sguardo fisso nell'oscurità. «Non ho molto tempo.»

* * *

Abby si era messa a sedere sulle scale antincendio quando Wyatt scavalcò la finestra della camera da letto con la sua borsa in mano.

Abby prese il telefono e lo accese. Lo schermo a cristalli liquidi si illuminò, cliccò il tasto MENU e selezionò la rubrica. Alla velocità della luce digitò il numero di cellulare di Travis.

Wyatt si accovacciò al suo fianco, senza dire una parola. Lei sapeva benissimo che aveva molte domande da porle, ma in quel momento gli fu grata del suo silenzio.

La sua chiamata fu rinviata alla segreteria telefonica.

Imprecò con un filo di voce e ricompose il numero.

Ancora una volta scattò la segreteria telefonica. *Dannazione.*

«Qual è il problema?» bisbigliò Wyatt.

«È occupato» disse a denti stretti.

«Puoi chiamare l'operatore e chiedere alla compagnia telefonica di interrompere l'altra chiamata.»

«No, ci vorrebbe troppo tempo.» Chiamò una terza volta. Segreteria telefonica. «Dai, Paul, riaggancia.»

* * *

«Andrò dritto al punto.» La voce di Hastings gracchiò nell'orecchio di Travis. «Abbiamo iniziato dalla Trendline Investments. La Trendline, come ente aziendale, è nel consiglio di amministrazione di una compagnia chiamata ProFuture Opportunities, anch'essa registrata nelle Antille Olandesi. Ci sono altre tre società nel consiglio della ProFuture, tutte imprese fittizie, da quello che siamo riusciti a scoprire. Una di queste si chiama GrayFoxx Financial. Mi segue fin qui?»

Travis annuì, senza smettere di fissare le ombre al limitare della strada. «Prosegui.»

«Ecco la chiave. La GrayFoxx è la maggiore azionista della Western Regional Resources.»

«Scacco matto» disse Travis a bassa voce.

«Esatto. In sostanza, la GrayFoxx possiede la Western Regional e la GrayFoxx e la Trendline sono le co-proprietarie della ProFuture. La nostra ipotesi è che il signor Barwood...»

«... sia il proprietario di tutte quante» concluse Travis.

«Proprio così. È una struttura a scatole cinesi, una dentro l'altra, molto complicata, difficile da smascherare. Ma noi l'abbiamo messo spalle al muro.» C'era una nota di orgoglio nella voce di Hastings. Ne aveva ben donde, pensò Travis.

«Ben fatto. Ora va' a riposarti.» Terminò la chiamata.

Diciotto metri all'incrocio. La Town Car rallentò per prepararsi alla curva a gomito.

«Chi era?» gli domandò Kris.

In quel momento Travis non poteva dirglielo. L'avrebbe fatto più tardi, quando fossero stati al sicuro.

«Ah, era solo un altro caso» disse. «Non preoccuparti.»

Kris gli lanciò uno sguardo contrariato, il suo istinto da giornalista le suggeriva che stava mentendo, ma prima che potesse porgli altre domande, il cellulare tornò a vibrare. Che Hastings avesse scoperto qualcos'altro? Per un momento Travis pensò di spegnere il telefono.

Otto metri.

E che cavolo. Rispose. «Travis» disse stizzito. «Spero proprio che sia...»

Non fece in tempo a finire la frase. All'altro capo del telefono sentì una voce rauca e angosciata, la voce di Abby. Stava urlando.

«Codice Rosso, Paul, mi senti? *Hickle è Codice Rosso!*»

35

La Town Car stava svoltando su Malibu Reserve Drive quando lo stridio dei freni squarciò la notte. All'improvviso sfrecciò in retromarcia e Hickle capì che lo avevano scoperto.

Balzò fuori dagli arbusti, imbracciando il fucile con entrambe le mani. Da quell'angolo non godeva di una buona visuale sui finestrini, così aprì il fuoco sul parabrezza nella speranza di colpire l'autista. Il vetro si incrinò ma non si ruppe. Dietro le crepe Hickle lo intravide ruotare il volante mentre indietreggiava su Gateway Road. Una volta raggiunta una posizione ottimale, la Lincoln avrebbe potuto dirigersi direttamente verso il cancello, dove la guardia stava già sicuramente chiamando il 911.

Hickle sparò altri due colpi al parabrezza, finendo la munizioni del Marlin, ma il vetro tremò e non andò in frantumi. Gli spari confusero l'autista, facendo finire la macchina parzialmente fuori strada. Per un attimo la Lincoln rimase impantanata, lo pneumatico destro che slittava sulla fanghiglia.

Lanciò il borsone per terra e corse verso l'auto, caricando il fucile mentre correva. Vide dei movimenti sul sedile posteriore. Due persone. Una di loro era Kris.

L'autista disinserì la retro e schiacciò l'acceleratore, ma quando tornò in strada, Hickle stava già correndo accanto alla macchina. Sparò tre colpi alla fiancata, sperando di farla saltare. Una speranza vana. Il pannello laterale assorbì il colpo riportando solo dei danni superficiali.

Carrozzeria blindata. Vetri antiproiettile. JackBNimble non aveva mai accennato a niente di simile. O non lo sapeva oppure Hickle era stato incastrato. Non c'era tempo per chiarire l'arcano. L'autista eseguì una manovra complicata cercando di orientare la Lincoln verso l'uscita. Hickle sparò un colpo a una delle gomme anteriori, che si forò ma rimase gonfia. Anche gli pneumatici erano a prova di proiettile.

Ficcò le mani nelle tasche dell'impermeabile e ricaricò. Mentre la Lincoln completava la manovra, Hickle saltò sul cofano, trovandosi faccia a faccia con l'autista. Al di sopra di tutto quel trambusto riuscì a sentire un uomo che gridava dal sedile posteriore: «*Stai giù!*».

Hickle azionò la pompa del Marlin e sparò a bruciapelo contro il parabrezza. L'ovatta carbonizzata del bossolo gli rimbalzò in faccia e lui chiuse gli occhi per proteggersi dai detriti. Quando li riaprì, vide un buco nel vetro, dal quale si vedeva l'interno dell'auto. Infilò il fucile nel buco e sparò due colpi, senza prendere la mira, sperando in un colpo fortunato o in un rimbalzo.

La Lincoln inchiodò. Hickle pensò per un attimo di aver colpito l'autista ma, all'improvviso, sentì stridore di pneumatici e la Town Car ingranò la retro. Il rinculo lo scaraventò giù dal cofano. Hickle si schiantò sull'asfalto e l'auto si fermò. Un faro era rotto, mentre l'altro lo illuminava con il suo fascio di luce.

Capì cosa sarebbe successo ancora prima di vedere la macchina scagliarsi contro di lui, nel tentativo di investirlo.

Fu salvato dai suoi riflessi. Si lanciò da una parte, riparandosi tra gli alberi. Dietro di lui l'auto lo stava inseguendo, ma si arrestò al limitare del bosco. Hickle si gettò prono per terra, al di sotto del cono di luce proiettato dal fanale ancora intatto. Per miracolo aveva ancora il fucile in mano e ora aveva una chiara visuale della pancia dell'auto.

Sparò un solo colpo, mirando alla scocca.

Scintille e pezzi di metallo piovvero sulla terra e Hickle capì che quella parte del veicolo non era blindata.

La Town Car ritornò in strada e lui balzò in piedi per inseguirla, inserendo altre munizioni nel fucile. Sparò quattro colpi, mirando alla parte bassa della macchina. La Lincoln schizzò di lato, slittando su qualcosa di lucente e bagnato. Benzina. Aveva rotto il serbatoio.

«Fanculo» ansimò. «Ora sei mia!»

Ricaricò il fucile, mentre saltava tra le pozzanghere di carburante, e sparò ancora e ancora, alla rincorsa dell'auto danneggiata che sfrecciava in retromarcia lungo la Gateway. La berlina arrancava su pneumatici danneggiati e cerchioni storti. A un certo punto accelerò, sempre in retromarcia, e per un attimo lui pensò che sarebbero riusciti a fuggire.

Poi la benzina prese fuoco.

D'improvviso tutta la parte frontale della Lincoln era in fiamme, pneumatici, scocca, la cromatura bagnata dal carburante. La Town Car si arrestò sbandando, e Hickle prese le ultime munizioni dalla tasca e caricò il fucile mentre procedeva a grandi passi verso la sua preda con in mente istinti omicidi.

* * *

Dentro la Lincoln regnavano il caos e il terrore da quando Travis aveva udito le parole di Abby. Aveva urlato a Drury di tornare indietro. Kris l'aveva guardato rivolgendogli una domanda con gli occhi, poi il boato dei primi spari aveva squarciato l'oscurità. Colpi di fucile.

La macchina della TPS era protetta da pannelli blindati in fibra aramidica, più leggera dell'acciaio e quasi altrettanto impenetrabile. Era installata sulle portiere, sul tettuccio, sui telai dei finestrini e sugli angoli della carrozzeria. Tutti i vetri della macchina erano stati sostituiti con lamine antiproiettile di materiale composito multistrato trasparente, composto da vetro e policarbonato. Gli pneumatici erano muniti di inserti anti-balistici runflat che permettevano alle gomme di funzionare anche in presenza di forature. Il livello di protezione che offrivano quelle applicazioni era moderatamente alto, ma la vettura aveva dei punti deboli. Il vetro antiproiettile poteva resistere a colpi di pistola e di altre piccole armi da fuoco, ma spari continui inferti da un fucile di grande calibro avrebbero potuto infrangere il pannello. La carrozzeria blindata poteva fornire protezione al perimetro e al tettuccio, ma il pianale e la base del telaio erano scoperti e vulnerabili ad attacchi provenienti dal basso. Un veicolo totalmente blindato avrebbe potuto fornire una protezione maggiore ma, a causa del peso maggiorato, aveva anche una manovrabilità limitata. Era stato necessario scendere a qualche compromesso.

Travis si domandò se quei compromessi avrebbero tenuto, ora che due proiettili avevano scheggiato il parabrezza della Lincoln.

Dopodiché non c'era più stato tempo per riflettere. Le sue preoccupazioni adesso si limitavano alla sopravvivenza di Kris. Le disse di abbassarsi ma lei non riuscì a registrare quell'ordine. Il panico dilagava sul suo viso, ogni muscolo teso. Quando la Town Car si era ritrovata fuori strada ed era rimasta impantanata, Travis aveva avvertito chiaramente il fremito di terrore che aveva scosso il corpo di lei. Quando erano tornati sulla strada si erano però trovati in una posizione che impediva sia di avanzare sia di retrocedere, e Drury, per alcuni disperati secondi, era stato costretto a far girare la macchina in tondo. Era stato proprio in quel momento che Hickle aveva aperto il fuoco sul fiancata della macchina, nel tentativo di far saltare le portiere. Dopo la scarica di proiettili Travis aveva visto l'ammaccatura sul fianco. La blindatura però aveva tenuto e la Lincoln era di nuovo pronta a scattare. Quando Drury stava per accelerare, Hickle era saltato sul cofano.

Travis aveva visto la bocca del fucile baciare il vetro incrinato e aveva capito che l'esplosione del prossimo colpo avrebbe garantito a Hickle un accesso diretto all'interno della macchina. Aveva afferrato Kris e l'aveva scaraventata per terra quando due spari erano echeggiati dentro la vettura.

Travis non si rendeva esattamente conto di ciò che stava succedendo attorno a lui. Piegandosi per proteggere Kris con il suo corpo, si era accorto solo di alcuni spostamenti in avanti e indietro. Poi aveva sentito lo stridore dei freni, la retromarcia e l'accelerazione in avanti. Poi ancora freni e un altro sparo, in basso, e altri due colpi sulla parte inferiore della Lincoln, mentre indietreggiava e sfrecciava in retro verso la guardiola a circa 400 metri di distanza.

Gli spari in basso lo avevano spaventato. Aveva pensato immediatamente alla base priva di protezione della macchina. Al serbatoio.

Aveva stretto Kris forte a sé e l'aveva sentita mormorare le stesse parole in continuazione, in tono piatto e cadenzato: «Che Dio ci aiuti… che Dio ci aiuti… che Dio ci aiuti…».

Poi arrivarono le fiamme.

Travis udì il crepitio della benzina che prendeva fuoco ancor prima di vedere il bagliore rossastro illuminare il parabrezza. Per fortuna o per abilità, Hickle era riuscito a rompere il serbatoio e le scintille degli spari successivi avevano infiammato il carburante.

Il fuoco avrebbe avviluppato la Lincoln in pochi secondi. Forse la macchina non sarebbe esplosa (la benzina era meno infiammabile di quanto i produttori di Hollywood volessero far credere), ma le fiamme l'avrebbero di sicuro ridotta in cenere e i suoi occupanti avrebbero subìto la stessa sorte.

Prese Kris e la tirò su, gridando a Drury di abbandonare il veicolo. La macchina si fermò in una posizione bizzarra a metà di Gateway Road, e Drury uscì, o almeno così pensò Travis. Non poteva esserne sicuro poiché la sua attenzione era completamente rivolta alla portiera posteriore. Stava cercando di aprirla, di portare Kris fuori dall'auto e di allontanarla dalle fiamme che divampavano.

La trascinò tra i cespugli sul ciglio della strada, poi estrasse la sua Walther e si accovacciò, scandagliando l'oscurità alla ricerca di Hickle, che doveva per forza essere là fuori. Perché se una cosa era certa in tutta quella follia, era che Hickle non si sarebbe dato per vinto finché non avesse ucciso Kris.

* * *

L'auto, ormai in fiamme, sprigionava un calore umido che schiaffeggiò Hickle sul viso mentre si avvicinava impugnando il fucile con entrambe la mani. Si rese conto che stava facendo forza sulla gamba sinistra. Doveva essersi slogato una caviglia quando era stato sbalzato dal cofano sull'asfalto. Poco importava. Riusciva ancora a muoversi e nella macchina non c'era più nessuno. Kris era fuori, indifesa. Sarebbe bastato un solo colpo per chiudere la partita.

Prima che la macchina andasse a fuoco, Kris era seduta sul sedile posteriore. La portiera della Lincoln era socchiusa. Hickle corse verso quel lato della strada e la vide sul ciglio, un fagotto di paura e angoscia. Con lei c'era un uomo che non riconobbe. Non era il marito. L'uomo aveva una pistola.

Hickle lo vide sollevare la pistola in un lampo e si lanciò a terra, riparandosi dietro la Lincoln ormai distrutta. Poi avvertì dei movimenti vicino a lui e si voltò in tempo per vedere l'autista prendere la mira con una pistola da dietro la portiera anteriore aperta. Hickle sparò un colpo con il suo fucile e l'uomo si abbassò. L'aveva colpito? Difficile a dirsi.

Hickle lanciò degli sguardi oltre la portiera, pronto ad aprire il fuoco, ma non fu necessario. L'autista era vivo, ma si contorceva sull'asfalto, la pistola lontana e dimenticata. Lo ignorò. Non voleva infliggergli il colpo di grazia. Non gli importava niente di quell'uomo. Era Kris che voleva.

Avanzò a carponi verso il retro della Lincoln, rimanendo piegato. L'aria era calda come le fiamme dell'inferno. Una volta raggiunto il paraurti posteriore sbirciò fuori e vide Kris e il suo protettore indietreggiare velocemente verso la boscaglia. Premette il grilletto del Marlin per due volte, sparando contro di loro. I due si abbassarono ma non pensava di averli colpiti. Si erano buttati a terra per proteggersi.

Dalla bocca di una pistola esplosero delle scintille provenienti dal fogliame. La guardia del corpo di Kris stava rispondendo al fuoco. Hickle sparò un altro colpo e poi batté in ritirata vero la parte anteriore della Lincoln, muovendosi veloce. Ora aveva un piano. I due credevano che si trovasse sul retro della macchina e quindi non si sarebbero aspettati una carica dal davanti.

Saltò fuori da dietro la macchina e urtò immediatamente qualcosa... qualcuno... che si accasciò ai suoi piedi.

Era Kris.

Si era fatta prendere dal panico ed era scappata via. Proprio verso di lui.

Alzò gli occhi e lo vide. Lo sguardo dipinto sul suo viso fu il regalo più inestimabile che Hickle avesse mai ricevuto. Era uno sguardo di puro terrore, di totale rassegnazione e sottomissione. Gli stava dicendo che aveva vinto e che lei aveva perso, che lui era il padrone e lei la schiava.

Quel momento durò una frazione di secondo. Subito imbracciò il fucile e glielo puntò contro, spingendo la bocca gelida della canna sul suo viso.

Premette il grilletto.

Ma non accadde nulla.

Il fucile era scarico.

Realizzò quello che era appena successo e poi udì lo sparo tremendo di una pistola provenire dal lato della strada. Il proiettile gli aveva sfiorato l'orecchio, passandogli a pochi centimetri di distanza.

Lo sconosciuto stava arrivando.

Non aveva altra scelta. Non aveva più munizioni in tasca.

Un altro sparo alle sue spalle. Raggiunse il lato più distante della strada e si infilò tra gli alberi, inciampando su qualcosa che gli si era impigliato al piede. Il suo borsone.

Ci sarebbero potuti essere altri proiettili là dentro, ma non aveva tempo di cercarli. C'era anche la carabina, completamente carica, ma non poteva estrarla e prendere la mira. Non con un uomo alle calcagna.

E comunque aveva perso la sua occasione. Anche se fosse riuscito a uccidere il protettore di Kris, gli altri agenti della TPS probabilmente stavano già accorrendo sul luogo, e così la guardia e anche la polizia, tutti quanti.

Non c'era più niente da fare.

Hickle si caricò il borsone in spalla e si addentrò nel bosco, a testa bassa e con il fiato grosso.

Cercò di non pensare a quello che era appena successo, a quanto ci fosse andato vicino e a come avesse miseramente fallito. Sapeva che se ci avesse pensato, avrebbe semplicemente smesso di correre, si sarebbe buttato per terra e avrebbe iniziato a frignare come un bambino perché il mondo lo aveva preso in giro un'altra volta e la vita era così terribilmente ingiusta.

36

Travis inseguì Hickle per alcuni metri nel bosco e lo vide scomparire tra gli alberi di eucalipto e tra i fitti cespugli. Per un momento pensò di non interrompere l'inseguimento, ma prendersi cura di Kris era la sua priorità. Fece dietro front e la trovò per terra, in ginocchio sull'asfalto, confusa. Il suo bel viso era rigato dalle lacrime, gli occhi sgranati e lo sguardo fisso.

«Dannazione» inveì. La rabbia aveva preso il sopravvento sulla compassione. «Perché sei scappata via? Per quale motivo?»

Kris non rispose ma Travis sapeva benissimo che cosa l'avesse fatta fuggire quando erano iniziati a volare i proiettili. I nervi avevano ceduto. Aveva assecondato il cieco impulso di mettere una distanza tra lei e i colpi di fucile. Di conseguenza era scappata alla cieca, finendo per scontrarsi contro Hickle e rimanendo quasi uccisa.

Travis si tranquillizzò. Con gentilezza le strinse la spalla. «Stai bene, Kris?» chiese dolcemente.

Lei alzò lo sguardo, fissandolo negli occhi. «Pensavo di essere forte» sussurrò.

La capiva. Era una giornalista professionista. Aveva effettuato una miriade di servizi in diretta: terremoti, lotte fra gang, omicidi brutali. Aveva sempre creduto di avere i nervi saldi. Ma quella sera, con i colpi di fucile indirizzati a lei, con lei come protagonista della storia, aveva perso la calma ed era fuggita come una bambina impaurita. Non era tosta come pensava. Era una lezione dolorosa ma sarebbe sopravvissuta, e per Travis la sopravvivenza di Kris era l'unica cosa che importasse.

Non molto distante udì il grido stridulo delle sirene in avvicinamento. Gli abitanti del luogo e la guardia al cancello dovevano aver chiamato il 911 quando erano iniziati gli spari. Le forze dell'ordine assegnate alla zona di Malibu facevano capo allo sceriffo della Contea di LA. La centrale più vicina si trovava a diversi chilometri da Agoura, ma evidentemente una squadra si trovava nelle vicinanze.

Travis si guardò intorno nella strada. I due agenti della TPS posizionati nella dépendance degli ospiti, Pfeiffer e Mahoney, si stavano avvicinando velocemente. Le luci delle case che costeggiavano l'incrocio erano tutte accese. Non c'era niente di meglio di una bella sparatoria per svegliare il quartiere.

Travis fece un giro intorno alla macchina e trovò Drury accasciato sull'asfalto, che contorceva lentamente le ginocchia; del sangue gli aveva inzuppato la manica sinistra della giacca. Hickle aveva scaricato una raffica di colpi sull'autista, ma la maggior parte dei proiettili non era andata a segno. Alcune pallottole avevano colpito Drury al braccio e alla spalla. Aveva perso molto sangue ma nessuna arteria era stata recisa. Dalla strana posizione del braccio s'intuiva che qualche osso si era rotto, probabilmente si era fratturato un gomito.

«Va tutto bene, Steve» disse Travis sapendo che l'uomo non poteva sentirlo. «Ti rimetterai.»

Il grido delle sirene divenne più alto, poi all'improvviso si interruppe. Travis vide che il cancello si stava aprendo per far entrare un paio di auto dello sceriffo.

«Stato?» chiese Pfeiffer arrivando con la fondina slacciata, gli occhi vitrei e lo sguardo perso nel vuoto. Mahoney era alle sue spalle.

«Hickle ci ha teso un'imboscata ed è fuggito» disse Travis in tono seccato. «Non credo che tornerà. Gli è andata piuttosto bene ed è riuscito a incenerire la macchina. Ha colpito Drury alla spalla. La signora Barwood sta bene, è solo un po' scossa. Dov'è il marito?»

«Gli abbiamo detto di stare in casa» rispose Mahoney. Poi, abbassando la voce, aggiunse: «Non se lo è fatto ripetere due volte».

Travis annuì. Il fatto che Howard Barwood fosse riluttante a gettarsi nella mischia non lo sorprese per nulla.

La pattuglia si fermò a qualche metro di distanza dal veicolo distrutto. I due vice sceriffi, ognuno dei quali era al volante di una macchina, uscirono guardinghi con le pistole in pugno.

Travis si avvicinò ai due uomini e fece loro un resoconto della situazione. «Sta arrivando l'ambulanza?» domandò.

«Sarà qui a breve» rispose il vice smilzo e dai capelli rossi. La targhetta indicava il nome Carruthers. Non aveva più di venticinque anni. Si guardava intorno senza smettere di osservare i cespugli sul lato della strada.

Travis aveva capito. Carruthers era preoccupato che Hickle potesse tornare per sferrare un secondo attacco, ma le probabilità erano basse. Hickle aveva fatto del suo meglio e aveva fallito. Ora si sarebbe rintanato in qualche angolo buio dove si sarebbe potuto consolare e leccare le ferite. Ma non avrebbe avuto il tempo di andare lontano.

«Uno di voi, signori, sarebbe interessato a unirsi a me nell'inseguimento di un sospetto armato?» chiese Travis. «Secondo me riusciamo a beccarlo.»

Carruthers voleva partecipare a quella battuta di caccia, mentre l'altro vice era meno entusiasta all'idea. Decise di rimanere sulla scena del crimine in attesa dei paramedici.

Travis arruolò Pfeiffer per completare la squadra di inseguimento. «Mahoney, tu rimani con Drury e la signora Barwood. Vedi se riesci a trovare delle coperte. Mi sembra che Drury stia tremando.»

«Drury è un bravo ragazzo» commentò Pfeiffer.

«Si riprenderà. Ora muoviamoci.»

I tre partirono, con Travis al comando e Pfeiffer e Carruthers dietro di lui.

«Che armi da fuoco ha quel figlio di puttana?» chiese il poliziotto.

«Nell'attacco ha usato un fucile. Mi hanno riferito che ha anche una carabina con un mirino telescopico e un sistema di puntamento laser. Ha messo il giubbotto antiproiettile, vice?»

Carruthers sbuffò. «Magari. Il fatto è che questo mestiere solitamente è abbastanza tranquillo e con il giubbotto mi viene caldo.»

«Pfeiffer?»

«Sì, ho il mio in kevlar. E tu, capo?»

«L'ho lasciato a casa» disse Travis caricando la sua Walther. «Speriamo che Raymond non voglia uno scontro a fuoco.»

* * *

Hickle correva alla cieca, trascinando il borsone come un pesante fardello di colpa. Dietro di lui ululavano le sirene. Non si guardò mai indietro. Temeva di vedere un'intera squadra di poliziotti al suo inseguimento.

Male, molto male. Un vero disastro. Nella sua mente si era sempre immaginato un attacco impeccabile. Sì, alla fine sarebbe stato arrestato, ma solo dopo la morte di Kris, assicurandosi così la sua immortalità.

La colpa era di JackBNimble. In tutte le email che gli aveva mandato, Jack non gli aveva mai parlato di carrozzeria blindata e vetri antiproiettile.

«Non mi ha detto un cazzo, quello stronzo» ansimò, furioso e indignato. Poi si imbatté in una recinzione di acciaio sovrastata da filo spinato.

Era la recinzione che circondava la Malibu Reserve. Aveva raggiunto il confine della proprietà.

Panico. Era in trappola.

Sarebbe potuto tornare indietro, cercando di nascondersi nel bosco, ma non ci avrebbero messo molto a trovarlo. Doveva esserci un altro modo. *Rifletti.*

La recinzione proseguiva fino alla riva del mare ma non oltre. L'avrebbe aggirata all'altezza della spiaggia pubblica e poi avrebbe utilizzato il vialetto di accesso per tornare alla sua macchina.

Zoppicando sulla caviglia, corse lungo la recinzione in direzione del mare, oltrepassando l'ultima villa di Malibu Reserve Drive. Lo spazio tra la facciata della casa e la recinzione era stretto ma riuscì a infilarcisi e a strisciare lungo la parete trascinando dietro di sé il borsone. Vide che dentro c'era il fucile. Mentre scappava doveva averlo riposto per liberare la mano destra. Eppure non ricordava di averlo fatto. Si stava affidando all'istinto come un animale braccato.

Sul limitare della spiaggia si bloccò, temeva che in uno spazio aperto sarebbe stato esposto e privo di protezione. Se la polizia avesse intuito il suo percorso di fuga, avrebbe potuto mandare qualcuno a controllare la spiaggia. Ma non vide altro che sabbia bianca, il frangersi delle onde e alcuni scogli ricoperti di alghe che scintillavano al chiaro di luna. Decise di proseguire, sollevando la sabbia mentre correva. Quando la recinzione terminò, Hickle entrò in acqua avanzando contro corrente e, barcollando, arrivò sulla spiaggia pubblica.

Mentre scalava una duna di sabbia bagnata sopra il segno della bassa marea, si rese conto che stava lasciando delle tracce.

Si guardò indietro. Una scia di impronte si perdeva nell'acqua. Doveva aver lasciato impronte simili anche dall'altro capo della recinzione e nella fanghiglia del bosco. I suoi nemici avrebbero potuto seguirlo facilmente.

Non fece in tempo a formulare quel pensiero che un fascio di luce brillò nell'ombra tra l'ultima casa e la recinzione. Stavano arrivando. Almeno due di loro, forse di più.

Corse lungo il vialetto che portava al parcheggio, ma nell'oscurità al termine della strada, oltre gli alberi e una tettoia scura, danzava la luce lampeggiante blu e rossa di una volante.

I poliziotti erano già arrivati nel parcheggio. Avevano trovato la sua macchina. Hickle tornò sui suoi passi, indietreggiò sul vialetto e si diresse di nuovo verso la spiaggia.

La luce della torcia era più vicina. Le persone che lo inseguivano dalla zona residenziale si stavano avvicinando seguendo le sue impronte lasciate sulla sabbia.

Non aveva più vie di fuga. Eccetto una.

La laguna.

Si stagliava sulla sinistra, una distesa buia di acquitrini e arbusti che circondavano due stretti stagni in cui affluiva il Malibu Creek. Davanti a lui si estendevano sedici ettari di palude. Il Malibu Lagoon State Park. Una riserva naturale in cui gli uccelli migratori potevano nidificare, e per lui un posto in cui nascondersi.

Hickle lasciò il vialetto e iniziò di nuovo a correre. Si chiese se sarebbe mai riuscito a fermarsi.

* * *

«È entrato nella laguna.» Pfeiffer raggiunse il punto in cui la spiaggia incrociava il sentiero, scrutando le tracce confuse. «È corso verso il parcheggio ma deve aver visto una macchina della polizia, si è spaventato ed è tornato indietro per andarsi a nascondere là dentro.»

Il fascio della sua torcia illuminò una scia che svaniva a zig zag tra le alte tife e le salicornie, le radici che affondavano nel terreno fangoso.

Travis e Carruthers gli erano accanto, le pistole e le torce in pugno. «Potrebbe essere acquattato» disse il poliziotto, nervoso, «con il mirino puntato su di noi.»

«Hickle è troppo agitato per mirare addosso a qualcuno» rispose Travis. «È un topo spaventato in fuga.» Rivolse lo sguardo a Pfeiffer, che era bravo a seguire le tracce. «Possiamo raggiungerlo?»

«Non credo, capo. Di sicuro ha calpestato il fogliame, ma sembra che le foglie stiano già rispuntando dal fango. A causa delle tempeste e degli escursionisti irrispettosi c'è tanto di quel casino da coprire qualsiasi impronta.»

Travis squadrò le fila di tife e poi indicò il ponte sul Malibu Creek. «Sta andando da quella parte. Andrà nell'acqua e passerà sotto al ponte e uscirà dalla parte opposta.»

Carruthers lo guardò accigliato. «Come fa a esserne così sicuro?»

«So come ragionano questi individui. Avevo ragione o no riguardo alla macchina?» Travis aveva suggerito la possibilità che Hickle potesse aver lasciato la sua macchina nel parcheggio della spiaggia. Carruthers aveva lanciato l'allarme via radio e una pattuglia nelle vicinanze aveva risposto alla chiamata. La polizia stradale aveva trovato la Golf di Hickle un paio di minuti prima.

«È vero» ammise il vice. «Be', se il ponte è il luogo verso cui si sta dirigendo il nostro amico, faremo bene a fermarlo.» Prese la radio dalla cintura e tramite il centralino lasciò un messaggio agli agenti nel parcheggio, comunicando che il sospetto armato era entrato nella Malibu Lagoon e che avrebbe potuto fuggire passando sotto il ponte di Cross Creek. «Se i ragazzi hanno finito di mettere in sicurezza la macchina» disse al centralino, «potremmo mandarli a controllare il ponte.»

«Buona idea» disse Travis quando Carruthers finì di parlare.

«Già, sempre che lei abbia azzeccato la direzione verso cui si sta dirigendo. Se si sbaglia, mentre noi controlliamo il ponte lui potrebbe fare dietro front verso la spiaggia e filarsela in una delle tre direzioni.»

«Allora come procediamo?» domandò Travis. Doveva condividere la decisione con Carruthers, perché il ragazzo era l'unica forza dell'ordine presente sulla scena.

«Ci dividiamo e perlustriamo tutta la laguna. Se si nasconde là dentro lo staneremo.»

Travis annuì. «Può funzionare.»

«Chi va a controllare il torrente sotto il ponte?» chiese Pfeiffer.

«Ci penso io» propose Travis, indifferente. «È la mia ipotesi e tocca a me dimostrarla.»

«Faccia attenzione» disse Carruthers.

Travis gli fece un cenno con la mano e si diresse verso la laguna tenendo la torcia puntata verso il basso per rendersi meno visibile.

37

Hickle strisciò attraverso le alte fila di tife che oscillavano al vento, trascinando il borsone. I gomiti e le ginocchia erano zuppi di fango. I moscerini gli ronzavano nelle orecchie. Camminando alla cieca, per due volte era finito vicino a nidi di uccelli acquatici che starnazzando furiosi gli avevano agitato contro le ali. Non sapeva se quel rumore avrebbe indicato agli inseguitori la sua posizione.

Il terreno diventò più morbido. Sentiva odore di acqua salmastra. Lo stagno era davanti a lui. Avanzò a fatica sollevando grosse zolle di fanghiglia e finalmente emerse dalla foresta di tife e raggiunse una radura al limitare dell'estuario.

Lo stagno si univa alla foce del Malibu Creek che scorreva sotto il ponte sul quale passava l'autostrada costiera. Lassù le macchine sfrecciavano nel traffico rumoroso.

Nessuno lo avrebbe mai cercato sull'ultimo tratto dell'autostrada.

Quell'intuizione lo costrinse ad abbandonare la riva fangosa per addentrarsi nello stagno. Si abbassò, piegando il busto mentre arrancava attraverso l'acqua bassa creando piccoli vortici di fango. Il fango risucchiava verso il basso le scarpe zuppe, procurandogli fitte di dolore alla caviglia. Ma non smise di camminare, lo sguardo rivolto al ponte e alla salvezza al di là di esso.

Il borsone stava diventando un fardello sempre più pesante, ma decise di non abbandonarlo. Avrebbe potuto avere bisogno dei fucili. Quando lo stagno divenne più profondo, sollevò le braccia tenendo la borsa in alto per evitare che si bagnasse. Non poteva permettersi che l'acqua danneggiasse le munizioni.

Il ponte era vicino. Quando avvertì una debole corrente, capì che era uscito dallo stagno ed era entrato nel Malibu Creek. Il torrente si inoltrava nell'entroterra scorrendo tra la boscaglia. Avrebbe potuto risalirlo finché avesse voluto e abbandonare il sentiero una volta assicuratosi di aver seminato gli inseguitori. Poi gli sarebbe servita una macchina. Ne avrebbe rubata una. Sapeva come avviare il motore anche senza chiavi. L'aveva visto fare in televisione un migliaio di volte. In un notiziario di Kris, durante un servizio sui furti di auto, la procedura era stata spiegata nel dettaglio.

Odiava pensare a Kris. Gli suscitava dolore e rabbia. Si consolò con il pensiero che almeno Abby era morta.

Ora si trovava sotto il ponte. Il traffico rimbombava sopra la sua testa. La luce della luna e delle stelle non riusciva a penetrare la caverna di cemento. L'acqua scura si infrangeva inquieta contro i piloni, gli sciabordii ripetuti echeggiavano dolcemente. Riusciva a sentire il proprio respiro, amplificato dall'acustica particolare di quel luogo.

Si stava avvicinando all'estremità del ponte quando udì una macchina fermarsi proprio sopra di lui. L'istinto gli suggerì di arrestarsi a sua volta. Un attimo dopo un faro si accese, puntando la superficie dell'acqua davanti a lui.

La luce proveniva da una macchina di pattuglia, forse la stessa che aveva visto nel parcheggio. Il faro era puntato sul torrente. Hickle non poteva andare avanti. Se fosse uscito allo scoperto lo avrebbero avvistato immediatamente. Doveva tornare indietro, nascondersi nella laguna finché la pattuglia non se ne fosse andata.

Si incamminò in quella direzione, poi si fermò non appena il fascio di luce illuminò quel lato del ponte, setacciando le acque intorno a lui.

I poliziotti dovevano essere due. Probabilmente due agenti della polizia stradale; di notte lavoravano sempre in coppia. Controllavano entrambi i lati del ponte. Sarebbe stato al sicuro solo se fosse rimasto nascosto sotto le volte.

Era in trappola.

Indietreggiò e si appoggiò contro uno dei piloni arrugginiti e si accucciò lì come un animale impaurito. Qualche minuto prima era lui il predatore in agguato. Ora era la preda che si nascondeva da quelli che lo braccavano.

Con mani tremanti estrasse il fucile dal borsone, poi rovistò sul fondo finché non trovò una scatola di munizioni. Inserì quattro proiettili Federal Super Magnum nel fucile. Se i poliziotti avessero scoperto il suo nascondiglio, avrebbe aperto il fuoco. A distanza ravvicinata, il calibro .12 era un'arma migliore della carabina. Poteva uccidere uno dei due, almeno, prima che il rumore dello sparo attirasse gli inseguitori verso il ponte.

Sperò di non dover arrivare a quel punto. Se Kris fosse morta non gli sarebbe più importato nulla del suo destino, ma finché era al mondo la sua vita aveva ancora uno scopo.

* * *

Travis lo vide sotto il ponte.

Il povero figlio di puttana era intrappolato dalla torcia di un poliziotto e dal faro della pattuglia. Non poteva scappare senza essere visto. Tutto ciò che poteva fare era appiattirsi contro il pilone e rimanere seduto immobile.

Accovacciato nel fango e con la torcia spenta, Travis pensò alla sua prossima mossa. Carruthers e Pfeiffer erano troppo lontani. I poliziotti della pattuglia erano a breve distanza, ma non sarebbero stati in grado di vederlo se fosse rimasto tra gli alti giunchi e i carici lungo la riva.

Ripose la torcia in tasca con attenzione, poi si avviò tra le foglie, tenendo la testa bassa e approfittando degli alberi alti per nascondersi. Avanzava passo dopo passo, in attesa che una folata di vento scuotesse i carici e mascherasse il trambusto provocato dal suo passaggio. Mentre si avvicinava al ponte, sincronizzava i suoi passi con il rumore del traffico sfruttando il rombo di una Harley o lo sferragliare di un camper per confondere i suoi movimenti.

Era passato molto tempo dall'ultima volta che era stato coinvolto nell'inseguimento di un aggressore armato. Scoprì che se la stava godendo. Si ritrovò quasi a desiderare di essere un dipendente della TPS con incarichi sul campo piuttosto che il fondatore e il proprietario, condannato a trascorrere la maggior parte del tempo dietro una scrivania.

Arrivato a un metro e mezzo dal ponte, il poliziotto con la torcia non lo aveva ancora avvistato. Travis vide l'agente della pattuglia sporgersi dal parapetto e indirizzare il fascio di luce nell'acqua poco profonda, scandagliando alcune parti del torrente e dello stagno. Di fianco a lui il lampeggiante proiettava la luce intermittente blu e rossa.

Travis si stava chiedendo come avrebbe fatto a evitare il fascio di luce quando il problema si risolse da solo. Il poliziotto all'improvviso sollevò la torcia e si voltò. Il lamento delle sirene di due ambulanze aveva attirato la sua attenzione.

La caserma dei pompieri era praticamente accanto alla Malibu Reserve e i paramedici dovevano averci messo poco ad arrivare. Gli ospedali più vicini erano a Santa Monica e a West LA. Per arrivarci le ambulanze dovevano attraversare il ponte in direzione sud sulla Pacific Coast Highway. I poliziotti della pattuglia avevano interrotto le ricerche per rallentare i veicoli in arrivo e far passare i soccorsi.

Le ambulanze ci avrebbero messo meno di un minuto ad arrivare, ma era tutto il tempo di cui Travis aveva bisogno. Entrò nel torrente tenendo alta la pistola e fendette l'acqua con una bracciata vigorosa, scivolando sotto il ponte.

Quando le sirene della prima ambulanza urlarono sulla sua testa, osò avanzare con un'ampia falcata. Era sicuro che Hickle non avrebbe sentito il rumore dell'acqua a causa del frastuono sopra di lui.

Travis si fermò dietro un pilone, il corpo immerso nell'acqua tranne la testa e la sua Walther. Vide che Hickle si era diretto verso l'estremità del ponte. Stava guardando il faro, che aveva smesso di muoversi. Il borsone appeso alla spalla e il fucile in mano.

Con un lamento cacofonico la seconda ambulanza sfrecciò oltre il traffico, raggiungendo la prima. Travis sfruttò il baccano per scivolare nell'acqua come un'anguilla, avanzando ancora un po', andando da pilone a pilone finché non si trovò vicinissimo a Hickle.

All'improvviso Hickle parve avvertire un'altra presenza nell'oscurità, ma era troppo tardi. Prima che potesse voltarsi, Travis gli puntò la pistola contro la nuca. «Non muoverti, Raymond.»

Hickle si irrigidì. Travis sapeva che stava pensando al fucile, calcolando i rischi e le probabilità.

«So che vuoi fare qualcosa di eroico» bisbigliò. «Qualcosa di folle. Non farlo. Stammi a sentire, d'accordo? Mi fai dire solo una cosa?»

«Dilla e basta.» Hickle trasse un profondo respiro, i muscoli delle spalle annodati dalla tensione.

«Ok, Raymond. Ecco cosa sono venuto a dirti.»

Travis gli si avvicinò, premendo quasi la bocca contro l'orecchio del fuggitivo e, sorridendo nell'oscurità, cantilenò una canzoncina.

«*Jack, be nimble... Jack, be quick...*»

38

La valvola del gas era chiusa e la fiamma pilota della caldaia spenta.

Le finestre della camera da letto e del salotto erano aperte. Abby non si era ancora azzardata ad accendere il ventilatore per paura di innescare un'esplosione, sebbene l'aria fosse già abbastanza pulita.

«Devi andare in ospedale» le disse Wyatt per la terza volta. La ricetrasmittente appesa alla cintura gracchiò parole incomprensibili; la ignorò.

«Te l'ho detto» ripeté Abby. «Ci andrò quando avrò finito qui.»

«Finito cosa, per l'esattezza?»

«Controllo dei danni.» Cercò di scoccargli uno sguardo pungente, ma lo sforzo le fece girare la testa, procurandole vertigini.

Sapeva che lui aveva ragione riguardo all'ospedale. Non era il fatto che avesse inalato gas a preoccuparla, quanto il trauma cranico che aveva subìto quando Hickle l'aveva messa fuori gioco. Aveva ancora un forte mal di testa concentrato dietro gli occhi, un dolore che non poteva più attribuire solo al gas. Era meno stabile di quanto dovesse essere e il senso di nausea non era del tutto sparito, neanche dopo aver inspirato aria pulita.

Quindi sì, sarebbe andata in ospedale, ma non prima di aver sistemato un paio di cose. La polizia, escluso Wyatt ovviamente, sarebbe arrivata tra non molto per controllare l'appartamento di Hickle e fare due chiacchiere con i suoi vicini. Era la procedura investigativa standard che sarebbe scattata dopo l'attacco a Kris Barwood.

Abby sapeva che Hickle aveva colpito. Al cellulare aveva sentito Travis gridare all'autista. Per un istante aveva sentito anche la voce di

Kris che gli chiedeva cosa stesse succedendo. Poi, uno sparo. A giudicare dal rumore aveva utilizzato il fucile. Poi c'erano stati altri spari, le urla di Kris e Travis che le gridava di abbassarsi…

Poi il silenzio. Era caduta la linea.

Poteva essere successo di tutto. Disperata, Abby aveva richiamato Travis per due volte, senza ricevere risposta. Aveva pensato di telefonare al 911, ma poi le era venuto in mente che la TPS aveva dislocato degli agenti di sicurezza presso la villa sulla spiaggia. Loro dovevano per forza aver sentito gli spari, così come i vicini dei Barwood.

La polizia quindi doveva già essere stata allertata. A prescindere dall'esito dell'attacco avrebbero di certo eseguito indagini accurate. Tutta l'attenzione si sarebbe concentrata sulla zona di Hollywood in cui abitava Hickle. Dei begli omoni vestiti di tutto punto avrebbero bussato a ogni porta del quarto piano. FBI. Ma lei sarebbe sparita prima che ciò accadesse.

Un po' barcollante si diresse in cucina per prendere un paio di guanti di gomma. Mentre li indossava sentì gli stivali bassi di Wyatt sul pavimento in linoleum. «Non credo di voler sapere a cosa ti servono quelli» disse sarcastico. Contrasse le labbra, in segno di disapprovazione.

«Allora faresti meglio a non seguirmi. Sto per entrare nell'appartamento di Hickle» disse Abby.

«Nel suo appartamento?» chiese l'uomo, sempre più contrariato, incrociando le braccia sul petto e tirando le maniche blu della giacca. «Inquinare le prove è un reato.»

«Vuoi arrestarmi, sergente?» Il silenzio di Wyatt fu abbastanza eloquente. «Come pensavo.»

Portando con sé il cellulare nel caso Travis avesse chiamato, si diresse precipitosamente in camera da letto, dove prese il lucchetto e la catena. Poi scavalcò la finestra, atterrò sulle scale antincendio e si arrampicò sul davanzale della finestra che dava sulla stanza di Hickle.

«Hai preso un colpo in testa» disse Wyatt alle sue spalle.

La sua voce la sorprese. Era stato talmente silenzioso nel seguirla che non si era accorta della sua presenza. Si fermò, a cavalcioni sul davanzale. «Già, Hickle mi ha colpita» ammise, toccandosi con le dita il bernoccolo che Wyatt doveva aver notato. Non c'erano né ferite né perdite di sangue, solo un bozzo gonfio, tenero al tatto.

Wyatt si avvicinò per toccarglielo, poi sussultò. «Come?» le domandò, un'ombra di preoccupazione gli velava gli occhi. «Con un pugno o un'arma?»

«Non lo so. Ho un vuoto di memoria. Mi ricordo di aver lottato e basta... Poi sono rinvenuta.»

«Hai perso conoscenza dopo che ti ha colpita? Diavolo, Abby, hai subìto una commozione di terzo grado. Dobbiamo andare subito al pronto soccorso. Devi sottoporti a un esame neurologico...»

«Prima devo sbrigare una faccenda. Il pronto soccorso può aspettare.»

Tentò di nuovo di entrare nell'appartamento di Hickle, ma Wyatt la afferrò per la mano cercando di fermarla. «Ti rendi conto di quanto possa essere grave una concussione cerebrale?»

Lei alzò la testa e incrociò il suo sguardo, provando un'altra sensazione di vertigine. «Credo proprio di sì. Vediamo, dopo il colpo alla nuca potrei aver subìto una ferita da contraccolpo, ossia contusione del lobo frontale e temporale. Oppure potrei essermi rotta dei vasi sanguigni, nel qual caso potrebbe essersi formato un piccolo ematoma subdurale che potrebbe determinare un addensamento della pressione nel mio cranio. È possibile che mi si sia formato un embolo e, se ricevessi un altro colpo, potrebbe venirmi un ictus, probabilmente fatale. Quindi Vic, sì, ho una vaga idea di quanto possa essere grave una concussione cerebrale, e prima finisco qui, prima posso andare in ospedale. Ok?»

Si liberò dalla sua presa e finì di arrampicarsi sulla finestra. Sapeva di essere stata dura con lui. L'irritabilità era un sintomo del trauma cranico.

L'aria nell'appartamento di Hickle era pulita. Non aveva creato una trappola mortale anche a casa sua. «Non toccare niente» ordinò a Wyatt mentre la seguiva dentro l'abitazione. «Tu non sei mai stato qui.»

Lanciò lucchetto e catena sul pavimento della camera da letto e avanzò verso il salotto. Per prima cosa vide che Hickle aveva smontato il rilevatore di fumo. Osservando il tappeto individuò i resti della telecamera in frantumi. Se li mise in tasca.

«Cos'era?» le chiese Wyatt.

«Una telecamera di sorveglianza, a pezzi, ma la Scientifica sarebbe comunque in grado di identificarla.»

«Telecamera? Una delle tue?»

«È solo un attrezzo del mestiere, niente di che, a parte il fatto che è illegale.»

«Già, a parte questo piccolo dettaglio.»

Abby raccolse il trasmettitore infinity dal telefono distrutto, poi ritrovò la cimice nella cappa di ventilazione del forno che Hickle non aveva scoperto. Tornò in camera da letto. La stanza era un casino. Hickle aveva strappato quasi tutte le foto: erano sparpagliate per terra in un ammasso di volti. Abby si chiese se Wyatt avesse notato che il soggetto di ogni singola immagine era Kris Barwood. L'uomo non disse una parola.

Mentre tastava sotto i cassetti del comodino di Hickle per recuperare l'altro microfono, udì la voce del poliziotto. «Pensi di poter sparire, non è vero?»

«Probabile. L'ho già fatto.»

«Come quando eri la domestica di Emanuel Barth?»

«Come fai a saperlo?»

«Sam Cahill mi ha fornito tutti i dettagli. È il detective che si è occupato del caso e che ha messo Barth al fresco per la seconda volta.»

Lei lo guardò. «Hai parlato di me con un detective?»

«Il tuo nome non è mai saltato fuori.»

«Devi comunque averlo insospettito.»

«Sam è mio amico ed è una persona discreta. Puoi fidarti di lui.»

«Pare che io non abbia molta scelta» commentò seccata.

«Sai, per essere una che è appena scampata alla morte, sei di pessimo umore.»

Abby riuscì a sorridere. «Scusa. È solo che non mi piace che la gente conosca i miei segreti. Tutto qui.»

«Nemmeno io?»

«Nemmeno tu, Vic. Anche se mi hai salvato la vita. So che è irrazionale, ma io sono fatta così. Comunque hai ragione per quanto riguarda il caso Barth. Connie Hammond ero io.»

«E sei svanita nel nulla.»

«È stato piuttosto semplice. Nessuno si è preso la briga di cercare Connie. Questa volta, invece, ci sono delle complicazioni. Hickle conosce la verità su di me, e forse anche qualcun altro. Se qualcuno fosse trattenuto e gli venisse voglia di parlare, potrei dover dare qualche spiegazione.» Mise in tasca il secondo microfono, poi raccolse il microregistratore che Hickle aveva lasciato sul letto.

«Pare che tu sia in un mare di guai, Abby.»

«No, *ero* in un mare di guai. Ora sto bene, grazie a te. Grazie davvero. Sai, l'altra sera mi sbagliavo.»

«Su cosa?»

«Quando ho detto che non avevo bisogno di aiuto, che sapevo badare a me stessa, che non mi serviva nessuno a guardarmi le spalle. Mi sbagliavo.» Era difficile per lei ammetterlo. L'indipendenza e l'autosufficienza erano la sua filosofia di vita.

«Già, be'.» Wyatt si strinse nelle spalle. «Tutti commettiamo degli errori.»

L'ultima cosa che Abby prese dall'appartamento di Hickle furono gli slip che lui le aveva rubato in lavanderia. Si accorse che Wyatt la guardava con aria confusa, ma non le fece domande e lei non aveva voglia di parlarne.

Passando dalle scale antincendio tornarono nell'appartamento di Abby. Il gas ormai si era quasi disperso del tutto e lei osò accendere il ventilatore che spazzò via i fumi rimanenti. In camera tolse l'apparecchiatura di sorveglianza dall'armadio e la sistemò sul cassettone.

«Altri attrezzi da spia?» le domandò Wyatt.

«Non più. Ora è un banale impianto TV/VCR.»

«E con un impianto audio munito di nastri su bobina.»

«Strano, ma non particolarmente sospetto. Dubito che qualcuno se ne accorgerà durante una perquisizione veloce. Puoi portarmi un sacco dell'immondizia dalla cucina?»

Mentre Wyatt andava a prenderlo, Abby si spostò in bagno e bevve un bicchiere d'acqua tutto d'un fiato. Dio, quanto le faceva male la gola. Fu tentata di prendere un'aspirina, ma sapeva che il medicinale avrebbe reso il sangue più fluido, aggravando l'emorragia interna. Almeno la testa non le rimbombava più come una grancassa. Adesso sembrava più un tamburello. Era da considerarsi un miglioramento.

Si controllò gli occhi allo specchio. Le pupille sembravano moderatamente dilatate, un buon segno. Forse la commozione non era così grave come aveva temuto. Che avesse schivato il colpo all'ultimo istante, evitando l'impatto diretto? Forse i suoi riflessi l'avevano salvata da una frattura del cranio o da un danno cerebrale. Plausibile. Non ricordava come avesse reagito, né con cosa l'avesse colpita Hickle. Non si ricordava niente del momento dell'impatto.

«Tu stai male» disse Wyatt quando Abby emerse dal bagno. Era rimasto a osservarla.

«Niente che un po' di aria fresca e dell'esercizio fisico non possa curare.» Prese il sacco dell'immondizia e ci infilò dentro la videocassetta in frantumi, le bobine e gli slip che di certo non avrebbe mai più indossato.

Wyatt borbottò: «Può darsi. Ma adesso ti porto subito al pronto soccorso, anche se dovessi trascinartici per i capelli».

«Il tuo intervento neanderthaliano non sarà necessario» disse Abby infilando nel sacco anche la telecamera, i microfoni e i trasmettitori, insieme ai guanti di gomma. «Ci vado di mia spontanea volontà. Vedi?» Sollevò il sacco dell'immondizia. «Ho appena finito di fare i bagagli.»

In salotto prese la sua borsa e controllò che la pistola fosse ancora al suo posto. Ci infilò il microregistratore e il cellulare, poi si fermò un attimo per riflettere se chiamare Travis o meno.

Wyatt vide la sua esitazione. «Chiunque sia il tuo contatto... non ha ancora richiamato.»

«Forse non può. Forse l'ho avvertito troppo tardi. Forse...» Si detestò per quelle parole. «Forse è morto, e anche il cliente.»

«Kris Barwood» disse Wyatt. Quindi aveva notato le foto.

Abby annuì. Questa volta non le venne il capogiro per il movimento e ne fu grata.

Uscirono insieme dall'appartamento e scesero fino al piano terra con l'ascensore. Wyatt le disse che l'avrebbe accompagnata in ospedale con la sua auto e lei replicò: «Sì, certo». Nel suo stato non era in grado di sedersi al volante. Se aveva veramente subìto un grave trauma cerebrale, sarebbe potuta svenire in qualsiasi momento. «Ma» aggiunse, «dobbiamo spostare la mia Dodge fuori dal parcheggio, per impedire che i tuoi amici la trovino.»

«Perché?»

«Perché se dovessi essere interrogata, potrei dire di essere andata da sola in ospedale.»

Mentre lui l'accompagnava alla macchina, Abby gli spiegò il suo piano nel dettaglio. Parlare le faceva bene, la teneva sveglia e vigile.

«Sto cercando di tenermi aperte tutte le strade finché non avrò capito come risolvere la situazione. Preferirei che Abby Gallagher sparisse per sempre, proprio come Connie Hammond, ma se Hickle o qualcun altro mi identifica e va a spiattellare tutto alla polizia, devo risultare pulita. Abbastanza pulita, almeno.»

«Quanto pulita, esattamente?»

«Non confesserò di aver fatto o posseduto nulla di illegale. Nessuna strumentazione elettronica di sorveglianza, nessuna effrazione. Sono stata assunta per trasferirmi nell'appartamento accanto a quello di Hickle per tenerlo d'occhio, tutto qui. Lui mi sorprende fuori casa e mi attacca. Quando riprendo conoscenza, sono confusa e disorientata. Guido fino all'ospedale stordita e mi dimentico di riferire tutto alla polizia finché la memoria non mi ritorna al momento opportuno.»

«Debole.»

«Ma inconfutabile.»

«Questo lo dici tu.»

«Sì, lo dico io.»

«Hickle racconterà delle cimici in casa sua. Come farai a spiegarlo?»

«Spiegare cosa? I vaneggiamenti paranoici di uno stalker omicida?»

«E se Hickle non venisse mai preso e la tua copertura dovesse saltare?»

«In questo caso, addio Abby Gallagher.»

La guardò con ammirazione. «Hai già pensato a tutto, vero?»

«E questo è niente. Dovresti vedermi in azione quando non scambiano la mia testa per una palla da volley.»

Wyatt spostò la Dodge in una stradina secondaria e poi l'accompagnò alla sua auto di pattuglia. Le chiese in quale ospedale volesse andare. Lei passò in rassegna le opzioni e immaginò che di venerdì sera qualsiasi pronto soccorso di quella parte della città sarebbe stato sovraffollato. «Immagino che tu non possa accompagnarmi fino al Cedars-Sinai» disse. Si trovava a West Hollywood, un quartiere migliore.

«Nessun problema.»

«Se il tenente incomincia a chiedersi dove ti sei cacciato, potresti finire nei guai.»

«Gli dirò che mi sono fermato a mangiare una ciambella. È sempre una scusa plausibile per i poliziotti, vero?»

Abby sorrise. «No comment.»

A tre isolati dal Gainford Arms, Wyatt svoltò in una strada e buttò il sacco dell'immondizia in un cassonetto. Quando si immise su Santa Monica Boulevard, dirigendosi verso ovest, Abby pescò il cellulare dalla borsa e chiamò Travis. Ancora nessuna risposta.

«Andrà tutto bene» disse Wyatt a bassa voce.

«Certo. Lo so. I buoni vincono sempre, vero?» Sprofondò nel sedile, esausta, e chiuse gli occhi, ripetendo quelle parole come se fossero un mantra. «I buoni vincono sempre.»

39

«Sei davvero lui?» disse Hickle ansimando. «Sei JackBNimble?»

«Sì. Hai ancora intenzione di usare la tua calibro .12?»

La tensione si allentò e Hickle sospirò, tremando leggermente. «Penso di no.»

«Molto bene.» Travis fece un passo indietro e abbassò la Walther. «Puoi voltarti. Non c'è motivo per cui non possiamo parlare faccia a faccia. Dopotutto siamo soci.»

Hickle si girò, muovendo l'acqua, che si increspò. Sopra di loro la radio della polizia gracchiava parole metalliche, il volume era molto alto. La torcia si accese di nuovo e il faro tornò a perlustrare le acque del torrente. I due poliziotti avevano ripreso le ricerche.

«Siamo intrappolati» sussurrò Hickle.

«No, ora ci sono qui io. Andrai verso l'entroterra mentre io distraggo i due piedipiatti sul ponte.»

«E come?»

«Non ti preoccupare. Dobbiamo parlare di molte cose e non abbiamo molto tempo. Sai chi sono io?»

Hickle lo osservò nel buio, mentre Travis studiava il suo viso. Non lo aveva mai visto di persona. Aveva occhi piccoli e sospettosi, come quelli di un roditore. La pelle era pallida, i capelli unti e spettinati. Se ne stava lì fermo, sotto il ponte, tra le acque fetide e detriti galleggianti, contenitori in plastica e pacchetti di sigarette. Era giusto che stesse lì.

«No» disse Hickle infine. «Dovrei?»

«Penso di sì, sempre se ultimamente hai guardato il telegiornale.» Travis abbozzò un leggero sorriso. «E io so che tu non te lo perdi mai.»

Gli occhi stretti si ridussero a due fessure. Le labbra pallide di Hickle si contrassero. «Ma…» bisbigliò. «Tu sei il tizio dell'agenzia di sicurezza. Sei Paul Travis. Sei famoso a LA.»

Nonostante l'incontro stesse avvenendo nelle acque torbide di un torrente durante un inseguimento, Hickle sembrava quasi onorato di essere alla presenza di una celebrità. E non c'era da stupirsi. La fama era la sua ossessione.

«Sei tu la persona famosa ora» disse Travis. «Tra qualche giorno il tuo nome sarà su tutti i giornali e in televisione, in radio, dappertutto.»

Hickle parve illuminarsi per un momento, poi si incupì. «Per aver fallito.»

«Per ora.» Travis sospirò. «Sai, avresti dovuto ucciderla quando ne avevi l'occasione.»

«Non dare la colpa a me. La Lincoln era a prova di proiettile…»

«Mi riferivo a Abby.»

«Abby?» Cadde il silenzio mentre Hickle assorbiva la notizia. «Lei… è ancora viva?»

«Purtroppo sì. Ma non dovrebbe esserlo.» Le parole di Travis echeggiarono sotto la volta del ponte.

«Cos'hai in mente?» chiese Hickle con un filo di voce.

«Posso dirti come prendere Abby, ma questa volta senza commettere errori. Ti stuzzica l'idea?»

Gli occhi di Hickle risplendevano di pura malvagità. «Voglio Kris.»

«A lei penseremo più tardi. Prima Abby. È la cosa giusta da fare. Nei prossimi giorni Kris avrà una protezione altissima. Non solo quella della TPS, ma anche la polizia scenderà in campo. Invece Abby sarà completamente indifesa.»

Hickle elaborò le informazioni e poi annuì. «Cosa devo fare?»

«Posso dirti dove abita. Il suo vero indirizzo, non quello dell'appartamento che ha affittato accanto al tuo. Puoi sbarazzarti di lei facilmente con la tua carabina. Ho pensato a tutto.»

«Sì, certo, hai pensato proprio a tutto.» Hickle si avvicinò avanzando nell'acqua alta, producendo cerchi concentrici che si infransero contro i piloni. «E allora perché non mi hai detto che la macchina di Kris era blindata e che aveva vetri antiproiettile? Perché...?»

«Abbassa la voce.» Travis scoccò un'occhiata alla volta del ponte. «Potrebbero sentirti.»

«Non dirmi cosa devo fare» disse Hickle abbassando però la voce. «Sei tu quello che ha incasinato tutto. O forse cercavi di incastrarmi, vero? Eri in macchina con lei. Sei tu che l'hai protetta da me. Non volevi che la uccidessi. A che gioco stai...?»

«Nessuno gioco, Raymond.»

«Allora spiegami.»

Hickle ora era a pochi centimetri da lui. Travis riusciva a vedere la follia nei suoi occhi. Per calmarlo, si sarebbe dovuto giocare la prossima mano con astuzia. Avrebbe voluto essere più abile a leggere le persone, ma quello era un talento di Abby. Per quanto assurdo fosse, era dispiaciuto che lei non fosse lì ad aiutarlo.

«Raymond» disse pacato, «non avevo altra scelta. Kris voleva a tutti i costi tornare a casa con una macchina blindata della TPS. Mi ha chiesto persino di portare con me un fucile. Non potevo rifiutare, altrimenti si sarebbe insospettita. È successo tutto così in fretta; non ho avuto il tempo di scriverti un'email per aggiornarti.»

La storia suonava plausibile, pensò Travis. Rimase in attesa mentre gli occhi di Hickle saettavano avanti e indietro, cercando una falla nel racconto. «Perché Kris ha richiesto una protezione speciale proprio stasera?» chiese infine.

Travis aveva la risposta pronta. Fissò Hickle con uno sguardo di rimprovero. «Perché tu hai cambiato le tue abitudini. Oggi non le hai telefonato.»

Per un attimo regnò il silenzio, interrotto solamente dal gracchiare della radio sopra di loro. «Stai dicendo che è colpa mia?» disse Hickle respirando profondamente.

Sì, era proprio colpa sua, ma Travis decise di essere magnanimo. «Quel che è fatto è fatto. Non è colpa di nessuno. È andata così e non possiamo farci niente.»

«Ma tu in macchina l'hai protetta. L'hai aiutata a cercare riparo quando ho fatto esplodere la Lincoln.»

«Non stavo proteggendo lei ma me stesso. Avresti ucciso entrambi. Il tuo fucile non fa discriminazioni.»

«Mi hai sparato anche quando lei è fuggita. Mi hai sparato due colpi addosso.»

«E ti ho mancato entrambe le volte. Sono un cecchino addestrato, Raymond. Ti ho mancato intenzionalmente.» Rimase in silenzio, aspettando che Hickle registrasse quell'informazione. «Ah, e per la cronaca, non dovrei stare qui a giustificarmi con te. Avrei potuto benissimo dare l'allarme ai poliziotti sul ponte o spararti alle spalle pochi minuti fa. Invece ti ho rivelato la mia identità. Non mi merito un po' di fiducia in cambio?»

Ottimo. Travis si congratulò con se stesso. Persino Abby non sarebbe stata così brava a manipolarlo.

«Be'» mormorò Hickle, «può darsi. Ma non riesco ancora a inquadrarti bene. Kris è una tua cliente e Abby è una tua dipendente, o una tua collaboratrice, non importa. Perché le vuoi morte? Perché mi stai aiutando quando il tuo compito sarebbe fermarmi?»

«Bella domanda. Vorrei avere il tempo di spiegarti bene tutta la faccenda, ma, vedi, in questo momento degli uomini stanno perlustrando la laguna e qualcuno ci troverà fra non molto. Dobbiamo filarcela.»

Un improvviso sbattere di ali confermò quanto aveva appena detto, un uccello spiccò il volo. Qualcuno, probabilmente Pfeiffer o Carruthers, doveva aver calpestato per sbaglio un nido.

«Sentito?» disse Travis. «Si stanno avvicinando. Allora, vuoi che ti aiuti o no?»

Hickle temporeggiò per un instante, poi annuì. «D'accordo.»

«Bene. Per prima cosa, come pensi di andare via da Malibu?»

«Voglio risalire il torrente fino al punto in cui ci sono tutte quelle case e quei ranch, poi ruberò una macchina. Se non trovo nessuna macchina, mi nasconderò nel bosco finché le acque non si saranno calmate.»

«Non va bene. In entrambi i casi ci impiegheresti troppo e noi siamo a corto di tempo. Stai sottovalutando la gravità della situazione. Hai fatto notizia, Raymond. Lascia che ti dica cosa succederà entro quindici minuti. Prima arriveranno gli elicotteri dello sceriffo e, subito dopo, quelli della stampa. Uno di loro ti avvisterà lungo il torrente e, se non lo farà lui, ci penseranno i cani. I K9. Li hai già visti in TV, vero? Fiuteranno il tuo odore su entrambi i lati dell'autostrada e nemmeno il torrente coprirà le tue tracce. È una leggenda metropolitana. L'acqua non copre gli odori.»

Era chiaro che Hickle non aveva pensato ai cani, e nemmeno agli elicotteri. Si passò la lingua sulle labbra.

«Quindi» continuò Travis implacabile, «sei comunque fottuto. Se rimani nella laguna e ti rifugi nel bosco, i cani ti staneranno a meno che non ti scopra prima un elicottero. Se ti nascondi in una casa, la polizia non ci metterà molto a scovarti. Una squadra SWAT ti starà alle calcagna e alla fine avrai solo due possibilità: ucciderti o farti uccidere da loro.»

«D'accordo, d'accordo.» Hickle era più bianco di prima. «Non mi nasconderò. Come ti ho detto, ruberò una macchina.»

«Esattamente, ma dovrai essere veloce. Fra non molto le strade saranno piene di posti di blocco. La polizia stradale e le volanti dello sceriffo controlleranno ogni macchina. Un aspetto che gioca a nostro favore è che Malibu si trova in una posizione piuttosto isolata. Ci vorrà del tempo prima che riescano a mandare uomini o altro. Ecco perché finora sono arrivate solo tre pattuglie. Devi agire prima che ne arrivino altre. Ciò significa che non hai abbastanza tempo per inoltrarti troppo nell'entroterra. Ruba la prima macchina che vedi. Il torrente scorre accanto a un parcheggio dietro a quel piccolo centro commerciale al di là della strada. Persino a quest'ora hai buone probabilità di trovare un'auto. Sali su qualsiasi mezzo tu sia in grado di guidare e va' verso nord.»

«Perché non a sud? C'è più traffico in quella direzione e potrei avere maggiori possibilità di passare inosservato.»

«Ma andare a sud è la scelta più ovvia. Potrebbe già esserci un posto di blocco. La cosa migliore è tagliare per il Topanga Canyon fino alla Ventura Freeway, dove non ci sarà polizia a controllarti. Una volta raggiunta la Freeway dovresti essere più o meno al sicuro. Prendi la 405 in direzione nord. Conosci la zona in cui San Fernando Road interseca la Golden State Freeway?»

«Il lato settentrionale della valle.»

Travis annuì. «È un distretto ad alto tasso di criminalità. Un sacco di furti d'auto. Abbandonerai lì il veicolo che avrai rubato. Non chiudere a chiave le portiere e lascia il motore acceso. Con un po' di fortuna qualcuno coglierà l'occasione per farsi un giro e quando la polizia l'avrà ritrovato, non sapranno rintracciare il posto esatto in cui l'hai abbandonata.»

«Poi come farò a muovermi?»

«Ruba un'altra macchina. In quel quartiere rubano auto ogni notte. Inizialmente è probabile che il furto non verrà collegato a te, il che significa che non sarà un caso ad alta priorità. Dopodiché guida verso sud in direzione LA, ma non passare per Hollywood. La polizia si aspetterà che torni a casa. La direzione che devi prendere è Westwood.»

«Perché è lì che troverò Abby» disse Hickle traendo un profondo respiro.

«Prima o dopo arriverà anche lei. Vive in un grattacielo chiamato Wilshire Royal.» Travis gli fornì l'indirizzo. «Il suo appartamento è il 1015. È sul lato frontale dell'edificio, quarta finestra da destra, davanti alla Wilshire.»

«Come faccio a entrare?»

«Non devi entrare.»

Travis continuò a fornire dettagli. Hickle ascoltava, annuendo di tanto in tanto per fargli capire che lo stava seguendo.

«Chiaro?» gli domandò quando ebbe finito.

«Sì. E Kris?»

«Te l'ho detto, a lei penseremo dopo.»

«Quando?»

«Mi farò vivo io. Quando avrai fatto fuori Abby, nasconditi in un luogo sicuro. Poi entra nell'account della tua email dal computer di una biblioteca o di qualche altro edificio pubblico una volta al giorno. Ti contatterò non appena possibile. Fidati di me.»

«Non so se dovrei.»

«Ma devi. Ora, Raymond, sono il tuo unico amico.»

Hickle gli lanciò uno sguardo freddo, di uno che la sapeva lunga. «Scommetto che anche Kris e Abby credono che tu sia loro amico. Non è così?»

Travis non rispose.

40

Il pronto soccorso del Cedars-Sinai era stato ristrutturato e ingrandito di recente. A Abby sembrava di essere in un albergo piuttosto che in una struttura ospedaliera. Ma in un hotel non sarebbe stata seduta su un letto con le rotelle che sembrava un tavolo operatorio, a leggere un opuscolo sull'influenza di stagione tenendosi un pacco di ghiaccio contro la testa.

Wyatt l'aveva lasciata all'entrata. Abby aveva rifiutato la sua offerta di accompagnarla dentro, sapendo che sarebbe stato meglio per entrambi se nessuno li avesse visti insieme. All'accettazione l'infermiera aveva ascoltato la sua storia di come, durante una partita di tennis, un suo amico le avesse tirato una racchettata in testa. L'infermiera probabilmente si era chiesta perché mai qualcuno giocasse a tennis a mezzanotte, o dove fosse andato l'amico o perché Abby non indossasse una tenuta sportiva, però non fece domande. Ovviamente pensava che lei stesse mentendo e che a colpirla fosse stato il marito o il fidanzato.

Per essere un venerdì sera il pronto soccorso non era troppo affollato. Abby non dovette aspettare molto prima che un dottore arrivasse ed eseguisse un esame preliminare, controllandole anche la vista, i riflessi e tastando delicatamente il bernoccolo che aveva in testa. «Vomito?» le chiese. «Amnesia? Sonnolenza? Mal di testa?»

Rispose no, sì, no, sì, dicendogli che si sentiva meglio però.

Il dottore le diede un antidolorifico e un pacco di ghiaccio nuovo. Diagnosi: lieve commozione cerebrale, prevista guarigione: completa. Le disse che avrebbe passato la notte in ospedale, in osservazione. Avrebbe potuto dormire, ma un'infermiera, a intervalli regolari, l'avrebbe svegliata per monitorare il suo stato di lucidità. A breve sarebbe stata spostata dal pronto soccorso.

«Nel frattempo si rilassi» commentò, dicendole che qualcuno sarebbe venuto a fare quattro chiacchiere con lei prima di farla trasferire ai piani superiori. Uno psicologo, esperto di violenze domestiche, immaginò Abby.

Era distesa sul letto, irrequieta, e si girava di qua e di là muovendo le gambe. Non aveva per niente sonno. Aveva troppa adrenalina in corpo, dopo aver ingannato la morte una seconda volta. E poi aveva paura. Travis non aveva ancora richiamato.

Guardandosi intorno vide una cosa che sembrava una televisione alla fine di un braccio meccanico montato lungo il lato del letto. Osservò più attentamente. Era davvero un televisore, e a colori. Si chiese se fosse via cavo. «Per la prossima vacanza» decise, «prenoto una camera qui.»

Si stava chiedendo se accendere o no la TV per guardare il telegiornale, quando la borsa iniziò a vibrare. Le ci volle un momento per capire che il suo cellulare stava squillando. Rovistando con una mano riuscì a prendere il telefonino e a rispondere al quinto squillo. «Sì?» rispose, pregando di sentire la voce di Travis.

«Abby, sono io.»

Un nodo di tensione le si sciolse nello stomaco e per la prima volta in un'ora tirò un sospiro di sollievo. «Paul, stai bene?»

«Tutto bene, e tu?»

«Mai stata meglio» mentì. «Cos'è successo a Malibu? Come sta Kris?»

«Non ha un graffio, ma c'è mancato poco.»

«Ho sentito degli spari al telefono.»

«Sì, il nostro amico ci ha attaccati con il fucile. Per fortuna eravamo su una macchina blindata della TPS, ma è comunque riuscito a colpire un punto debole nella carrozzeria. L'autista ha ferite superficiali, si rimetterà.»

«E tu?» Sapeva di averglielo già chiesto, ma voleva sentirselo dire di nuovo.

Travis ridacchiò. «L'unica parte di me a essere stata ferita è l'orgoglio. Mi sono bagnato fino al midollo.»

«Bagnato?» Abby non capiva.

«Ho inseguito Hickle nella laguna accanto alla spiaggia. Pensavo di averlo visto sotto il ponte. Ho cercato di avvicinarmi ma alla fine sono caduto in quel cavolo di torrente. Sul ponte c'erano due poliziotti. Devono essersi fatti una bella risata.»

«E Hickle? Era davvero sotto il ponte?»

«No, non c'era nessuno. Mi sono lasciato ingannare dal riflesso dell'acqua. Mi sono umiliato per niente.»

«Quindi l'ha fatta franca.»

«A quanto pare. La polizia sta setacciando la zona e hanno messo dei posti di blocco sull'autostrada. Hanno chiuso il recinto ma il cavallo è già fuggito. Secondo un rapporto è stata rubata una macchina dal parcheggio di un centro commerciale vicino alla laguna. Non ci vuole un genio a capire che è opera di Hickle. Comunque non farà molta strada ora che è arrivata anche la stampa.»

Abby non ne era così sicura, ma cambiò argomento. «Ho provato a chiamarti un sacco di volte…»

«Ho perso il cellulare durante l'attacco. Probabilmente si è fuso quando la macchina ha preso fuoco.»

Abby trattenne il fiato. «Preso fuoco?»

«È una lunga storia.»

«Ti sei ustionato?»

«Nient'affatto. Smetti di preoccuparti per la mia salute. Sto bene.»

«Dove sei adesso?»

«Nella dépendance per gli ospiti dei Barwood. Alcuni degli agenti della TPS tengono degli abiti di ricambio e Mahoney ha la mia stessa taglia. Il mio completo era fradicio; dovevo cambiarmi prima di prendermi la polmonite. Il prossimo passo è andare a fare due chiacchiere alla centrale di Agoura. Devo dare un paio di dritte al capitano.»

«Su Howard?»

«Esatto. Ti terrò fuori da questa storia finché potrò. Non sei ancora a Hollywood, vero?»

«Certo che no. Sono dovuta scappare di corsa.»

«Come pensavo. Immagino tu sia a Westwood, allora? Il mio consiglio è di rimanere al sicuro nel tuo appartamento...»

«Non sono a casa.»

«Come no?» le chiese, stranamente contrariato.

«Passerò la notte al Cedars. Mi sono beccata un colpetto sulla capoccia.»

«Ah, ho capito. Pensavo non fossi ferita.» Dal tono di voce sembrava più arrabbiato che preoccupato.

«Non è niente. Mi tengono qui solo per precauzione. Il cervello è il mio mezzo di sostentamento; non voglio correre rischi.»

«Be', hai bisogno di riposare un po'. Ora ti saluto, ma per prima cosa domani mattina passo per vedere come stai. Che nome hai lasciato all'accettazione, Abby Sinclair?»

«Esatto. Sono tornata quella di sempre.»

«Riguardati, Abby.»

«Paul?»

«Sì?»

«È bello sentire la tua voce.»

«Anche la tua, Abby. Sempre.»

Riagganciò e rimase seduta immobile, il pacco di ghiaccio in una mano e il cellulare nell'altra. Percepì una sorta di tensione sulla faccia. All'inizio non capì, poi si rese conto che stava sorridendo. Fino a quel momento non si era concessa di ammettere quanta paura avesse avuto.

Ma ora non c'era più nulla da temere. Paul era sopravvissuto. E anche Kris.

I buoni avevano vinto per davvero.

41

Abby fece del suo meglio per dormire una volta che fu spostata in una camera del terzo piano, ma il sonno non arrivava. Quando chiudeva gli occhi la sua mente si affollava di immagini confuse: Hickle con il fucile, Wyatt che le si inginocchiava accanto sulle scale antincendio, le foto di Kris strappate e sparpagliate sul pavimento della camera di Hickle. A volte anche Travis visitava i suoi pensieri. Lo vedeva arrancare nel torrente mentre i poliziotti sul ponte lo prendevano in giro e ridevano… ma non c'era niente di divertente, perché in lontananza, avvolto nell'ombra, una figura goffa e malconcia, che doveva essere Hickle, stava scappando senza essere visto.

Tutto ciò non aveva senso. Era esausta e il suo cervello giungeva a conclusioni irrazionali. Avrebbe voluto zittire i suoi pensieri. Se fosse stata a casa si sarebbe preparata una tisana alla valeriana, perché era piuttosto sicura che l'ospedale fornisse solo medicine convenzionali. Comunque le infermiere non le avevano dato nessun tranquillante; avevano il compito di controllare la sua lucidità mentale ogni due ore.

Passate le 6, mentre i primi raggi del sole illuminavano la sua finestra, riuscì finalmente ad addormentarsi. Credeva che avrebbe avuto degli incubi ma non fu così. Alla fine la sua mente aveva ceduto e sprofondò in un sonno profondo.

Quando si svegliò vide Travis che la osservava.

«Scusami» sussurrò. «Ti ho svegliata?»

Si tirò su velocemente e mentre si metteva a sedere notò che nel cambiare posizione non aveva provato nessuna vertigine e che il mal di testa era scomparso del tutto.

«No» disse. «Cioè, sì, immagino di sì, ma fa lo stesso. Che ore sono?»

«Le otto e mezza.»

«Di mattina?» chiese stupidamente.

Travis sorrise. «È sabato mattina, 26 marzo. Come ti senti?»

«Abbastanza bene, solo un po' rintronata. Ieri notte non ho dormito molto. E tu?»

«Non ho chiuso occhio. Sono stato tutta la notte dallo sceriffo. Il capitano della centrale di Malibu-Lost Hills era molto curioso di sentire quello che sapevo, e anche due dei suoi detective erano interessati.»

«Sei sicuro che non sia troppo presto per muovere delle accuse? Non abbiamo prove schiaccianti…»

«Ora sì. I nostri esperti hanno trovato un legame tra la Western Regional Resources e la compagnia che possiede il bungalow a Culver City. Però col capitano non ho affrontato l'argomento in questi termini. Non gli ho parlato del bungalow. Non volevo che mi facesse domande su delle attività non autorizzate.»

«Ti riferisci a quando mi sono intrufolata illegalmente all'interno del bungalow e l'ho perquisito?»

«Esatto. Gli ho detto semplicemente che abbiamo scoperto che Howard Barwood possiede almeno una compagnia fittizia, la Western Regional Resources, e che abbiamo motivi per credere che sia il proprietario del cellulare intestato a quella società. Ho suggerito che, nel caso in cui Barwood fosse veramente l'informatore di Hickle, allora potrebbe essere plausibile che abbia utilizzato quel cellulare per parlare con lui o organizzare un incontro. Gli ho consigliato di controllare i registri del gestore telefonico.»

«E l'hanno fatto?»

«Sì. Hanno rintracciato la chiamata di giovedì sera al telefono dell'appartamento di Hickle. È da allora che hanno iniziato a mostrarsi particolarmente interessati al signor Barwood, sebbene lui non sospetti ancora nulla.»

«Ora dov'è Howard?»

«Deve fare due chiacchiere con quei due detective di cui ti ho parlato prima. Lo tratteranno con i guanti di velluto, scagionandolo dalle accuse. Ha conoscenze influenti, e non vogliono fare niente di avventato finché non capiranno con esattezza cosa bolle in pentola.»

«Assicurati che lo tengano d'occhio. Se gli lasciano troppa libertà potrebbe svignarsela. Ah, poi dovrai dirgli del bungalow.»

«Perché? Pensi ci andrà?»

«È probabile. Ha una pistola nel comodino. Forse vuole andare a prenderla, soprattutto se ha intenzione di incontrarsi con Hickle.»

«Una pistola? Non me ne hai mai parlato.»

«Non mi sembrava importante. Comunque è una Colt .45.»

Una delle infermiere apparve sulla soglia, ricordando a Travis che gli aveva permesso di rimanere con la paziente solo cinque minuti. Tempo scaduto.

«Stavo per andare» disse Paul con un sorriso.

L'infermiera non si lasciò abbindolare. «Infatti. La signorina Sinclair ha subìto una brutta commozione dovuta a una racchettata.» Lanciò un'occhiata sospetta a Travis. «Non sarà mica stato lei?»

«Io e Abby non giochiamo mai» disse lui. «Almeno non insieme.»

L'infermiera lo guardò accigliata, sospettava che lui alludesse a qualcosa che non riusciva ad afferrare. «Va bene, saluti la paziente, deve riposare.»

Quando l'infermiera se ne andò, Abby scoccò un sorriso a Travis. «Visto? Qui ho tutta la protezione che mi serve.»

«Dovrei proporle di lavorare per la TPS. Sarebbe una guardia del corpo eccezionale. Per quanto riguarda Howard non preoccuparti. Gli uomini del suo rango raramente scappano. Di solito si rivolgono ad avvocati molto competenti. Sono sempre convinti di poter battere il sistema. E la metà delle volte hanno ragione.»

«Immagino sia così.»

«Ma non mi dimenticherò del bungalow. Se scappa ne parlerò alla polizia.» Le sfiorò leggermente la mano e poi si allontanò. «Sarà meglio che vada, prima che torni la signorina Rottenmeier. E poi devo fare un salto a trovare un'altra persona. Anche Kris è qui.»

«Kris? In questo reparto?»

Travis annuì. «Ha mostrato sintomi di shock neurogeno. I paramedici l'hanno portata qui.»

«Il Saint John sarebbe stato più vicino, e anche l'UCLA Medical.»

«Il suo medico di fiducia è in servizio al Cedars, per questo è voluta venire qui. E non puoi dire di no a Kris Barwood, soprattutto in questo momento. Se prima era famosa, dovresti vedere lo scalpore che ha suscitato questo caso.»

Abby capì cosa gli passava per la testa. «Allora forse la TPS tornerà al suo antico splendore?»

«È quello che spero.»

«E forse… posso lasciarmi quella brutta storia alle spalle» sussurrò tra sé.

«Parli del caso Corbal?» le domandò Travis.

Lei annuì. «Sai che ti ho detto che non volevo dimostrarti nulla né redimermi? Era una bugia. Non penso ad altro da quattro mesi. Agli errori madornali che ho commesso… e a come avrei potuto evitarli.»

«Hai fatto il possibile» disse Travis gentilmente, «e anche di più. Ora dormi un po'. Ti sei guadagnata un bel riposo.»

«Sì. Grazie, Paul.»

Appoggiò la testa al cuscino. Sopraffatta dalla sonnolenza. Stava chiudendo gli occhi quando Travis si piegò su di lei e le baciò la fronte, un gesto tenero, insolito da parte sua.

«Un lungo riposo» disse con dolcezza.

Abby si addormentò prima che lui uscisse dalla camera.

42

Si chiamavano Giacomo e Heller e salutarono Howard alla centrale con sorrisi e strette di mano, dicendogli quanto apprezzassero il fatto che avesse dedicato loro un po' del suo tempo per chiarire un paio di dettagli secondari riguardanti il caso. Howard li ascoltava a stento. Aveva dormito poco dato che aveva passato quasi tutta la notte al Cedars-Sinai con Kris. Era stanco e affamato; Courtney gli aveva preparato la colazione ma in quel momento non aveva appetito. Soprattutto, era attanagliato dai sensi di colpa.

Provava rimorso per ogni singola ora trascorsa con Amanda. Provava rimorso per aver pensato di lasciare Kris. Provava rimorso per essere un cattivo marito. Ma ciò che lo faceva stare peggio era che sapeva benissimo che il suo rimorso era passeggero e non sarebbe trascorso molto tempo prima che tornasse a letto con Amanda o con qualche altra giovane donna. Il lupo perdeva il pelo ma non il vizio.

Assorto in quei pensieri, si fece scortare dentro un piccolo ufficio da Giacomo e Heller. Lì lo fecero accomodare a un tavolo di legno malmesso. Si sedettero di fronte a lui. Heller prese un bloc-notes e una penna. Giacomo posò un registratore sul tavolo e disse qualcosa sul fatto che registrare il colloquio era un'operazione necessaria per ottenere una trascrizione accurata. «Va bene» disse Howard con indifferenza.

Giacomo parlò per la maggior parte del tempo. Iniziò a fornire dettagli al registratore, specificando il luogo, la data e l'ora del colloquio. Howard notò che utilizzava l'orario militare: Zero Nove e Trentacinque. «Siamo qui con il signor Howard Barwood» disse

Giacomo, domandando a Howard la data di nascita. Lui gliela snocciolò meccanicamente; la sua voce, irriconoscibile perfino a se stesso, proveniva da un luogo lontano.

«Dunque, signor Barwood, ora le leggerò i suoi diritti. Sarebbe il caso che ascoltasse attentamente...»

Le parole di Giacomo destarono Howard dal suo torpore. «I miei diritti?»

Giacomo disse di sì e Heller annuì, entrambi sorridendo in un modo che gli parve troppo amichevole.

Howard batté le palpebre, incredulo. «Mi state dicendo che sono sospettato?» L'idea gli sembrò assurda, incomprensibile.

«Veramente, signor Barwood, il nostro scopo principale è cancellarla dalla lista dei sospettati.»

«Ma... sospettato di cosa? È stato Hickle ad attaccare Kris, un sacco di gente l'ha visto. Io ero in casa...»

«Ma certo. Abbiamo dei testimoni che confermano tutto quello che lei ha dichiarato. E nessuno dubita che sia stato Raymond Hickle a tendere un agguato alla macchina.»

«E allora che diavolo...?» Non riuscì a terminare la domanda. Niente aveva senso.

«Questi casi vanno osservati da diverse angolature» disse Giacomo. «Dobbiamo semplicemente sciogliere alcuni nodi della matassa, tutto qui.»

Angolature, nodi da sciogliere... Howard era stupefatto. «Non mi avevate mai detto che ero tra i sospettati.»

Questa volta fu Heller a parlare. «Noi non la consideriamo un sospettato. A dire il vero, ci dispiace farle perdere del tempo. Vogliamo solo sbrigare questa seccatura e andare tutti a casa.»

«È stata una nottataccia per tutti» disse Giacomo.

«Io sono a pezzi» aggiunse Heller.

Howard ebbe la vaga impressione che stesse accadendo qualcosa contro i suoi interessi. Ma i due detective avevano ragione su una cosa:

era stata davvero una lunga notte. Ora non aveva per niente voglia di andarsene via, solo per dover ritornare e sorbirsi quella tiritera. E se davvero se ne fosse andato, avrebbe dovuto contattare Martin Greenfeld, il suo avvocato. Martin non gli avrebbe mai permesso di parlare a nessun detective o di rinunciare ai suoi diritti. Martin pensava che ogni situazione andasse gestita come una gara agonistica per ottenere la posta in gioco più alta.

Howard immaginò le conseguenze se si fosse rifiutato di parlare. Quella storia sarebbe arrivata ai media. La gente avrebbe pensato che fosse coinvolto nel tentato omicidio di sua moglie. E se fosse venuta fuori anche la sua relazione con Amanda…

D'altro canto, se avesse tenuto Martin e tutti gli altri avvocati all'oscuro di quel colloquio e avesse fatto ciò che i detective gli chiedevano, tutta quella storia sarebbe finita nel giro di mezz'ora. Nessun sospetto, nessuna voce, nessuna pubblicità negativa, nessun giornalista a gettargli fango addosso.

«D'accordo» disse in tono piatto. «Procediamo.»

Giacomo snocciolò a Howard i suoi diritti. Howard disse che sì, aveva compreso. Sì, rinunciava al diritto di rimanere in silenzio. Sì, rinunciava al diritto ad avere un avvocato presente. Sì, sì, sì.

Poi gli chiesero cosa avesse fatto la notte precedente. Lui disse che era uscito con la sua Lexus per fare un giro lungo la costa. I detective non lo interruppero né lo incalzarono. Howard iniziò a pensare che si trattasse veramente di un colloquio di routine. Quando giunse all'apice della storia, il momento in cui era in terrazza e aveva sentito degli spari, ormai parlava con tranquillità e sicurezza. Non aveva bisogno di Martin a fargli da balia. Era in grado di badare a se stesso. «Ecco quello che è successo.»

«Benissimo, signor Barwood» disse Giacomo con il tono di voce di chi si prepara a concludere una riunione. «Immagino che sia venuto qui con la sua Lexus, vero?»

«Vado ovunque con il mio gioiellino. Adoro quell'auto.»

«Allora quando abbiamo finito qui, forse Kevin e io potremmo dare un'occhiata all'odometro.»

Howard si paralizzò. «L'odometro?»

«Vogliamo solo annotare il chilometraggio da inserire nei nostri rapporti. Se ultimamente guida spesso fino a Santa Barbara, dovrebbe aver fatto parecchi chilometri.»

«Be'... forse ho un po' esagerato sul numero dei viaggi. E poi è una macchina nuova, molto nuova. Non ha ancora molti chilometri.» Stava iniziando a balbettare. Si zittì.

Heller scrisse qualcosa nel suo blocco.

«D'accordo, bene, ne riparleremo più tardi» disse Giacomo in tono mite. «Le dispiacerebbe raccontarci qualcosa a proposito di quella sua società, la Western Regional Resources.»

La Western Regional? Come diavolo facevano a conoscerla? Com'era possibile? Perché cavolo l'avevano tirata in ballo? «Non vedo che attinenza abbiano i miei affari con questa storia» disse stizzito, per guadagnare tempo.

«Oh, probabilmente ha ragione, signor Barwood» ribatté Giacomo senza smettere di sorridere. «È un'altra di quelle faccende di cui vorremmo venire a capo. Se non erro, lei possiede una società chiamata Western Regional Resources. O sbaglio?» A rigor di logica, Howard sapeva che avrebbe dovuto concludere lì il colloquio e telefonare a Martin Greenfeld, ma cocciutamente pensava ancora di potersi tirare fuori da solo da quella situazione spinosa. Era un bravo oratore. Dopo anni di esperienza nel settore immobiliare aveva sviluppato una grande abilità nell'usare parole, fascino e carisma. Fece appello a quelle qualità per togliersi dai guai.

«È vero, sono il proprietario» disse lentamente, accentuando quella confessione con una disinteressata scrollata di spalle. «La Western Regional Resources è una società che ho fondato nelle Antille Olandesi. È tutto assolutamente legale. Ci sono motivi validi, legati a questioni fiscali, per istituire simili enti. Come ho detto, è tutto a norma di legge.»

Giacomo disse che ne era sicuro. «Durante l'iter costitutivo di questo... mmh... ente offshore presumibilmente ha anche aperto un conto corrente?»

«Sì.»

«E ha incaricato qualcuno di monitorare questo conto e di gestire tutti gli aspetti legali della società, vero?»

«Sì, un impiegato bancario nelle Antille si occupa di queste mansioni per me.»

«E suppongo che lei abbia acquistato un immobile nelle Antille, per i suoi affari.»

«No. L'unica volta che ci sono andato ho alloggiato in un hotel.»

«E per quanto riguarda altri acquisti? Una macchina, un cellulare? Si è per caso iscritto a un club?»

«Niente di tutto ciò. La Western Regional Resources è... insomma, è una società legittima... cioè è legale sotto ogni aspetto, ma... non ha beni tangibili, non è un'azienda avviata, è...»

«Una società fittizia?» chiese Giacomo.

Heller scrisse di nuovo sul suo bloc-notes.

«Sì, potremmo definirla in questo modo» disse Howard.

«Un paradiso fiscale?»

«È tutto legale» ripeté Howard per quella che gli sembrò la quindicesima volta. Lo era eccome, cazzo. Era davvero tutto legale. Ma non si aspettava che quei due furfanti lo capissero. A stento avrebbero potuto comprendere i suoi problemi, le sue priorità. Se avesse dichiarato di nascondere soldi al fisco, non avrebbero gradito. E se avesse ammesso la verità, ovvero che stava usando quella scappatoia per aggirare le leggi californiane che regolamentavano la comunione dei beni per accaparrarsi quanto poteva visto il divorzio imminente, be', avrebbero pensato che aveva un movente per sbarazzarsi di Kris...

E infatti, era davvero quello il suo movente, vero?

Vero?

«Signor Barwood, possiede altri enti offshore?» Gli domandò Giacomo, ponendo un accetto sprezzante sulla parola *enti*.

«Non credo di essere costretto a discutere con voi i dettagli della mia situazione finanziaria» disse Howard.

Heller scribacchiò ancora sui suoi fogli.

«D'accordo, non c'è problema.» Giacomo stava ancora sorridendo. Probabilmente sorrideva anche mentre dormiva. «Stiamo solo cercando di fare chiarezza, tutto qui. Immagino che si trovasse alla KPTI l'altra sera.»

Quel cambio repentino di argomento colse Howard di sorpresa, ma fu felice di non dover più parlare dei suoi affari. «Esatto.»

«Che giorno era? Martedì, non è vero? 22 marzo?»

«Sì. Come fa a saperlo?»

«Alcune persone che lavorano lì ci hanno detto che era lì quella sera. Molto carino da parte sua trascorrere una serata con sua moglie mentre è al lavoro, non trova?»

«Sì» disse Howard con circospezione.

«Però, da quanto ho capito, non è rimasto con lei tutto il tempo. Ha trascorso buona parte del tempo con la produttrice esecutiva. La signorina Gilbert... Si chiama così, non è vero?»

Howard si concentrò in tutti modi per rendere il suo volto inespressivo. «Amanda Gilbert» disse.

«Amanda, già. È una sua amica?»

«Perché mi fa questa domanda? Lavora lì, tutto qua. Lavora nello stesso...»

«Ehi, ehi» esclamò Giacomo alzando entrambe le mani. «Tranquillo. È solo che alcune persone alla stazione televisiva sono dell'idea che lei e Amanda siate abbastanza intimi. E un po' meno intimi quando sua moglie è nelle vicinanze.»

«Che cosa sta insinuando?» disse Howard, traendo un profondo respiro, come se quella domanda non fosse retorica.

«Non sto insinuando nulla, signor Barwood. E Amanda cosa pensa di quei conti offshore? Le piace l'idea?»

«Non ho mai detto...» Recuperò il contegno. «Lei non sa niente dei miei intrallazzi privati.» Maledizione, *intrallazzi...* la parola sbagliata da usare. «È una collega di Kris. Non abbiamo nessuna relazione intima...»

«Strano.» Heller parlò per la prima volta, come se avesse recuperato la voce dopo tanto tempo. «Lei era di tutt'altra idea quando le abbiamo parlato un paio di ore fa.»

Cadde il silenzio. I detective lo fissavano. Howard ricambiò lo sguardo, i suoi occhi saettavano da un investigatore all'altro. Non poteva sapere se avessero davvero parlato con Amanda o se semplicemente sperassero di ottenere una risposta per poterlo incastrare. Ma se ancora non avevano interrogato Amanda, presto l'avrebbero fatto. E lei avrebbe ceduto. Era debole. Qualsiasi donna che sentiva la necessità di affermare la propria personalità facendosi fare un tatuaggio sul culo, cristo santo, era debole per definizione. E poi perché aveva trovato eccitante quel ridicolo tatuaggio?

«Signor Barwood?» osò Giacomo.

Howard lo guardò, poi allargò il campo visivo includendo il tavolo, il neon fluorescente sopra di lui, le pareti spoglie, la moquette a setole corte e il cestino di metallo nell'angolo. Alla fine gli fu chiaro: il luogo in cui si trovava, le persone che gli stavano di fronte, quel che stava accadendo. Si trovava in una centrale di polizia e quegli uomini erano poliziotti e pensavano che fosse coinvolto nell'attentato a Kris. Credevano che avesse un movente. Credevano di averlo in pugno.

«Signor Barwood» disse Giacomo con tono più deciso.

«Non ho nient'altro da aggiungere» sussurrò Howard. «Voglio parlare con il mio avvocato.»

Heller chiuse il suo bloc-notes.

«D'accordo.» Giacomo si strinse nelle spalle. «Come le abbiamo detto, è un suo diritto.» Posò una mano sul registratore. «Colloquio concluso alle Dieci e Quarantasei.»

Spense il registratore. Lui e Heller si alzarono. Howard notò che non sorridevano più.

«Sei nei guai, Howard» disse Giacomo senza disturbarsi a continuare a dargli del lei. «Hai cospirato con quello psicopatico di Hickle per far fuori tua moglie. Tu lo sai. Noi lo sappiamo. E troveremo il modo per provarlo.»

I detective uscirono dalla stanza lasciandolo da solo con i suoi pensieri.

43

Benché Travis non dormisse da più di ventiquattr'ore, si sentiva stranamente vigile. Una scarica ininterrotta di adrenalina aveva caricato le batterie del suo sistema nervoso da mezzanotte in avanti, rinvigorendolo ogni volta che le forze iniziavano a venir meno. Era da anni che non si sentiva così bene.

La sensazione era dovuta in parte al brivido che precedeva il round finale. Lo stratagemma, concepito mesi prima, stava arrivando al suo culmine. Nel giro di un paio di giorni tutti i tasselli sarebbero andati al loro posto. La partita sarebbe finita. E aveva la sensazione che a vincerla sarebbe stato lui. Malgrado i contrattempi e gli intoppi che lo avevano costretto a improvvisare, non si era scoraggiato.

Alle 11 parcheggiò davanti al bungalow a Culver City e scese dall'auto. La strada era deserta. Senza dubbio gli abitanti del quartiere erano al lavoro oppure occupati nelle loro faccende quotidiane. Anche il fatto che qualcuno potesse notarlo dalla finestra non lo preoccupava particolarmente. Era improbabile che un vicino avesse mai visto Howard Barwood faccia a faccia e, da una certa distanza, un uomo di mezza età in abiti eleganti valeva l'altro. Lo avrebbero potuto scambiare per il proprietario di casa.

E poi aveva anche le chiavi. Mesi prima, mentre faceva ricerche su Howard ed era venuto a conoscenza del bungalow, aveva ipotizzato che un giorno avrebbe avuto la necessità di entrare in quel villino. Era lì che aveva pensato di piazzare il cellulare, quel cellulare che lui stesso aveva acquistato e intestato alla Western Regional Resources. Visto però come erano andate a finire le cose, aveva fatto bene a posizionare quella prova in un luogo ancor più incriminante.

In ogni caso, per essere pronto a tutto, una notte si era recato al bungalow. In casa non c'era nessuno. Alla tenue luce proiettata dalla sua torcia a stilo aveva duplicato la chiave di ingresso utilizzando una chiave grezza e una lima.

Quella chiave era ora nelle sue mani. La inserì nella serratura ed entrò.

La casa era silenziosa e l'aria pesante. Camminò veloce verso la camera da letto. Abby gli aveva riferito che Howard teneva una pistola nel comodino.

E infatti era lì. Dentro un cassetto c'era una piccola Colt.

Travis la prese senza indossare guanti. Le impronte non erano un problema. Avrebbe pulito accuratamente la pistola prima di consegnarla alla polizia.

Appurò con piacere che il numero di serie non era stato rimosso, il che significava che la pistola era tracciabile. C'erano buoni motivi per credere che Howard Barwood l'avesse acquistata per vie del tutto legali e che potesse essere ricollegata a lui senza alcun problema. Probabilmente Howard aveva comprato la calibro .45 per la stessa ragione per cui aveva fatto montare delle inferiate alle finestre. Era un quartiere con un tasso di criminalità piuttosto alto e voleva sentirsi al sicuro.

Dopo aver controllato che fosse carica, Travis si mise la pistola in tasca. Presto o tardi gli sarebbe stata utile. Il prossimo passo da fare era mandare un'email a Hickle per fissare un incontro in un luogo appartato, forse uno dei sentieri del Topanga State Park. All'alba, magari, lontani da occhi indiscreti. Una volta arrivato, Travis si sarebbe avvicinato a Hickle con fare cospiratorio e poi... bang... una bella pallottola in testa. Avrebbe cancellato le impronte sulla pistola, lasciandola nelle mani senza vita di Hickle. Un gioco da ragazzi.

Ma prima doveva occuparsi di Abby. Sarebbe andata a casa più tardi e lì, ad aspettarla, ci sarebbe stato Raymond, pronto a darle un caloroso benvenuto.

La polizia avrebbe tratto le sue conclusioni. Avrebbero detto che Hickle aveva ucciso Abby e che poi si era sparato nel bosco. Avrebbero detto che Howard Barwood, un immobiliarista con accesso ai registri catastali, aveva dato a Hickle l'indirizzo di Abby due o tre giorni prima, insieme ad altre informazioni personali. Avrebbero detto che era stato Howard a dare a Hickle la pistola che lui stesso gli aveva comprato.

Howard avrebbe negato tutto, ma nessuno gli avrebbe creduto. Tutto filava. L'unica persona che avrebbe potuto vederci chiaro e smascherarlo era Abby. Aveva un certo intuito per quelle cose, ma entro poche ore sarebbe morta.

L'unico rimpianto di Travis era di non aver escogitato un modo per ucciderla personalmente. Purtroppo non era fattibile. Doveva accontentarsi di affidare tutto a Hickle, manovrandolo come una marionetta. Non sarebbe andata come se l'era immaginato, ma non importava.

Abby doveva morire. Dopotutto l'aveva deluso profondamente. Aveva fallito.

E il fallimento era l'unico peccato per cui non esisteva espiazione.

Travis uscì di casa, chiudendo a chiave la porta di ingresso. Il sole brillava alto nel cielo e strinse gli occhi per proteggersi da quel bagliore. Si incamminò verso la macchina tenendo la testa bassa.

Un tempo aveva amato il sole della California del sud. Ultimamente però prediligeva l'oscurità. Non sapeva il perché.

44

A metà pomeriggio Abby si svegliò del tutto. Sapeva di essersi ripresa dalla commozione cerebrale. Il mal di testa era sparito e non avvertiva postumi da trauma cranico. Dopo aver mangiato informò l'infermiera della propria diagnosi. Questa sorrise e le consigliò di attendere un secondo parere.

«D'accordo» disse Abby, ma non appena la donna uscì dalla stanza, si infilò i vestiti del giorno prima, pronta ad andarsene.

Sentì qualcuno battere le nocche sullo stipite della porta. Si voltò e vide Kris Barwood. Abby stava per salutarla, ma poi si fermò, colpita dalla sguardo turbato della conduttrice.

«Kris» disse con voce incerta.

«Abby.» Non era un saluto.

Abby la studiò. Kris era vestita, evidentemente stava per uscire dall'ospedale. Nel corridoio stava di guardia un agente della TPS con una giacca sportiva e una camicia col colletto aperto. «Stai andando a casa?» le domandò.

«Fra un po'. Ti dispiace se facciamo due chiacchiere?»

«Assolutamente no.»

Kris chiuse la porta per avere un po' di privacy. L'agente della TPS rimase fuori. «Immagino tu abbia saputo» disse.

«Saputo cosa?»

«È su tutti i canali e le stazioni radio, a partire ovviamente dai miei cari amici alla KPTI.»

«Stavo dormendo» disse Abby con gentilezza. «Perché non ti siedi?»

Kris guardò la sedia per i visitatori e si prese un momento per studiarla, come se stesse cercando di capire a cosa servisse. Poi si mise a sedere. Abby assunse la posizione del loto sul letto disfatto.

«È stato Howard» disse Kris in un sussurro.

Abby annuì. Dallo sguardo di Kris aveva già intuito che il probabile coinvolgimento di Howard Barwood nel tentato omicidio della moglie era già trapelato ai media. «Lui dov'è?»

«Be'…» Kris alzò le mani, i palmi rivolti verso l'alto. «È sparito.»

Quella notizia colse Abby di sorpresa. «Sparito?»

«Sì.»

«Quando?»

«Un'ora fa. Lui… è scappato. È scappato via.» Ripeté quelle parole come per convincersene.

«Kris, com'è andata esattamente?»

«Com'è andata…?»

«Dimmi chi, cosa e dove. Solo l'essenziale. La cronologia dei fatti.» Abby tentò un approccio giornalistico, sperando di mettere chiarezza nei pensieri della donna.

Quella tattica funzionò. Kris si raddrizzò sulla sedia, concentrandosi. «Va bene, ecco cosa è successo. Howard è rimasto con me per la maggior parte della nottata. Stamattina è andato via perché aveva un colloquio alla stazione di polizia. Doveva essere una procedura standard e aspettavo che tornasse, ma non è più tornato. Alla fine ho chiamato a casa e mi ha detto che stava parlando con il suo avvocato e che mi avrebbe richiamata.»

«Ma non l'ha fatto.»

«No. Mezz'ora fa l'ho richiamato io. Questa volta ha risposto Martin Greenfeld. L'avvocato di Howard. E mi ha detto… be', è incredibile quello che mi ha detto.»

«Tranquilla. Vai con calma.»

«Mi ha detto che dei detective sono arrivati a casa con un mandato di perquisizione. A casa *nostra*. Hanno cercato in giro e hanno trovato una cosa. Sembravano soddisfatti. Martin l'ha vista dentro un sacchetto di plastica. Pensa sia un telefonino, un cellulare.»

Abby sapeva che doveva essere il cellulare intestato alla Western Regional Resources. Lo stesso cellulare che Howard aveva utilizzato per chiamare a casa di Hickle. «Dove l'hanno trovato?» le chiese.

«Martin non ne è sicuro al 100%, ma pensa che l'abbiamo trovato dentro un armadio al piano terra. Ma come è possibile? Io e Howard abbiamo tre cellulari ma non teniamo nessuno dei tre in un armadio.»

«E poi» la incalzò Abby, «Howard è sparito?»

Kris annuì. «Ha detto che doveva andare in bagno. Dev'essere uscito di casa passando dalla porta sul retro. È andato a casa di Terri e Mark, alla fine della nostra via, e ha chiesto se poteva prendere in prestito una delle loro macchine (ne hanno tre), dicendo che voleva venire a trovarmi qui in ospedale ma che la sua Lexus non partiva. Gli hanno dato le chiavi ed è uscito dalla Reserve senza essere visto. E adesso se n'è andato, scomparso. È su tutti i canali. Ne parla ogni telegiornale. Dicono che è fuggito perché è uno dei sospettati. Martin non vuole darmi i dettagli e ho paura a chiamare in redazione… Non posso parlare liberamente con nessuno là dentro. Sono miei amici ma non ci penserebbero due volte a voltarmi le spalle per la carriera. Sono degli arrivisti. Sto per andare a casa e ancora non so cosa stia succedendo.»

Il messaggio era chiaro. Kris le stava lanciando una richiesta di aiuto e Abby doveva rispondere. «È stato Travis a dirti che anch'io ero ricoverata qui?» le domandò, decidendo di prendere l'argomento alla larga.

«Sì, me l'ha accennato.»

«Ma non ti ha detto nient'altro a proposito di Howard?»

«Niente di niente.»

«Be'… avrebbe dovuto.» Il coraggio era una qualità che Abby pensava di possedere, ma si sentì mancare il terreno sotto i piedi quando i suoi occhi incrociarono lo sguardo sincero e supplicante di Kris. Doveva dirle tutta la verità, pensò risoluta. «D'accordo, ti dirò quello che so. Hickle aveva un informatore che mi ha smascherato. Non sappiamo chi sia, ma…»

Kris scosse la testa in automatico, negando le parole che Abby non aveva ancora detto. «Oh, no. No, è impossibile.»

«Abbiamo delle prove.»

«Quali prove?» Kris si alzò e cominciò a camminare avanti e indietro per la stanza. «Il cellulare? È una prova? Quello che hanno trovato?»

«Credo di sì.»

«Ma perché? Cosa dovrebbe significare?»

Abby le rispose con una domanda. «Howard ti ha mai parlato di una società chiamata Western Regional Resources?»

«No.»

«Giovedì sera Hickle ha ricevuto una chiamata sul suo numero di casa, probabilmente per fissare un incontro o qualcosa di simile. Ho rintracciato il numero. Appartiene a un cellulare intestato alla Western Regional Resources. Travis ha scoperto, e ne ha le prove, che è una società offshore fondata da Howard, apparentemente a tua insaputa.»

«No, non può essere. Perché dovrebbe voler aiutare quell'uomo? Per quale assurdo motivo?»

«Be', la mia è solo un'ipotesi…»

«Parla» esclamò Kris, seccata. Stava per perdere la pazienza.

«Howard ha fondato altre società simili alla Western Regional Resources. E non sono poche. Sta trasferendo il suo patrimonio, il vostro patrimonio, su conti correnti segreti all'estero.»

Per un attimo il silenzio regnò nella stanza, mente Kris elaborava quella notizia e tutte le relative implicazioni. «Sta nascondendo il nostro patrimonio» disse infine. «Sta nascondendo i nostri soldi? Da me?»

«A quanto pare.»

«Così potrà lasciarmi… e al momento di spartire il…»

«Esattamente.»

«Allora è vero.» Kris si voltò, lo sguardo perso nel vuoto.

«Che cosa, Kris?»

«Che mi ha tradita. Lo sospettavo. Ma non volevo crederci…» La voce divenne un sussurro. «Chissà con chi.»

Abby non rispose. Quello era un brutto colpo che le poteva risparmiare. «Potremmo aver preso un granchio» disse senza convinzione.

«Riguardo il trasferimento dei beni patrimoniali e le società che ha fondato?»

«Mmh, no. Di questo siamo piuttosto certi, ma non dimostra che Howard sia il complice di Hickle. Assolutamente no.»

«Assolutamente no» ripeté Kris meccanicamente. «Vorrei sapere se ha mai pensato che anche io avrei potuto tradirlo.» La voce era distante, lontana da quella stanza.

«Perché avrebbe dovuto pensarlo?»

«Me l'hanno proposto, ma io ho respinto l'offerta. Ma lui come poteva saperlo? Magari ha pensato che sia andata fino in fondo.» Distolse lo sguardo. «Forse ci voleva entrambi morti.»

Abby non riusciva a capire dove Kris stesse andando a parare, ma non le fece domande. A volte era meglio lasciar sfogare le persone.

«No.» Kris scosse la testa dopo un minuto di riflessione. «Non ha senso. Howard non poteva immaginare che Paul sarebbe venuto con me in macchina ieri notte, giusto? È stata la prima volta che mi ha accompagnato a casa.»

Paul.

Abby non si scompose, ma sotto il letto sembrò scoppiare un piccolo terremoto. Oppure era il mondo che le stava crollando addosso?

Nello stesso istante Kris si rese conto della confessione che le aveva appena fatto. «Oddio, forse non avrei dovuto dirlo.»

Abby trovò un sorriso da qualche parte dentro di sé e se lo appiccicò in faccia. «Non c'è problema, Kris.»

«Tu sapevi? Ti ha parlato del suo... interesse per me? Be', effettivamente lavorate a stretto contatto.»

Più di quanto immagini, pensò Abby, ma non abbastanza. «Non è stato necessario» rispose con voce calma, il suo viso era una maschera inespressiva. «L'ho capito da sola.»

«Ah.» Kris era sollevata. «Ma certo. Tu capisci le persone al volo, giusto?»

«Quasi sempre» disse Abby con dolcezza, mettendo un leggero accento ironico sulla prima parola. «Quindi è stato Travis a proporti una relazione?»

«Diciamo che non è stato così diretto, ma, sì, mi ha fatto capire che era disponibile. A quanto pare in questo momento non si vede con nessuno.»

«Quand'è che gli è venuta l'idea?»

«Be', immagino nel periodo in cui stavo pensando di annullare il contratto con la TPS, ma lui mi ha convinta a restare. È stato molto persuasivo. All'inizio pensavo che mi stesse facendo delle avances solo per tirare acqua al suo mulino, ma poi è tornato alla carica e allora ho capito che le sue intenzioni erano serie.»

«Immagino vi siate visti abbastanza spesso.»

«Passava a casa nostra più o meno una volta alla settimana. Solitamente quando Howard era al golf club. Mio marito è piuttosto bravo. Paul mi aggiornava sulla situazione. Parlavamo soprattutto di affari, ma col tempo i nostri discorsi sono diventati più personali. Sapeva che con Howard ero infelice. Diceva che insieme saremmo stati bene, però non mi ha fatto nessuna pressione. Un vero gentiluomo.»

«È successo qualcos'altro?»

«No. Probabilmente sono l'unica persona a Los Angeles a rispettare gli obblighi matrimoniali. Non che non sia stata tentata. Sa essere davvero affascinante. Chi lo sa, forse insieme saremmo stati davvero bene, come ha detto lui. Ma non c'è mai stato niente di fisico. Siamo stati molto maturi.»

«Pensi che sia ancora interessato a te?» le chiese Abby, anche se conosceva già la risposta.

«Credo proprio di sì. Strano a dirsi ma penso che sia un uomo solo. Una volta mi ha detto che le donne con cui è stato non hanno mai significato molto per lui. Erano solo... be'... uno svago, immagino. Delle novità. Come Howard con i suoi giochi.»

«Giochi» ripeté Abby a pappagallo. Dentro di lei regnava una calma pericolosa, come la quiete prima della tempesta.

«Non credo dipendesse da quelle donne. Paul è un uomo affascinante, ma nasconde i suoi sentimenti dietro al giubbotto antiproiettile. Non si apre mai e trovare un varco in quella corazza è difficile.»

«Ma tu ci sei riuscita.»

«Emotivamente sì. Eravamo davvero in sintonia. Anche se non ci siamo spinti oltre le chiacchiere. Sembrava che parlare fosse molto importante per lui. Lo era anche per me. Avevo bisogno di qualcuno con cui parlare, qualcuno che non mi trattasse come una svitata paranoica perché non facevo altro che pensare a Hickle. Avevo bisogno di qualcuno che mi mostrasse rispetto. Howard non ha mai rispettato i miei sentimenti. Mai.»

«E pensi che a Paul piacesse passare del tempo con te?»

Kris sorrise. «Mi ha detto che è stato come rinascere a quarantaquattro anni. Come se per anni e anni fosse rimasto assopito, chiuso in se stesso, finché…»

«Finché non sei arrivata tu.»

«So che sembra una cosa stupida…»

«No, per niente. E Howard?»

«Howard?»

«Non aveva dei sospetti? Me l'hai detto tu.»

Kris arricciò le labbra. «Forse ho esagerato un po'. La verità è che dubito che Howard si sia mai accorto dell'interesse che Travis nutre per me. Probabilmente ha sempre pensato che fossi solo un'altra delle sue clienti. Howard era troppo preso dai suoi giochi, dalle sue macchine… e forse dal suo piano ai miei danni.»

«Se fosse davvero il complice di Hickle…»

«Sì?»

«Ti libereresti di lui.»

«Penso proprio di sì.»

«E Paul sarebbe ancora lì ad aspettarti.»

«Mi stai chiedendo se voglio mettermi con lui?»

Abby annuì. «Sembra che sia quello che lui vuole. E, da quanto ho capito, anche tu sembri dell'idea.»

Kris rise tristemente. «Oh, accidenti, non so quello che voglio. La vita è davvero un casino per tutti, non è così? Siamo tutti fregati, tutti.» Fissò i suoi occhi blu su Abby. «Tranne per te, forse.»

«Io?»

«Sei una delle poche persone davvero autosufficienti che abbia mai incontrato. Scommetto che non permetti alla tua vita sentimentale di prendere il sopravvento, vero?»

«Non ne sarei così sicura.»

Kris alzò un sopracciglio. «Allora anche tu hai dei nodi che non riesci a sciogliere?»

«Forse solo uno. Ma enorme.»

«Be', sono contenta che abbiamo qualcosa in comune.»

Abby rimase in silenzio. Non sapeva cosa dire.

«E sono contenta che tu mi abbia raccontato tutto questo» aggiunse Kris. «Meglio venirlo a sapere da te piuttosto che dalla polizia o dal nostro avvocato.»

Fece un passo verso la porta. Abby la fermò. «Non hai risposto alla mia domanda.»

«Su Paul? Un futuro con lui?» Kris piegò la testa, assumendo una posa inconsapevolmente attraente. I capelli biondi le cadevano su una spalla come una cascata dorata. «È buffo.»

«Cosa?» Secondo Abby non c'era proprio niente di buffo in quella storia.

«Prima di ieri sera avrei detto di no. Ma adesso… Be', Travis mi ha salvata. Mi ha trascinata fuori da quella macchina e mi ha protetta mentre Hickle ci crivellava di colpi. Mi ha salvato la vita.» Fece una breve risata, simile a un singhiozzo. «Howard non è neppure uscito di casa.»

Abby annuì lentamente. Aveva sentito tutto ciò che aveva bisogno di sentire. «Grazie, Kris.»

«Di cosa?»

«Di questa chiacchierata.»

Kris alzò le spalle, sinceramente stupefatta. «Sono io quella che dovrebbe ringraziarti per tutto quello che hai... e per avermi ascoltato.»

«Sono brava ad ascoltare.» Abby sorrise. «Me lo dicono tutti.»

Si salutarono. Abby era seduta sul letto e seguiva i passi di Kris e della guardia del corpo mentre si allontanavano lungo il corridoio. Il rumore svanì e lei fu di nuovo sola. Non si mosse. Pensò che sarebbe potuta rimanere immobile per tutta la vita. Forse aveva subìto troppe batoste, fisiche e psicologiche, nelle ultime ventiquattr'ore. Era a pezzi. Credeva... aveva davvero creduto...

«Credevo che mi amasse» bisbigliò, dando voce a quel pensiero per sentirsi pronunciare quelle parole.

Non si era mai fidata del tutto dell'amore e dell'intimità. Si era sempre difesa dal dolore. Eppure sembrava che tutte le barriere che aveva innalzato non le avessero impedito di soffrire. O forse il problema erano proprio quelle barriere. Era stata troppo vigile? O forse non abbastanza? Forse era ingiusto incolparsi quando era stato Travis a tradirla, a essere disonesto.

Chiuse gli occhi e cercò di capire se avesse mai amato Paul Travis. Immaginò una vita insieme a lui. Le sembrò così stupido fantasticare su un futuro insieme a un uomo che nemmeno la baciava in pubblico, per il timore di rivelare la loro relazione. E allora perché aveva continuato a frequentare un uomo che le dava così poco? Forse perché chiedeva poco in cambio. Era una relazione conveniente per entrambi. Alcuni avevano matrimoni di convenienza, la loro era una storia di convenienza. Ora riusciva a capire, a vedere la verità, ma prima non ci era riuscita. La mente era in grado di abbandonarsi a succulenti banchetti di autoillusione. E il cuore... il cuore degli innamorati...

«Il cuore ha le sue ragioni» mormorò. Aveva letto quelle parole da qualche parte... ma dove? Ah, sì. Nell'annuario scolastico di Kris, nella stanza di Raymond Hickle.

Il cuore ha le sue ragioni, che la ragione non conosce. Il cuore di Hickle, quello di Kris, di Howard e di Travis... e anche il suo cuore. Anche il suo.

45

Il dottore ci mise un po' a visitarla, ma entro le 17 l'aveva dimessa e alle 17.30 lei era seduta sui sedili posteriori di un taxi diretto a Hollywood. Osservava le strade sfrecciarle accanto in una macchia granulosa di colori. Il sole arancione del tardo pomeriggio bruciava attraverso il lunotto del veicolo picchiandole sulla nuca.

Dopo la chiacchierata con Kris aveva acceso la televisione per guardare i notiziari. Hickle aveva ottenuto quello che aveva sempre agognato: era diventato, per così dire, una celebrità. Una vecchia foto, presa probabilmente da una targhetta identificativa di uno dei tanti lavori che aveva fatto, veniva mostrata sullo schermo ogni volta che un'emittente televisiva locale interrompeva la propria programmazione per trasmettere altri inutili aggiornamenti.

Howard Barwood non era da meno, però. Una sua foto, che lo ritraeva a una serata di beneficenza, veniva trasmessa con la stessa regolarità.

Tutti e due erano spariti. L'unica novità era che, nel distretto di Sylmar, nella San Fernando Valley, avevano trovato un'auto rubata la sera prima a Malibu. Dato che la macchina era scomparsa più o meno allo stesso orario in cui Hickle era fuggito, si pensava che fosse lui il responsabile del furto. Nessuno sapeva però quanto tempo l'auto fosse rimasta a Sylmar o dove si trovasse Hickle in quel momento.

Il taxi lasciò Abby vicino al Gainford Arms. La sua Dodge era ancora nella stradina laterale dove Wyatt l'aveva parcheggiata. Aprì la portiera e accese il motore.

L'unico posto in cui volesse andare era casa sua, ma prima doveva sbrigare un'ultima faccenda.

Guidò verso la stazione di polizia di Hollywood e arrivò a destinazione dopo le 18. Ormai Wyatt doveva già essere in servizio.

L'idea di entrare in una stazione di polizia non le andava per niente a genio. Meno poliziotti vedevano la sua faccia, meglio era, ma doveva rivolgere a Wyatt un paio di domande. Faccia a faccia.

Lasciò la pistola e gli oggetti metallici nel vano portaoggetti in modo da non far suonare il metal detector. All'entrata si fermò e si voltò per guardare un'ultima volta il sole gonfio che tramontava a occidente. Aveva dormito per quasi tutto il giorno e provò una strana sensazione nel vedere che l'oscurità stava arrivando così presto. Si chiese cosa avrebbe portato la notte.

Nell'atrio chiese del sergente Wyatt. L'agente incaricato parlò al telefono e le disse che il sergente l'avrebbe ricevuta in un paio di minuti. Abby finì per aspettare più di dieci minuti. Poi Wyatt arrivò e la condusse nel suo ufficio situato alla fine del corridoio. Le rivolse la parola solo dopo aver chiuso la porta alle sue spalle.

«Abby, come stai?»

Alzò le braccia per mostrargli che non aveva niente di rotto. «Mi sono rimessa del tutto.»

«Dovresti essere a casa a riposare.»

«Ci stavo andando, infatti. Sei appena entrato in servizio?»

«Già. Per questo hai dovuto aspettare un po'. Avevo una riunione all'inizio del turno.»

«Cosa hai detto? Quello che dice sempre il sergente Esterhaus in *Hill Street giorno e notte*? "State attenti là fuori"?»

Sorrise. «Ho semplicemente detto ai ragazzi di stare attenti alle chiappe.» Il sorriso svanì. «Forse dovrei iniziare a dirlo anche a te.»

«So badare...» Non terminò la frase.

«A te stessa? Lo so, la maggior parte delle volte.»

«Ok, ieri notte è stata un'eccezione. Non ce l'avrei mai fatta senza di te e non dovrei controbattere se mi dici di stare attenta alle chiappe, dato che me le hai già salvate. Sei contento adesso?»

«Direi di sì.» Wyatt si lasciò cadere su una sedia. «Allora, perché sei qui, Abby? Ho come l'impressione che non frequenti spesso le stazioni di polizia.»

«Voglio sapere una cosa.»

«Perché non sono sorpreso? Coraggio, dimmi pure.»

«Pare che Hickle abbia rubato una macchina a Malibu e che l'abbia abbandonata a Sylmar; e questo lo sanno tutti. Quello che invece non tutti sanno è la marca, il modello e il numero di targa del veicolo che ha usato dopo aver lasciato la prima macchina.»

«Cosa ti fa credere che sappiamo che tipo di macchina sta guidando adesso?»

«Non sto dicendo che ne abbiate la certezza, ma dai Vic, stiamo parlando di Sylmar un venerdì notte. I furti d'auto sono all'ordine del giorno in quel distretto. Scommetto che avete individuato almeno un paio di furti di grande valore perpetrati in un certo lasso di tempo, diciamo dall'una alle tre.»

«Infatti è così. A dire il vero ne abbiamo individuati tre.»

«Voglio delle informazioni su quei veicoli. Uno di quei tre potrebbe essere il nuovo mezzo di trasporto di Hickle.»

Wyatt strinse gli occhi e la studiò per un momento. «Non vorrai andarlo a cercare?»

«No.»

«E allora perché ti servono queste informazioni?»

«Ha cercato di uccidermi una volta e potrebbe riprovarci ancora. Se viene a cercarmi, avrò maggiori probabilità di riconoscerlo se so che macchina sta guidando.»

«Ma come farebbe a rintracciarti? Conosce solo il tuo indirizzo di Hollywood e tu non andrai lì.»

Abby scrollò le spalle. «Non hai guardato il telegiornale? Si sospetta che Howard Barwood sia il complice di Hickle. Non pensi che Howard potrebbe trovare l'indirizzo di casa mia se volesse? Conosce il mio nome e ha lavorato nel settore immobiliare.»

Wyatt distolse lo sguardo, afflitto. «Che stupido... non ci avevo pensato.»

«Avrai avuto altro a cui pensare. Mi puoi dare quelle informazioni?»

«Sì, aspetta un attimo.»

Uscì dall'ufficio e tornò con un foglio. «Abbiamo deciso di non dare ai media queste informazioni finché non scopriremo con certezza qual è la macchina che Hickle ha rubato. Non vogliamo che qualche testa calda spari a un adolescente colpevole di furto.»

«Non ho intenzione di sparare a nessuno.» Abby copiò le informazioni sul suo taccuino. Le auto rubate erano una Civic del '96, una Mustang dell'87 e una Impala del '92.

«Questo lo so» disse Wyatt con tono incerto. «Ma se vedi una di queste macchine, chiamami subito. Niente gesti eroici, per favore. Non stavolta.»

«Va bene.» Chiuse il bloc-notes e gli ridiede la scheda. «Ancora una cosa. Sai se la polizia di Culver City sta sorvegliando il bungalow di Howard Barwood?»

«Hanno piazzato una macchina sulla strada. Se Howard si farà vivo, lo prenderanno. Li hai informati tu?»

«No, è stato Travis. Gli avevo chiesto di farlo se Howard fosse scappato.»

«Come facevi...» Wyatt non concluse la domanda. «No, non dirmi come facevi a sapere del bungalow. Non voglio saperlo. Quindi avevi già ipotizzato la sua fuga.»

«Era un'evenienza che poteva verificarsi. Barwood è un debole, o almeno così la penso io. Si comporta come un ragazzo che non è mai cresciuto. Una crisi l'avrebbe fatto crollare ed è andato nel panico. Questa è la mia interpretazione.»

Wyatt annuì. «Torniamo al discorso di quella sera al bar, di quanti pochi adulti ci siano a LA. Però non conosco molti bambinoni che si rivolgono a uno stalker per farsi uccidere la moglie.»

«Le persone sono complicate» disse Abby debolmente, pensando a Travis e a come avesse tentato di sedurre Kris. «Possono sempre sorprenderti. Persino quelle che credevi di conoscere meglio.»

46

Erano quasi le 19.30 quando Abby raggiunse Westwood. Il cielo era buio e, a un isolato dal Wilshire Royal, svoltò in una stradina laterale e fece un giro per il quartiere collinare alla ricerca di una delle macchine rubate. Sulla maggior parte di quelle strade potevano parcheggiare solo i residenti e non c'erano molti veicoli da controllare. Nessuno corrispondeva alle caratteristiche della sua lista.

Si chiese se non fosse un po' paranoica. Forse Hickle non sapeva davvero il suo indirizzo e anche se l'avesse saputo, in quel momento avrebbe potuto avere priorità più importanti della vendetta. In gioco c'era la sua stessa sopravvivenza. Era un animale braccato. In quell'istante sarebbe potuto essere oltre il confine dello stato o rinchiuso in una camera di un motel nel deserto.

Abby scosse la testa, dando un nome a quel flusso di pensieri: pericolosa razionalizzazione. Era stanca e voleva riposarsi. Stava cercando di convincere se stessa che fosse sensato abbassare la guardia, andare a casa e raggomitolarsi sul divano ad ascoltare un po' di musica. Era quello che voleva fare a tutti i costi, ma ciò che voleva e ciò di cui aveva bisogno non erano necessariamente la stessa cosa. L'intuito l'aveva salvata in altre occasioni. Non poteva ignorarlo proprio adesso.

E ora il suo intuito le suggeriva che Hickle non l'aveva dimenticata. Aveva scoperto il suo indirizzo. Era vicino.

* * *

Il consiglio dei condòmini del Wilshire Royal era rimasto piuttosto contrariato quando era venuto a sapere che un edificio di sedici piani adibito a uffici sarebbe stato costruito proprio di fronte al palazzo. Quella costruzione, come avevano giustamente profetizzato i membri del consiglio, sarebbe stato un vero pugno nell'occhio. Avrebbe rovinato il panorama a tutti gli appartamenti che si affacciavano sulla Wilshire, riducendo il valore di mercato.

Le loro petizioni e le proteste erano state ignorate. L'edificio era stato innalzato, uno squallido monolito con opache pareti nere e finestre strette. "La Torre Nera" era l'appellativo che le persone avevano inevitabilmente finito per affibbiargli. Poi, quando i lavori stavano per essere completati, la società immobiliare aveva inaspettatamente dichiarato bancarotta. L'edificazione si era interrotta e i condòmini che occupavano gli appartamenti a nord potevano ora godere della vista di un mostro disabitato.

Ma quella notte la Torre Nera non era disabitata. Tra le sue mura c'era del calore umano. C'era un respiro. C'era il battito lento di un cuore paziente.

Hickle attendeva, accarezzando la canna forgiata a martello e la calciatura in noce del suo Heckler&Koch 770.

Era arrivato la notte prima. Nel bagagliaio dell'Impala rubata aveva trovato una chiave per smontare gli pneumatici e l'aveva utilizzata per forzare la serratura del cancello. Era salito per nove rampe di scale, guidato dalla sua torcia, trascinandosi il borsone con dentro il fucile e la carabina. Al decimo piano aveva camminato lungo il corridoio buio per giungere sul lato frontale dell'edificio dove le lastre di vetro delle finestre sovrastavano il traffico frenetico su Wilshire Boulevard. All'altro capo della strada c'era il Wilshire Royal. Travis gli aveva detto che l'appartamento di Abby era il 1015, il quarto a partire dall'estremità occidentale del palazzo. Hickle si era posizionato direttamente di fronte alla finestra di Abby. Le luci erano spente, le tende tirate. Ma prima o poi sarebbe tornata a casa.

Tra i vari attrezzi che avevano lasciato gli operai c'erano un tagliavetro e una riga con cui Hickle aveva ricavato un buco rettangolare nella lastra di vetro. Da quell'apertura, a tempo debito, avrebbe potuto sparare.

Per ammazzare il tempo aveva testato il sistema di puntamento laser, proiettando un lungo raggio rosso-arancio lungo la linea di localizzazione dell'obiettivo. Il puntino luminoso brillava nel mirino a potenza variabile. Hickle poteva direzionarlo su qualsiasi punto del balcone di Abby oppure sulle tende dietro al vetro delle finestre. E nel punto in cui si sarebbe posato il fascio rossastro, sarebbe arrivato un proiettile alla velocità di 670 metri al secondo, percorrendo una distanza di trenta metri.

Di tanto in tanto aveva controllato le bandiere issate nel cortile del Royal. Probabilmente a quella distanza lo spostamento d'aria non avrebbe rappresentato un fattore importante, comunque era pronto ad aggiustare la mira di un paio di centimetri in caso di un'improvvisa folata di vento. Le bandiere erano rimaste flosce per tutto il giorno e anche alla sera. Non c'era la minima brezza.

Trascorse la maggior parte del tempo ad aspettare. Non si riposò per un solo istante, non chiuse mai gli occhi. A volte cambiava posizione per allentare la tensione dei muscoli. Si era messo in piedi e in ginocchio, poi si era seduto su un ruvido tavolo da lavoro che aveva trascinato vicino alla finestra, rifiutandosi di abbandonare la postazione anche per un solo minuto, ignorando la fame, la sete e il bisogno di urinare. Dopo un po' quelle necessità corporali si erano affievolite. Erano le 20 di un sabato sera e non sentiva niente. Era insensibile a tutto.

L'unica cosa che lo preoccupava erano i suoi nervi. Doveva mantenerli saldi per tener ferma la carabina e si chiese se il suo corpo l'avrebbe tradito nel momento cruciale. Pensava di no. Non era riuscito a uccidere Abby e, per miracolo, gli era stata offerta una seconda possibilità. Non aveva intenzione di sprecarla.

* * *

Abby controllò la zona nord di Wilshire. Lì le macchine parcheggiate erano di più. Molte erano vecchi modelli e probabilmente appartenevano a degli studenti universitari. Più di una volta pensò di aver individuato uno dei veicoli rubati, ma la targa non corrispondeva.

Mentre passava accanto a una casa con le finestre buie e un cartello nel prato su cui c'era scritto VENDESI, notò una macchina sotto il portico. Sembrava una Chevrolet Impala, ma da quella distanza era difficile esserne certi. Parcheggiò lungo la strada e si diresse verso la casa a piedi, portandosi la borsa con la pistola. All'inizio del viale esaminò l'auto. Era parcheggiata con il muso rivolto verso la strada, il che significava che l'autista era entrato in retromarcia, una manovra insolita. La targa anteriore non c'era. Tutti i veicoli californiani però venivano muniti di due targhe.

Distolse lo sguardo dalla macchina e si concentrò sull'abitazione. La casa sembrava vuota. Finse di guardare il cartello con la scritta VENDESI nel caso qualche vicino stesse curiosando. Dopo aver dato l'impressione di essere una potenziale acquirente, si avvicinò alla porta d'ingresso. Il corto e curvilineo vialetto le permise di passare vicino alla finestra a golfo. Le tende non erano tirate e, sebbene il salotto fosse immerso nel buio, riuscì a vedere, grazie alla luce dei lampioni, che non c'erano mobili. Chiunque stesse cercando di vendere quella casa aveva già traslocato. Ma allora perché c'era una macchina parcheggiata davanti?

Suonò il campanello ma nessuno rispose. Suonò una seconda volta. Stesso risultato. Poi andò verso il portico con la borsa aperta e l'indice posato sul grilletto della sua Smith&Wesson.

Quelle precauzioni si rivelarono inutili. Anche il portico era vuoto.

Decise allora di esaminare la macchina. Era davvero una Chevrolet Impala, anno e colore corrispondevano a quelli che le aveva fornito Wyatt. Anche il numero della targa posteriore combaciava. Hickle aveva parcheggiato lì l'auto rubata, nel posteggio di una casa privata, e aveva tolto la targa anteriore per ridurre il rischio di essere scoperto.

La possibilità che avesse rubato una delle altre macchine della lista e che quella fosse stata abbandonata lì da un altro ladro non era neppure da prendere in considerazione. Abby aveva imparato a non ragionare in termini di coincidenze quando era in gioco la sua vita. Hickle aveva guidato la Impala da Sylmar fino a lì, a pochi isolati da casa sua. Ciò significava che sapeva dove abitava e che era venuto lì per lei.

Fece il giro della casa, esaminando ogni porta e finestra. Non c'erano segni di scasso o effrazione. Hickle si era limitato a lasciare la macchina nel portico. Si stava nascondendo da qualche altra parte. Forse nel suo condominio o nel garage. La sicurezza al Wilshire Royal era difficile da eludere, ma anche quella della Malibu Reserve, eppure Hickle era riuscito a penetrarvi. Se avesse voluto, sarebbe stato in grado di entrare anche nel suo condominio. Sarebbe potuto essere rimasto lì appostato da quella mattina, pronto a tenderle un agguato da più di venti ore.

A Abby non sembrava affatto carino farlo aspettare ancora.

47

Dei fari.

Brillarono nella rampa che conduceva al garage sotterraneo del Royal. Una piccola macchina bianca si fermò al cancello; un braccio sbucò dal finestrino del conducente per inserire la tessera nella fessura.

Hickle si appoggiò alla finestra. La macchina era un'utilitaria bianca usata. In quel quartiere sembrava fuori posto. Guardò attraverso il mirino della carabina e notò dei capelli scuri e un avambraccio pallido. Poteva essere Abby. Non ne era sicuro. La sua macchina non era parcheggiata accanto alla sua al Gainford Arms e non l'aveva mai vista.

Il cancello si alzò. L'utilitaria bianca avanzò, scendendo la rampa del garage.

Aveva la strana sensazione che fosse Abby. Era troppo malmessa per chiunque abitasse al Wilshire Royal. Sarebbe potuta essere l'auto di una cameriera, ma perché una cameriera avrebbe dovuto andare a lavorare alle otto di un sabato sera? E i capelli scuri della conducente avevano un aspetto familiare.

Doveva essere Abby. Per forza.

«Sei arrivata» bisbigliò Hickle.

* * *

Abby condusse la Dodge fino al cancello d'ingresso del garage sotterraneo del Wilshire Royal. Sapeva che c'erano buone probabilità che Hickle fosse nelle vicinanze, pronto a tenderle un agguato e a spararle con il fucile non appena lei si fosse fermata per introdurre la tessera del parcheggio. Anche se avesse provato a rispondere al fuoco, si sarebbe trovata in una posizione di svantaggio, vulnerabile, e la sua macchina, a differenza di quella aziendale di Travis, non era blindata.

Con la mano sinistra introdusse la tessera nella fessura del cancello automatico, mentre la destra impugnava la Smith .38. Voleva quasi che Hickle facesse la sua mossa.

Il cancello si aprì senza intoppi. Guidò l'auto nel parcheggio, scendendo la rampa del garage sotterraneo del palazzo.

Il garage era l'altro luogo possibile per un'imboscata. Hickle si sarebbe potuto nascondere dietro uno dei piloni di cemento rinforzato o all'interno del veicolo di uno dei condomini. Forse stava aspettando che uscisse alla luce dei neon fluorescenti sul soffitto.

Parcheggiò nel posto a lei riservato, poi si mise la borsa sulle spalle, tenendo la Smith lungo il fianco, e uscì velocemente dalla macchina. Attese un istante prima di chiudere la portiera, ascoltando l'eco di quel rumore sordo. Lentamente andò allo scoperto, gli occhi sbarrati, lo sguardo che saettava da ombra a ombra.

Nessuna ombra si mosse. Nessuno sparo rimbombò nell'aria.

Rimase vigile mentre attraversava metri di cemento fino all'ascensore. Una volta lì, premette il pulsante. L'ascensore la portò al decimo piano. Ripose la pistola nella borsa ma continuò a tenere l'indice sul grilletto.

Le porte si aprirono con un sibilo. Prima di incamminarsi verso il suo appartamento, diede un'occhiata al corridoio. Il posto più probabile in cui Hickle si sarebbe potuto nascondere era dentro il suo appartamento, nel suo salotto. Tenne la testa bassa, lontana dallo spioncino, e controllò con attenzione la maniglia. La porta era ancora chiusa a chiave, un fatto che non significava nulla, ma se la porta non fosse stata chiusa a chiave, allora sì che la questione si faceva interessante. Guardò la maniglia attentamente e non individuò alcun segno di manomissione. Quando aveva perlustrato la casa di Hickle non aveva trovato strumenti da fabbro né alcun libro che spiegasse come forzare delle serrature. Non doveva essere un esperto in quel settore.

Ciononostante tese i muscoli e si preparò allo scontro mentre prendeva la chiave e apriva la porta. Estrasse la Smith dalla borsa e la tenne alta davanti a sé. Se qualche vicino fosse comparso nel corridoio proprio in quell'istante, avrebbe dovuto dare delle spiegazioni.

Ora veniva la parte più pericolosa. Entrando si sarebbe resa totalmente vulnerabile. Non aveva idea di che tipo di benvenuto la attendesse.

* * *

Hickle allineò la bocca della carabina al buco nel vetro, inserendo la canna per smorzare lo sparo. Con estrema precisione puntò l'arma verso il balcone, la porta a vetri, le tende.

Avrebbe aspettato finché Abby non avesse aperto quelle tende. Non ci sarebbe voluto molto.

Una volta in vista, ben visibile nel mirino, avrebbe premuto il grilletto, adagio, con delicatezza, e un ventesimo di secondo più tardi non ci sarebbe stata più nessuna Abby.

* * *

Abby spalancò la porta ed entrò rapida, facendo un giro su stessa e poi abbassandosi per evitare di essere colpita da un proiettile puntato alla sua testa.

Nessuno sparo. Chiuse la porta ma non toccò l'interruttore della luce accanto al telaio. Il salotto era immerso nell'oscurità. Fidandosi della sicurezza del Royal non si era mai presa il disturbo di installare dei timer per le luci. Fu contenta che fosse buio. Se Hickle era nascosto da qualche parte, la luce avrebbe rivelato la sua posizione. In quel momento la luce era una sua nemica. Nella borsa aveva una minitorcia che però proiettava un fascio luminoso molto potente. La trovò. La prese e, con la mano sinistra, la posizionò lontana dal corpo prima di accenderla. Se, nel vedere quella luce, qualcuno avesse aperto il fuoco, voleva che gli spari fossero diretti in un punto lontano dai suoi organi vitali.

Con la torcia perlustrò il salotto, illuminando i contorni conosciuti del divano e della poltrona, dei peluche, dell'impianto stereo e della TV. Da quello che poteva vedere, tutto era al suo posto e niente era stato toccato.

Si diresse verso la cucina e infine in camera da letto, attraversando il corto corridoio. Puntò la torcia dentro l'armadio e dietro le porte, nella doccia e sotto il letto. Poi tornò in salotto e controllò dietro il divano e la poltrona.

Hickle non era lì. Non c'era mai stato.

Quella scoperta avrebbe dovuto farla sentire meglio. Chiunque sarebbe stato contento di non trovare un pazzo psicopatico nel proprio appartamento, eppure c'era qualcosa che non andava. Rimase in piedi al buio, con la torcia rivolta verso il basso, la pistola ancora in mano e pronta a essere utilizzata. Abby ponderò la situazione. Non c'era traccia di Hickle da nessuna parte, né al cancello né nel garage e neppure nel suo appartamento.

Ma allora dov'era?

Cercò di concentrarsi. Era arrabbiata e disperata. Hickle aveva un fucile e non vedeva l'ora di usarlo. La sua fantasia di premere il grilletto e di far saltare le cervella a Kris non si era avverata. Voleva una seconda possibilità.

Ma il fucile non era mai stato la sua prima scelta. Come prima arma aveva comprato una carabina munita di mirino e sistema di puntamento laser. La notte precedente, quando si era introdotta nel suo appartamento per rimuovere le cimici, non aveva visto la carabina nell'armadio. Doveva averla presa con sé, insieme al fucile. Hickle l'aveva con sé.

Il fucile era un'arma adatta per sparare da una distanza ravvicinata, ma la carabina era ideale per distanze maggiori. Era un'arma da tiro e, se equipaggiata con mirino e laser, diventava l'arma perfetta per un cecchino.

Cecchino...

Il suo sguardo si posò sulle tende che coprivano la portafinestra del balcone.

48

Hickle stava perdendo la pazienza. Se la macchina che aveva visto era davvero quella di Abby, ormai sarebbe già dovuta essere in casa. Ma nessuna luce si era accesa dentro l'appartamento e le tende erano ancora tirate.

«Dai, puttana» mormorò, sbattendo le palpebre e liberandosi così dal sudore che gli gocciolava nell'occhio sinistro. «Fatti vedere. Mi basta solo un colpo, Abby. Solo un colpo.»

* * *

Abby osservò le tende. Se non avesse sospettato che Hickle si trovava nel quartiere, quale sarebbe stata la prima cosa che avrebbe fatto appena entrata in casa? Qual era stato il suo primo gesto quando lei e Hickle avevano mangiato cinese insieme qualche sera prima?

Aveva aperto le finestre per far entrare un po' d'aria.

Non riusciva a darsi una spiegazione logica, ma un paio di reazioni spontanee del suo corpo (il formicolio dei capelli sulla nuca, l'irrigidimento improvviso dei muscoli addominali) le suggerirono la risposta.

Si immaginò mentre tirava le tende e apriva la porta a vetri. Per un paio di secondi sarebbe stata incorniciata dal telaio della finestra. Visibile dall'esterno. Da una posizione favorevole al di là della strada. E, al di là della strada, c'era un edificio commerciale vuoto e incompiuto, un nascondiglio perfetto per un uomo in fuga.

Abby spense la torcia e si avvicinò alla porta a vetri. Si inginocchiò per rendersi un bersaglio più piccolo e aprì le tende di pochi centimetri. Il suo sguardo superò la ringhiera del balcone e si posò sul nero palazzo di uffici che si delineava in lontananza. Rimase in attesa, lo sguardo fisso sulla fila di finestre di fronte alla sua.

Passò un po' di tempo, forse un minuto, forse cinque o dieci. Abby non si mosse, respirando a malapena.

Poi, all'improvviso, una lucina rossa brillò in una delle finestre e lei capì. Hickle era là, irrequieto, impegnato a testare il laser.

«Sei molto astuto» disse Abby in un sussurro, «ma lo sono anch'io.»

Vide il fascio di luce posarsi sulla ringhiera del balcone e poi scattare in alto proiettando un tenue puntino rosso sul vetro della porta a un metro da lei. Il puntino si avvicinava lentamente. Abby richiuse le tende con attenzione, mentre il puntino rosso scivolava sul tessuto e un po' del suo bagliore filtrava attraverso la stoffa, disegnando un pallido tatuaggio sul suo viso.

Dopo un istante il puntino luminoso svanì.

* * *

Hickle ora sapeva che si era sbagliato sulla macchina: doveva appartenere a qualche cameriera o a qualche adolescente, a chiunque ma non a Abby. Lei non era ancora rientrata.

Ma sarebbe arrivata. Presto.

Doveva semplicemente aspettare. Non si sarebbe arreso. Questa volta non avrebbe fallito.

* * *

Abby uscì dall'appartamento e chiuse la porta a chiave. Mentre scendeva con l'ascensore, fece un piccolo inventario di quello che aveva in borsa. Pistola, caricatore di scorta, microregistratore, minitorcia, cellulare.

Al piano terra oltrepassò l'atrio e sgattaiolò nella piccola palestra, deserta al sabato sera. La porta sul retro della palestra conduceva su una strada dietro al Royal, che Hickle, dalla sua posizione, non poteva vedere. Imboccò una stradina secondaria con l'intenzione di attraversare la Wilshire a un paio di isolati di distanza e aggirare il palazzo di uffici.

Mentre camminava, pescò il cellulare dalla borsa e, dopo un momento di esitazione, compose il secondo numero salvato in memoria.

«Pronto» rispose Travis. L'aveva chiamato sul telefono di casa.

«Paul, ho localizzato Hickle. È a Westwood. Lui... be', mi sta dando la caccia. Un bel colpo di scena, vero?»

«Abby, fermati...»

«Non c'è tempo. L'ho *trovato*, Paul. L'ho trovato... e ora ho bisogno del tuo aiuto.»

49

Travis giunse a Westwood quindici minuti dopo aver ricevuto la chiamata di Abby. La vide in piedi, con la borsa in mano, sulla strada dietro all'edificio mai completato. Il palazzo torreggiava su di lei, sedici piani di spazio commerciale incompiuto, sfitto, fatta eccezione per un unico occupante temporaneo.

Non sapeva se essere infuriato o felice. La verità era che si aspettava che Hickle avesse già archiviato la faccenda. Le istruzioni di Travis erano state chiare, e persino un dilettante sarebbe stato in grado di sparare un colpo con una carabina munita di laser da una distanza di trenta metri. Sapeva che qualcosa era andato storto, anche se Abby al telefono non gli aveva rivelato alcun dettaglio. Però era ancora viva quando sarebbe dovuta già essere morta, e quel fatto lo irritava.

D'altro canto, le cose non si erano poi risolte così male, no? Gli era stata data la possibilità di occuparsi personalmente della faccenda. Se la sarebbe gustata.

Travis parcheggiò la sua Mercedes lungo la strada, poi si tastò per assicurarsi che nessuna delle due pistole che portava si intravedesse dalla giacca. Nella fondina c'era la Beretta M9, l'arma fornita in dotazione alla stragrande maggioranza del personale della TPS. Se Abby avesse notato la Beretta, non sarebbe stato un grosso problema; date le circostanze si sarebbe aspettata che fosse venuto armato. Doveva impedirle invece di vedere la seconda pistola.

Attaccata alla cintura, vicino alla spina dorsale e nascosta dal risvolto della giacca, c'era la Colt .45 sottratta dal bungalow di Howard Barwood.

Uscì dalla macchina, chiudendo la portiera silenziosamente, e si avvicinò a Abby con passo celere. «Lui dov'è?» le domandò a bassa voce, come se non sapesse che Hickle era al decimo piano dell'edificio, decisamente lontano perché potesse sentire.

Abby scoccò un'occhiata ai piani alti. «Lassù.»

«Sei sicura?»

«Ho visto che puntava la mia finestra con il laser della sua carabina. Sta tenendo d'occhio il mio appartamento. Sta giocando al cecchino.»

«Ma come ha fatto…?» Travis sapeva che sarebbe stato un errore fare il finto tonto. «Ma certo. Barwood è un imprenditore immobiliare e conosce il tuo cognome. Ha passato a Hickle il tuo indirizzo.»

«Così pare.»

«Hai detto che hai visto il laser, no? Allora Hickle deve averti individuata.»

«No, ho tenuto le luci spente e ho sbirciato dalle tende. Penso che sia ancora qui.»

«Perché non hai chiamato la polizia?»

«Sì, e poi cosa gli avrei raccontato? "Credo che uno sconosciuto mi stia puntando un laser contro dal palazzo di fronte"? Mi avrebbero mandato i tizi con le camicie di forza.»

«Potevi dirgli che si trattava di Raymond Hickle.»

«Come no. Secondo te quanti presunti avvistamenti di Hickle hanno ricevuto da quando la notizia è diventata di dominio pubblico? Scommetto che è stato visto da Oxnard a La Jolla.» Lo guardò con un'espressione dura, il viso rivolto all'insù illuminato da un lampione. «Mi avrebbero creduto solo se avessi spiegato il mio coinvolgimento nel caso, ma così sarebbero venuti a conoscenza di troppe informazioni.»

«Le avranno comunque, presto o tardi. Una volta catturato, Hickle parlerà.»

«Ma forse ci andranno piano con me e chiuderanno un occhio riguardo ad alcuni reati che ho commesso negli ultimi giorni, sempre che sia io a consegnarlo alle autorità.»

Un furgoncino sferragliò lungo la strada, oltrepassandoli e illuminando il marciapiede con i fanali. Nessuno dei due parlò finché non sparì. Poi Travis disse: «Vuoi catturarlo tu?».

«Stavo pensando più a noi. Cioè io e te insieme. Andiamo su e troviamo un modo per farci seguire senza che opponga resistenza.»

«Non facciamo parte di un comitato di vigilanza, Abby.»

«Parla per te. E poi sarebbe un arresto da parte di privati cittadini, tutto qui. Assaltiamo Hickle senza che si accorga di noi, lo disarmiamo e lo portiamo alla stazione di polizia di West LA.»

«Sempre che non sia lui ad assaltare noi.»

«Certo, è rischioso.» Gonfiò le guance e sbuffò. «Tutto quello che ho fatto negli ultimi giorni è stato rischioso. Quindi che ne dici? Sei con me?»

Travis finse indecisione, sebbene non ci fosse nulla da dire. Mentre si recava a Westwood, aveva escogitato di attrarre Abby all'interno dell'edificio, dove avrebbe potuto stenderla con il colpo fatale senza correre il rischio di essere sentito. E adesso era lei a proporre volontariamente di entrare, anzi stava insistendo. Non avrebbe potuto sperare di meglio.

«Oh, al diavolo, ci sto» disse infine. «Certo che sono con te.»

50

Kris era felice di vivere nella Malibu Reserve. Il complesso recintato non l'aveva protetta da Hickle, ma quella sera la stava schermando dall'orda di giornalisti appostati fuori dalla recinzione.

Essendo anche lei una giornalista, comprendeva la disperazione che aveva portato i suoi colleghi a campeggiare alle spalle della Pacific Coast Highway o a chiamare il numero di casa sessanta volte all'ora, finché Courtney non aveva staccato il telefono, o a sorvolare casa sua in elicottero facendo riprese del suo terrazzo o, ancora, a insinuarsi attraverso la spiaggia per puntare grandi obiettivi verso le sue finestre. Anche lei lo aveva fatto agli inizi della sua carriera, quando faceva inchieste sul campo.

Si azzardò ad aprire la tendina verticale della camera da letto quel tanto che bastava per vedere una porzione di spiaggia al chiaro di luna e il movimento inesorabile della pallida marea. Immaginò che non poteva lamentarsi troppo della sua attuale condizione. Dopotutto era viva. Il suo cuore batteva ancora e il viso riflesso nello specchio aveva perso parte di quell'aspetto spettrale e perseguitato. Iniziava a sentirsi di nuovo come un tempo, stava tornando se stessa. L'estenuante attesa che qualcosa accadesse era finalmente terminata. Adesso bisognava solo raccogliere e ricomporre i pezzi rotti dopo tutto quello che era successo.

Si chiese dove fosse Howard.

La polizia aveva confermato quanto le aveva detto Abby: Howard aveva trasferito il loro patrimonio su conti correnti nelle Antille Olandesi. Forse era già in viaggio verso le isole. Ovviamente non doveva per forza andarci di persona. Poteva tranquillamente avere i suoi soldi

343

da qualsiasi angolo di mondo. Martin Greenfeld, l'avvocato di Howard, aveva supposto che fosse diretto in Messico, ma Kris non riusciva a immaginarsi suo marito in un paese in via di sviluppo. Era fin troppo abituato alla bella vita.

Dubitò che avesse mai pianificato una fuga. Era fuggito in preda al panico e non ci avrebbero messo molto a catturarlo. Suo marito aveva i suoi ambiti di competenza, ma scappare dalla legge non rientrava tra questi. Per fortuna di Kris si era rivelato altrettanto incapace di cospirare con uno stalker per farla uccidere.

«Per farmi uccidere» bisbigliò. Ancora non le sembrava vero. Portare avanti una relazione extraconiugale era una cosa, ma pianificare il suo omicidio... scendere a patti con un uomo dello stampo di Hickle, un pazzo, un fanatico...

Suo marito, il bambino troppo cresciuto, con i suoi treni giocattolo e i modellini di aeroplani telecomandati, era un assassino. O un potenziale assassino, per meglio dire, il cui piano era stato sventato dalla lungimiranza di Travis.

«Kris?» Era Courtney, che la chiamava dal piano di sotto.

Kris uscì dalla camera da letto e si sporse dal parapetto del corridoio per guardare giù nel salotto. «Sì?»

«Ho appena parlato all'interfono con gli uomini nel cottage.»

Gli agenti di Travis erano ancora in servizio e lo sarebbero stati fino alla cattura di Hickle. «E?»

«Hanno detto che il signor Howard è tornato.»

Quelle parole erano talmente assurde che Kris non riuscì a elaborarle. «Come, scusa?» La sua voce echeggiò nell'ampio atrio.

«È qui con la polizia. Lo fanno entrare solo per un minuto. Non so perché.» Il campanello suonò. «Eccoli.»

Cadde il silenzio e Kris cercò di riordinare le idee. «D'accordo, fallo entrare» disse infine.

Scese le scale lentamente mentre Courtney apriva la porta. Comparvero Howard e altri quattro uomini. Uno era Martin Greenfeld, due erano agenti di pattuglia in uniforme e il quarto indossava un abito elegante; doveva essere un detective.

Kris si fermò ai piedi delle scale, fissando suo marito dall'altra parte della stanza. Vide paura nei suoi occhi, e anche qualcos'altro, qualcosa che sarebbe potuto sembrare un incerto e disperato sforzo di dimostrare coraggio. Notò che non era ammanettato. Gli avevano concesso quel poco di dignità. «Howard» disse.

«Ciao, Kris.» Persino da lontano riuscì a vederlo deglutire il nodo in gola. «Non è vero.»

«Cosa non è vero?»

«Tutte le stronzate che stanno dicendo alla TV. Le accuse e le testimonianze. Non ho mai parlato con Hickle. Non l'ho mai aiutato. Non ho mai voluto che qualcuno ti facesse del male.»

«E allora perché gli hai telefonato con quel cellulare?»

«Non sono stato io. Quello non è nemmeno il mio cellulare. Non l'ho mai comprato.»

«Come ha fatto allora a finire nell'armadio del nostro sottoscala?»

«Non ne ho idea. È una cospirazione contro di me. Non c'è dubbio.»

Kris aveva condotto talmente tante interviste con dei colpevoli da sapere che quasi tutti dicevano che qualcuno li aveva incastrati. «E allora perché sei scappato?» gli chiese in tono piatto.

«Mi sono spaventato. Avevo pensato che questi figli di puttana avessero piazzato il cellulare qui per fottermi. Avevo pensato che non ci fosse modo di combatterli.»

L'uomo che doveva essere il detective pronunciò il nome di Howard con un filo di voce, in tono di avvertimento. A lui e agli altri due agenti non era piaciuto essere chiamati figli di puttana, ma Howard parve non accorgersi di nulla.

«Sono tornato però» disse. «È questo che devi capire.»

«Ti hanno preso.»

«No, sono stato io a consegnarmi. Sono andato alla stazione di polizia di West LA e mi sono arreso. Non ero costretto a farlo. Ero già in viaggio per l'Arizona, ma poi ho deciso di tornare.»

«Arizona? Cosa c'è lì?»

«Niente. Me ne sono reso conto ed è per questo che ho fatto dietro front. Ho chiamato Martin...» Lanciò un'occhiata all'avvocato come per assicurarsi che Greenfeld fosse ancora lì. «E lui ha ottenuto un accordo. Io mi sarei consegnato, ma in cambio mi avrebbero fatto venire qui.»

«Perché?» Kris cercava di mantenere un tono brusco, ma lo sforzo la stava sfinendo. «Hai dimenticato lo spazzolino?»

«Volevo vederti... qui, a casa nostra. Dovevo dirti quello che ti ho appena detto, che tu ci creda o no.»

Kris rimase in silenzio per un attimo. «Era questo l'accordo? Solo di essere portato a casa?»

«Sì.»

«E adesso?»

«Prigione della contea finché Martin non riesce a sistemare le cose, per tutto il tempo che ci vorrà.»

Sebbene non volesse, Kris accennò quasi un sorriso. «Una notte al fresco? Scommetto che preferiresti essere in Arizona?»

«No. Il mio posto è qui. L'unica cosa che voglio è che tu mi creda.»

«È vero che hai trasferito il nostro patrimonio all'estero?»

«Sì.»

«E che hai un'altra?»

«Sì.»

«Chi è?»

Facendosi onore, Howard non distolse lo sguardo. «Amanda.»

Kris batté le palpebre, disgustata tanto dal suo cattivo gusto quanto da tutto il resto. «Amanda del lavoro? Amanda l'anoressica?»

«Mi dispiace, Kris.»

Pensò alle patetiche parole di comprensione di Amanda Gilbert, quando lei le aveva confidato che forse Howard la stava tradendo, alla sua promessa di fare una bella chiacchierata a tu per tu. Promemoria: licenziare quella stronza. «Avresti potuto fare di meglio» disse semplicemente.

«Ho già il meglio. Ero solo troppo stupido per capirlo.»

Kris sapeva che Howard confidava in qualche parola di conforto o di perdono. Non gli avrebbe mai dato quella soddisfazione. «Credo sia meglio che tu vada» sussurrò.

«Non sono stato io» disse lui.

Martin gli consigliò di non dire più nulla.

Mentre i due agenti lo scortavano alla porta, Howard si voltò. Il suo volto era una maschera di sofferenza. «Non l'ho mai voluta veramente. È solo che era disponibile e, be', che era…»

«Giovane» disse Kris. E quella parola risuonò come un epitaffio.

Gli uomini uscirono di casa. Prima che Courtney chiudesse la porta, Kris sentì il rombo di un elicottero. Qualcuno stava facendo delle grandiose riprese di Howard Barwood che veniva scortato lungo il viale di casa verso la macchina della polizia.

La notizia avrebbe aperto il telegiornale di qualche emittente locale. Kris si augurò che non fosse un notiziario della KPTI.

51

La Torre Nera era circondata da una recinzione metallica, ma la serratura del cancello laterale era stata forzata, quindi era possibile accedere all'interno. Abby vi condusse Travis, dicendogli che aveva già fatto un giro di ricognizione e che aveva trovato il modo per entrare.

In silenzio Travis ammirò il suo zelo. A parte lo smacco del caso Corbal, Abby era davvero talentuosa nel suo lavoro. Era quasi un peccato perderla.

Ma anche un solo passo falso era più di quanto lui potesse permettere.

L'atrio dell'edificio era alto due piani, circondato da ampie vetrate, una delle quali era stata frantumata. Travis l'attraversò, calciando via frammenti di vetro che erano rimasti attaccati al telaio. Abby lo seguì.

Il bagliore tenue dei lampioni penetrava solo per pochi metri all'interno del palazzo. Il resto dell'atrio era immerso nel buio.

«Hai una torcia?» domandò Abby in un sussurro.

«No.» Avrebbe dovuto pensarci, ma la sua mente era stata occupata da altro.

«Ne ho una io.»

Abby rovistò nella borsa ed estrasse la minitorcia. Il fascio di luce rischiarò il locale, illuminando il pavimento piastrellato, le pareti coperte da lamiere metalliche parzialmente intonacate e l'alto soffitto a cassettoni. Teli protettivi, scale e tavole sopra i cavalletti per segare la legna erano distribuiti per tutto quello spazio cavernoso.

«Nessuna traccia di Hickle» disse Travis.

Abby scrollò le spalle. «Se fosse qui, saremmo morti nell'istante esatto in cui siamo entrati.»

Il fascio di luce individuò un varco che portava a una stanzetta al cui interno c'era una scala di acciaio. Condusse Travis verso i gradini e puntò la torcia in alto, illuminando la tromba delle scale, le pareti di cemento e i pianerottoli di acciaio.

«Libero» disse, «almeno da quello che riesco a vedere.»

«Allora saliamo.»

«Aspetta un attimo.» Abby spostò la torcia nella mano sinistra e con la destra frugò nella borsa. «Inizio a sentirmi un po' nuda senza la mia calibro .38.»

Travis non poteva permetterle di impugnare la pistola. Doveva agire ora.

«Non farlo, Abby» sussurrò.

La sua voce la fermò per un momento, il tempo necessario che gli servì per prendere la Colt dalla cintura e puntargliela contro la cassa toracica.

Lo sguardo di Abby si abbassò, per assimilare la visione di quella pistola premuta sul fianco. Poi alzò gli occhi per guardarlo in faccia.

Travis esaminò la sua espressione. Si aspettava di vedere shock, paura, rabbia. Era tanto che attendeva quel momento.

Abby però non gli diede quella soddisfazione. Ciò che vide fu solo un triste sguardo di delusione.

«Allora sei stato davvero tu» disse lei sommessamente. «Mi dispiace, Paul. Speravo di essermi sbagliata.»

52

Abby osservò gli occhi di Travis ridursi a due fessure e la bocca assottigliarsi in una pallida linea. «Tu sapevi?» bisbigliò, la voce che risuonava in deboli echi provenienti dagli angoli delle scale.

«Lo sospettavo» disse pacata. «Non ne ero sicura. Immagino che non volessi crederci.»

La volata della pistola premeva con forza contro le sue costole. Sentì l'arma tremare leggermente, forse scossa dal suo respiro o dal battito di Travis. Attendeva la prossima mossa di Paul, qualunque fosse.

«Mani in alto» disse lui infine.

Lei obbedì, muovendosi intenzionalmente con lentezza, come se stesse svolgendo un esercizio di Tai Chi.

«Dammi la torcia.»

Lasciò che gliela prendesse con la mano sinistra, poi Travis fece mezzo passo indietro e spostò la pistola, puntandogliela tra le scapole.

«Va bene» disse poi, «andiamo.»

«Dove?»

«Su.»

«C'è qualche vantaggio nell'uccidermi a un piano più alto?»

«A dire il vero sì, c'è. Cammina.»

Abby risalì le scale, guidata dalla torcia e dalla pistola puntata contro la schiena.

«Scommetto che quella pistola non ha il silenziatore» disse.

«Vero.»

«Quando premerai il grilletto lo sparo rimbomberà per tutto l'edificio. Hickle lo sentirà, si prenderà paura e scapperà, scendendo forse per un'altra scala.»

«E forse non riuscirò a intercettarlo. Molto bene. Ti do un dieci.»

«Non sono più una tua studentessa, Paul.»

Raggiunsero il terzo pianerottolo e continuarono a salire. Abby notò che le porte tagliafuoco delle scale non erano state ancora montate. Oscuri corridoi si stendevano oltre i pianerottoli. Assomigliavano ai passaggi stretti che conducevano alle tombe dei faraoni, quel genere di luoghi infestati dai fantasmi. Ma non c'era nessun fantasma lì. Non ancora.

«È la pistola di Howard Barwood, vero?» disse a bassa voce. «L'hai rubata dal suo bungalow stamattina, dopo essere uscito dall'ospedale.»

«Proprio così.»

«L'hai rubata prima o dopo aver messo il cellulare nella villa dei Barwood?»

«No, ho sbrigato quella faccenda parecchie settimane fa, durante una visita a Kris per darle qualche aggiornamento sul caso. Il cellulare, ovviamente, è intestato alla Western Regional Resources, ma il povero Howard non sapeva niente al riguardo.»

«Se avevi già piazzato il cellulare, come hai fatto a usarlo per telefonare a Hickle giovedì sera?»

«Non l'ho fatto. Ho usato un altro cellulare programmato con lo stesso codice. Non è difficile. Certa gente guadagna parecchi soldi rubando i codici dei telefonini.»

«Che fine ha fatto questo cellulare?»

«L'ho lanciato nel canyon dietro casa mia questa sera, prima di venire qui. Non ne avevo più bisogno.»

«Proprio come non hai più bisogno di me... o di Hickle.»

«Sei così perspicace. È quello che ho sempre amato di te.»

Avevano superato il quarto piano.

«Immagino che presto avrai tutto quello che hai sempre voluto» disse Abby. «Io sarò morta. Hickle sarò morto. Howard sarà in prigione o in fuga e se la tua fortuna regge, potresti perfino sposare Kris.»

Travis era dietro di lei, ma anche se Abby non riusciva a vederlo in faccia, capì, dal tono di voce, che aveva subìto un altro piccolo shock. «Hai intuito anche quella parte?»

«Non mi sono dovuta sforzare molto. Kris mi ha detto che ti sei reso disponibile. Credeva che non stessi frequentando nessuna. Non ho voluto disilluderla, se ti interessa saperlo.»

«È stato gentile da parte tua, Abby. Apprezzo la tua discrezione.»

Erano al quinto pianerottolo ora. A metà strada da Hickle.

«Lo immagino» disse pacata. «Ti avrei rovinato i piani se Kris avesse scoperto di non essere la sola e unica. Non avrebbe accolto di buon grado la tua proposta di matrimonio. Non che il matrimonio sia un ingrediente essenziale della ricetta; più che altro, è la ciliegina sulla torta, vero?»

«Esatto.»

«Non ti dispiacerebbe avere tutti i suoi soldi, il suo stile di vita, le sue conoscenze e, con Howard fuori dai piedi, avresti tutto questo a portata di mano. Ma l'obiettivo principale è sempre stato salvare la reputazione della TPS, e il caso Barwood era la tua occasione. Quando ti è venuta l'idea? Forse quando hai controllato la vita e il passato di Howard?»

«Esattamente. Da quanto avevo scoperto, era chiaro che il maritino se la stesse spassando con un'altra e si stesse preparando al divorzio. In quell'istante ho realizzato che se Hickle fosse stato sospettato di avere un complice, il soggetto più papabile sarebbe stato Howard.»

«Così hai fatto la tua mossa con Kris...»

«Solo per sondare il terreno in vista del futuro, della ciliegina sulla torta, come l'hai definita tu.» Ora erano sul sesto pianerottolo. «Poi ho iniziato a contattare Hickle per email, fornendogli informazioni e incitandolo ad attaccare.»

«Sapevi dell'incidente con Jill Dahlbeck?»

«No, se avessi saputo, forse ci avrei pensato due volte prima di usare Hickle. Sapevo che era un soggetto potenzialmente pericoloso, ma non pensavo fosse così instabile, così impulsivo. Non avrei mai voluto vedere il volto di Kris deturpato dall'acido.»

«O vederla con un buco in testa, se è per questo. Non potevi permettere che le intenzioni di Hickle si realizzassero.»

«Certo che no. Volevo che Hickle tentasse... e fallisse. Kris doveva sopravvivere illesa, oppure tutto il mio piano sarebbe andato a rotoli. Nonostante tutto la sua salvezza era davvero la mia priorità numero uno. Ecco perché l'ho accompagnata a casa con un'auto blindata e portandomi un fucile, volevo essere certo che a Kris non succedesse nulla.»

«E così la TPS si rifarà un nome. Tu e la tua squadra siete gli eroi del momento, una notizia che *Channel Eight* spiattellerà sui notiziari più seguiti, eclissando per sempre il caso Corbal, dando nuova linfa ai tuoi affari, e tu diventerai di nuovo il ragazzo d'oro.»

«Qualcosa del genere, però ci serviva un capro espiatorio. Se Hickle fosse stato catturato vivo, avrebbe rivelato la presenza di un informatore. Anche se fosse rimasto ucciso nell'attacco, la polizia avrebbe potuto rintracciare le email dell'account che avevo aperto per lui e, così, avrebbero scoperto che lavorava con qualcuno. Non potevo permettere che alcun sospetto cadesse sulla TPS e, *in primis*, su di me.»

«Così hai incastrato Howard.»

«Perché no? Era il candidato perfetto: tradiva Kris, fuori tutte le sere senza uno straccio di alibi, trasferiva i loro soldi all'estero e si stava preparando al divorzio. Quando lo inchioderanno, non sarà in grado di convincerli della sua innocenza. Soprattutto quando la polizia troverà la pistola di Howard nelle fredde mani di Raymond.»

«E una pallottola di quella pistola... dentro di me.»

«Esatto. E una delle tue pallottole nel povero Raymond. Bang. Sei andata a cercare Hickle da sola. Vi siete sparati a vicenda. Due cadaveri e fine della storia.»

Avevano raggiunto il settimo piano. Ogni rampa aveva 18 scalini, li aveva contati. Ne mancavano ancora 54.

«Non è proprio la fine» disse Abby. «Non mi hai ancora spiegato perché mi hai affidato questo caso.»

«Pensavo ci fossi arrivata. Per due motivi. Uno era di natura pratica. Dovevo fare qualcosa che facesse scattare Hickle. Avevo provato a istigarlo, a provocarlo, ma continuava a esitare. Dovevo trovare un modo per farlo uscire di testa, per renderlo più pazzo del solito. Sapevo che soffriva di paranoie. Se avesse scoperto che la nuova donna delle sua vita era in realtà una spia…»

«Avrebbe perso la testa.»

«E così ti ho affidato l'incarico e… ti ho incastrata.»

«Astuto. Ma mi hai detto che i motivi erano due. Ti dispiace se tiro a indovinare?»

«Accomodati pure.»

«Devin Corbal.»

«Bingo.»

«Mi hai detto centinaia di volte che non era colpa mia.»

«Ti ho mentito. Quella notte di quattro mesi fa hai fatto una cazzata. Un'*enorme cazzata*, Abby.»

Percepì un moto di pura ostilità salirgli dalla voce e, per un momento, gli ricordò Hickle che inveiva contro le persone che odiava, le persone di bell'aspetto. Paul Travis e Raymond Hickle non erano poi così diversi. Entrambi sapevano molto dell'odio e pochissimo di tutto il resto.

«Avevi un incarico da svolgere» continuò Travis, «e hai fallito. Per un istante di disattenzione hai messo a repentaglio tutto ciò per cui lavoro da anni. Mi hai portato sull'orlo della bancarotta. Sono partito da un quartiere popolare di Newark per arrivare qui, e a causa tua stava per andare tutto a rotoli. Davvero ti aspettavi il mio *perdono*? Che ti dicessi che andava tutto bene, di non preoccuparti, e che ti dessi un buffetto sulla guancia? Tu dovresti sapere tutto delle persone, Abby. Pensavo mi conoscessi.»

«Non bene come credevo» disse calma.

«Per questioni come questa non c'è perdono» sussurrò Travis. «È una lezione che la strada mi ha insegnato tanti anni fa. Nessuno può fottermi. Nessuno può prendersi quello che è mio. E se sono gli altri a fare una cazzata, è giusto che paghino. *Che paghino loro.*»

Ottavo piano. Le spalle di Abby iniziavano a farle male dovendo tenere le braccia alzate sopra la testa. Be', non sarebbe stato un problema ancora per molto. Due rampe di scale, 36 gradini, e fine dei giochi.

«È per questo che mi hai aggredita nella vasca idromassaggio?»

Travis fece un mugugno affermativo. «Non l'avevo pianificato. È successo e basta. Stavo osservando il palazzo di Hickle per vedere se ti fossi già trasferita. Poi ti ho vista entrare nell'area SPA. E... be', sembrava davvero un gioco da ragazzi. Avrei tenuto la tua testa sott'acqua e in un minuto saresti morta.»

«E non eri preoccupato delle conseguenze?»

«Quali conseguenze? Con ogni probabilità il caso sarebbe stato archiviato come annegamento accidentale. In caso contrario, avrei potuto dare la colpa a Howard. Andava in giro quasi tutte le sere. Non avrebbe avuto nessun alibi, eccetto la parola della sua amante, una fonte poco credibile.»

«Ma se fossi morta, chi avrebbe mandato Hickle fuori di testa?»

«C'erano altri modi per farlo. In quel momento stavo pensando...»

«Non stavi pensando, Paul. A un bel niente. Ti sei fatto prendere dalla rabbia come un bambino in preda a uno scatto d'ira.»

«Ce l'avevo quasi fatta» mormorò con tono tetro. «Se solo non avessi afferrato quella maledetta bottiglia...» Sospirò. «Non potevo permettere che mi tagliassi. Non potevo lasciare tracce di sangue sulla scena. Ma ormai non importa. Ti ho in pugno, adesso. Sei mia.»

Raggiunsero il nono piano e, all'improvviso, la pressione della pistola sulla schiena divenne più forte.

«Ok, questa è la tua fermata.»

«Hai perso il conto. Dobbiamo andare al decimo.»

«Non ho problemi in matematica. Morirai qui. Ora sono abbastanza vicino a Hickle e preferirei che la polizia ti trovasse al piano inferiore, come se lui ti avesse beccata mentre stavi salendo. Ora girati lentamente.»

Abby obbedì. Avrebbe preferito che fossero saliti di un altro piano. Le serviva altro tempo.

«Sono colpita, Paul» disse a bassa voce. «Non credevo avessi il coraggio di fronteggiarmi.»

La torcia illuminò i lineamenti dell'uomo, proiettando il fascio di luce sugli occhi infossati, rischiarati da un sollievo crudele. Stava sorridendo. «Al contrario, non vedevo l'ora. Allora, dove vuoi che ti spari? Alla testa o al cuore? Considerando la nostra relazione, direi che il cuore è più appropriato.»

«Tu non mi sparerai» sussurrò lei.

«No? E cosa mi fermerà? I sentimenti? L'affetto? Non mi faccio imbambolare da queste sciocchezze. Se non l'hai ancora capito con le buone, dovrai impararlo con le cattive.» La studiava come un esperto in contemplazione di un pregiato pezzo di antiquariato, poi abbassò la pistola all'altezza del suo seno sinistro. «Al cuore, allora.»

Premette il grilletto.

Non accadde nulla.

Nessuno sparo, nessun rinculo, nemmeno il rumore di un'arma quando fa cilecca.

«Scusa, Paul. Quella pistola è un rottame.» Con un gesto fluido e rapido Abby abbassò le mani, prese la Smith dalla borsa e gliela puntò contro la faccia. «Questa, invece, funziona che è una meraviglia.»

53

Hickle si rannicchiò vicino alla finestra, i muscoli rigidi e tesi, lo sguardo inchiodato sul balcone di Abby.

Non era in casa e lui iniziava a pensare che non sarebbe mai arrivata. Forse avrebbe trascorso la notte da qualche altra parte. O forse lui aveva frainteso le istruzioni di Travis, forse stava sorvegliando la finestra sbagliata, nel qual caso aveva fallito ancora...

«No, impossibile» bisbigliò furioso.

I mormorii della sua voce risuonarono nell'aria, rimbombando dagli angoli più lontani della stanza. Poi, dietro l'ultima eco, sentì altri suoni.

Voci.

Deboli ma inconfondibili, che vagavano per i corridoi deserti fino a raggiungerlo lì accovacciato.

Non era solo.

* * *

Travis premette il grilletto, ancora e ancora, nel tentativo di fare fuoco.

Lentamente abbassò la pistola. Batté le palpebre e, per un momento, non riuscì a formare le parole. «Come hai fatto?» bisbigliò. «Come... cosa hai...» Non riusciva a formulare quello che gli passava per la testa.

«È piuttosto semplice, in realtà.» La calibro .38 non vacillò un solo istante. Era puntata contro il suo petto. «Sapevo che se avevi incastrato Howard stanotte avresti usato la sua pistola... una pistola che avrebbe

357

indirizzato i sospetti su di lui. Avrei scommesso che avresti portato solo questa.»

Solo questa. Solo...

Ma lui si era portato due pistole. Nella fondina c'era la Beretta.

Come se gli avesse letto nel pensiero, Abby scosse la testa in segno di avvertimento. «Non pensarci nemmeno, Paul. So che hai un'arma di scorta, ma non avrai il tempo di estrarla. Mi hai visto al poligono di tiro. Quando devo, sono molto veloce. E io ti sparerò.»

Travis osservò la linea dura della sua bocca, la freddezza dei suoi occhi. Non stava mentendo.

«Comunque» continuò come se non ci fosse stata nessuna interruzione, «quando ho trovato quella pistola nel comodino, ho subito avuto un brutto presentimento. Grazie a te, avevo etichettato Howard Barwood come il complice di Hickle. Non mi sembrava una buona idea lasciargli un'arma letale completamente funzionante, così, prima di uscire, l'ho smontata. La Colt 1911, come ben sai, è uno dei pochi modelli che può essere smontato senza utensili. Quando l'ho riassemblata, ho lasciato fuori il percussore.»

Travis sentiva tutto quello che lei gli stava dicendo ma non riusciva a dargli un senso. «Non hai manomesso le armi di Hickle» sussurrò.

«No, perché avrebbe scoperto la manomissione se fosse tornato a utilizzarle per fare pratica. Ma nessuno aveva ancora utilizzato la pistola di Howard. Non l'aveva neppure lubrificata.» Abby sorrise. «In ospedale volevo dirti tutte queste cose, ma l'infermiera ci ha interrotto. Un bel colpo di fortuna, vero?»

«Fortuna» ripeté Travis.

«Sono sempre stata una ragazza fortunata. Ora, vogliamo scendere?»

All'improvviso Travis si sentì troppo esausto per muoversi. «A quale scopo? Cosa c'è là sotto?»

«Niente, per adesso, ma fra un po' chiamerò un amico della polizia e presto avremo compagnia. Avanti, Paul.»

«Perché non mi spari qui?»

«Credimi, sarei tentata. Ma preferisco consegnarti al nostro sistema giudiziario, per quanto questa possa essere una mossa rischiosa a LA. Veramente non vedo l'ora di farti visita in carcere. Ma raffredda i bollori, non saranno visite coniugali.»

In preda a un moto di rabbia impotente, Travis tremava come un bambino febbricitante. «Puttana. *Puttana del cazzo.*»

Abby lo guardò accigliata. «Non è per niente carino da parte tua. Sarà meglio che cancelli questa parte.»

«Cancelli... cosa?»

«È da quando siamo entrati che faccio andare il mio registratore. L'ho acceso mentre cercavo la torcia. Ho tutta la tua confessione su nastro.»

Tutta la confessione registrata. Aveva pensato a ogni cosa.

«Muoviti» ordinò Abby, ma Travis non obbedì. Finalmente comprendeva tutto quanto, tutto quello che Abby aveva fatto e come avesse curato ogni minimo dettaglio.

«Mi hai incastrato» disse lentamente, quasi con solenne indignazione. «Mi hai *manovrato* come un burattino. Hai chiesto il mio aiuto, dicendomi che non potevamo chiamare la polizia, mi hai fatto confessare. Hai inscenato lo spettacolino e mi hai venduto il biglietto. Mi hai giocato.»

Abby scrollò le spalle. «È il mio mestiere, Paul. Sei stato tu a insegnarmelo... o te ne sei dimenticato?»

«No.» Ormai tutta la rabbia di Travis si era consumata. «No, non me ne sono dimenticato.» Poi il suo sguardo vagò verso l'alto e a bassa voce disse: «Ma forse ti sei dimenticata tu di qualcosa».

Sul pianerottolo superiore, tra le ombre, la lunga canna della carabina di Hickle stava scivolando tra le sbarre della ringhiera. La schiena di Abby era nel centro del mirino.

54

Abby vide lo sguardo di Travis rivolgersi leggermente verso l'alto, poi nell'espressione di lui notò un cambiamento quasi impercettibile. Paul disse qualcosa, ma lei non comprese le parole, occupata com'era a elaborare quello che i suoi occhi avevano appena visto e a capire le relative implicazioni con la stessa chiarezza con la quale vedeva il bollino rosso del laser di Hickle sulla sua schiena.

La carabina sparò un colpo un secondo più tardi, ma Abby non era più nella traiettoria del proiettile.

Lanciandosi sul pavimento, colpì il duro cemento mentre lo sparo le passava sopra la testa, centrando con fragore il corrimano metallico della ringhiera. Un secondo proiettile era in arrivo, ma prima che Hickle potesse prendere la mira, Abby rotolò attraverso il varco del pianerottolo, finendo in un buio corridoio del nono piano.

La carabina sputò fuoco. Abby scattò in piedi per metà e si lanciò nell'oscurità più profonda del corridoio finché non fu più nel campo visivo di Hickle.

Lo era però ancora in quello di Travis.

All'improvviso il corridoio fu illuminato da un fascio di luce proveniente dalla minitorcia che Paul aveva in mano. Tre colpi esplosero alle sue spalle, sparati da un'arma di piccolo calibro. Travis aveva impugnato la Beretta. Abby si voltò e fece partire due proiettili, poi si lanciò attraverso il passaggio più vicino.

Si ritrovò all'interno di un ufficio buio e senza finestre. Da quello che aveva visto grazie al fascio di luce della torcia, il locale doveva trovarsi all'incrocio di due corridoi: uno corto che portava alle scale e uno più lungo, perpendicolare al primo. Da qualche parte, lungo la parete più lunga, poteva esserci una seconda apertura che l'avrebbe condotta all'altro corridoio. Avanzò a tentoni in quella direzione, le mani che si muovevano alla cieca sopra strati di cartongesso.

Aveva combinato un casino. Avrebbe dovuto costringere Travis a scendere prima e intuire che Hickle avrebbe potuto abbandonare la sua postazione e avvicinarsi alle scale. Se quella notte fosse morta, la colpa sarebbe stata solo sua. *D'accordo, mea culpa, responsabilità accettata. Adesso zitta e rimani viva.*

Avanzò nel buio, dirigendosi verso un'uscita che forse non esisteva neanche. Poi, fuori dall'ufficio, sentì dei movimenti. Quattro piedi che pestavano pesantemente sul pavimento. Il fascio di luce di una torcia sfarfallava attraverso il varco da cui lei era entrata. Travis e Hickle la stavano cercando. La braccavano, insieme.

Accucciata contro la parete, sollevò il calibro .38. Se fossero stati tanto incoscienti da entrare, avrebbe aperto il fuoco.

Non entrarono. Vide il bagliore della torcia oltrepassare l'ingresso, mentre una nuova luce faceva capolino a pochi metri da dove lei era accucciata. Stava albeggiando. Allora c'era davvero una seconda uscita, e Abby era molto vicina a trovarla. Travis però, guidato dalla torcia, l'aveva trovata per primo.

Premette l'orecchio contro la parete fatta di cartongesso di bassa qualità, avvitato a montanti di legno. Trasmetteva i suoni abbastanza bene. Sentiva deboli bisbigli, parole incomprensibili. Evidentemente i due uomini si erano appostati fuori dall'ufficio, nel punto in cui avrebbero potuto coprire entrambi i corridoi e le uscite. Qualsiasi strada avesse tentato, le avrebbero sparato.

Erano due contro uno. Abby era in trappola e adesso i due inseguitori stavano discutendo la tattica.

A Abby piaceva considerarsi un'ottimista, ma dovette ammettere che in quel momento la situazione erano tutt'altro che rosea.

* * *

«Dove diavolo è? Dov'è andata?»

«Calmati.»

«*Dove cazzo è?*»

«Si è rifugiata dentro quell'ufficio. L'abbiamo in pugno. Tranquillo, Raymond. Respira.»

Le orecchie di Hickle ronzavano a causa della raffica di spari, i suoi e quelli di Travis. Ogni scoppio era stato amplificato dalla tromba delle scale, era rimbalzato contro le scalinate di acciaio e le pareti di cemento, era echeggiato lungo i corridoi. Faticava ancora a sentire il tono di voce basso di Travis, sovrastato com'era dal frastuono che gli rimbombava nelle orecchie. Però sapeva che l'uomo aveva ragione. *Sta' calmo, sì.* Era la cosa giusta da fare. *Sta' calmo e uccidi Abby.*

Rimasero in piedi nel punto in cui i due corridoi si incrociavano. Era stato Travis a guidarli fino a lì. In quella situazione Hickle si era affidato istintivamente all'esperienza dell'altro, ma non riuscì a non fargli notare che per un momento aveva perso il controllo della situazione.

«Te l'aveva fatta, amico» bisbigliò. «E io ti ho salvato il culo.»

«Sì, mi hai salvato.» Il volto di Travis, illuminato dalla luce fredda della torcia, era scavato e rugoso. Gli occhi brillavano fissi. «Devo ammetterlo. Magari dopo ti offro una birra, ma adesso abbiamo problemi più importanti a cui pensare. Abby è in trappola ma non indifesa. Ha una Smith .38 e un caricatore da cinque proiettili nella borsa.»

«Come fai a sapere che cos'ha nella borsa?»

«Perché la conosco. Li porta sempre con sé. Ha già sprecato due pallottole, quindi gliene rimangono otto. Tu quante munizioni hai ancora?»

«Otto colpi.»

«Munizioni di scorta?»

«Sì, ma le ho nel borsone al piano di sopra.»

«Otto pallottole sono tante. Conservale. La mia Beretta era completamente carica, sedici colpi nel caricatore, più uno in canna.

Ho sparato tre volte, quindi mi sono rimasti quattordici colpi. In tutto abbiamo ventidue colpi e lei ne ha otto. Se ce la giochiamo bene, possiamo costringerla a finire tutte le munizioni. A quel punto non saprà cosa fare, noi entriamo e la facciamo fuori.»

Hickle si passò la lingua sulle labbra. «Ok, qual è il piano?»

«Tu stai di guardia al primo ingresso, mentre io coprirò il secondo. A turno spariamo un colpo ciascuno dentro l'ufficio. Con un po' di fortuna potremmo anche colpirla. Non può esserci molto dietro cui ripararsi; mi sembra che la stanza sia vuota. E comunque, anche se non la colpiamo, sarà costretta a rispondere al fuoco. Contiamo i suoi spari e, quando avrà usato anche l'ultimo proiettile, sarà cibo per i vermi.»

«Perché non entriamo dopo che ha sparato tre volte? Dovrà ricaricare la pistola.»

«Probabilmente ha già ricaricato. Andiamo sul sicuro e non corriamo rischi inutili. Non con lei.»

Travis spense la torcia e il corridoio piombò nel buio. La sua voce raggiunse l'orecchio di Hickle come il bisbiglio di uno spettro.

«Ricorda, un colpo alla volta. Non sprecare munizioni. Il piano è farle terminare i proiettili.»

«Va bene, ho capito» sussurrò Hickle a denti stretti. Era impaziente di cominciare. In quel momento odiava Abby più di Kris. Ucciderla sarebbe stato un piacere indescrivibile.

55

Tastando alla cieca nella borsa, Abby aveva trovato il caricatore, aveva preso due proiettili e li aveva rimpiazzati con i due bossoli già utilizzati. Aveva di nuovo cinque colpi che non erano però sufficienti contro due uomini armati.

Nella borsa aveva anche un cellulare, ma fare una telefonata non era una buona idea. Se gli inseguitori avessero sentito la sua voce, avrebbero potuto facilmente localizzare la sua posizione e sparare attraverso la parete di cartongesso. In ogni caso la polizia non sarebbe mai arrivata in tempo per salvarla. Era da sola. Solitamente apprezzava il suo spirito di indipendenza, ma quella sera no.

Nel corridoio la luce della torcia morì. Sentì dei movimenti fuori dall'ufficio. Sembrava che i suoi nemici si stessero dividendo. Rimase in ascolto, piegata praticamente in due per rendersi un bersaglio più piccolo, il cuore le pulsava nelle orecchie. Avrebbe tanto voluto che ci fosse della luce. Ma quello era un pensiero irrazionale, dato che non avrebbe potuto utilizzare nessuna fonte luminosa senza rivelare allo stesso tempo la sua posizione ai due uomini. La voleva comunque. Non voleva morire al buio.

Dal primo ingresso, uno scoppio violaceo partì dalla bocca di una carabina, esplodendo in un ruggito. Hickle stava entrando. Sparò due colpi in quella direzione e si lanciò sul pavimento cercando un nuovo nascondiglio, mentre la pistola di Travis sputava un colpo dall'altro ingresso. Roteò su se stessa e gli sparò contro, tuffandosi in un altro angolo della stanza, rimanendo in attesa con la pistola che le tremava tra le mani.

Non erano entrati. Era sicura che si sarebbero lanciati all'attacco. Ora la vedeva diversamente. Avevano sparato per spaventarla, per farla sparare a sua volta. Aveva funzionato e avrebbe funzionato anche di lì a poco. Era costretta a rispondere al fuoco per tenerli fuori dalla stanza, oppure avrebbero potuto sparare a volontà finché uno sparo fortuito non l'avesse colpita.

Estrasse tre cartucce dalla Smith e le sostituì con i tre proiettili rimasti del caricatore. Le rimanevano solo cinque colpi.

Dal primo ingresso la carabina sparò un altro colpo. Questa volta mancò davvero poco. Sentì il proiettile conficcarsi nel cartongesso a un metro da dove era inginocchiata. Scattò rapida sulla sinistra e aprì il fuoco, non verso Hickle ma verso il secondo ingresso. Forse Travis si era affacciato al varco per sparare il suo colpo. Con un po' di fortuna l'avrebbe colpito.

Niente da fare. Dalla Beretta arrivò un proiettile. Travis aveva mirato nel punto da cui aveva visto partire lo sparo di Abby che, però, stava già rotolando verso un altro angolo della stanza. Il colpo andò a vuoto.

Le rimanevano quattro colpi adesso. I pronostici la davano per sfavorita. Doveva raddrizzare il match. Forse un modo c'era.

«*Raymond!*» urlò. «*Ucciderà anche te!*»

56

Hickle stava per premere il grilletto quando sentì l'urlo di Abby. Dall'altro ingresso Travis esclamò: «Non starla a sentire».

Ci fu uno sparo. Era stato Travis. Hickle aveva saltato il suo turno. Pensava ancora a quelle parole: "Ucciderà anche te".

Travis sembrò indovinare i suoi pensieri. «Sta giocando con la tua testa» disse calmo, a voce alta. «È una strizzacervelli, lo sai.»

«Una strizzacervelli?»

«Ti ha osservato e studiato come una cavia da laboratorio. Crede di sapere come farti perdere la ragione.»

Era vero. Sembrava tipico di Abby «Che si fotta» disse Hickle sporgendosi e sparando un colpo.

Scese il silenzio e per un attimo pensò che lui o Travis l'avessero colpita. Poi Abby tornò a gridare.

«Non voleva che Kris morisse. Ha incastrato Howard Barwood...»

«Non ascoltarla. Sono stronzate» replicò Travis seccato.

«... e ti sta prendendo in giro. Raymond, lui non è tuo amico. Ti sta *usando*!»

Dalla Beretta partirono altri due colpi. Hickle aveva capito che Travis si stava innervosendo. Aveva insistito tanto, dicendogli di non sprecare munizioni e di sparare un colpo alla volta. Eppure adesso era lui a non rispettare le sue stesse regole.

«Che storia è questa, Travis?» gridò.

«Non farti fregare. Non devi fidarti di lei, cazzo. Lo sai.»

Ma Hickle non sapeva niente. Non poteva fidarsi nemmeno di Travis. «Non mi hai detto perché hai fatto tutto questo» esclamò.

«Perché hai messo in pericolo la vita della tua cliente e della tua socia. Non mi hai mai spiegato il motivo.»

«Spara, coglione. Ormai non ha più scampo…»

«Tu cosa ci guadagni, Travis? *Dimmelo!*»

Travis indugiò quel tanto che bastò per far capire a Hickle che stava mettendo insieme una bugia.

Non fece in tempo a dirla, perché Abby rispose per lui. «Doveva tenere Kris in vita per salvare la TPS e vuole sbarazzarsi di suo marito così può sposarla, Raymond! *Vuole sposare Kris!*»

La verità gli esplose in faccia. Dopo quella rivelazione capì che era tutto vero.

Travis non voleva vedere Kris morta. Non voleva che il suo attacco andasse a buon fine. Ecco perché aveva richiesto la berlina blindata, ecco perché l'aveva accompagnata in macchina. Era tutto un imbroglio, una trappola… quello che voleva, quello che voleva veramente…

Era sposare Kris. La signora Travis. Avrebbe avuto i suoi soldi e, oltre ai soldi, il suo stile di vita, sarebbe entrato nella cerchia dei suoi amici influenti, nel suo mondo. Avrebbe avuto tutto quello che Hickle aveva sempre sognato e lottato per avere, tutto quello che sarebbe dovuto essere suo, come Kris, perché lei era scritta nel suo destino.

«Figlio di puttana» sussurrò.

Esplodendo in un ruggito di rabbia, Hickle si lanciò verso la seconda uscita, aggirando l'angolo e sparando due colpi con la carabina, entrambi diretti al varco. Poi, all'improvviso, la torcia si accese, inaspettatamente vicina. Il fascio di luce gli colpì gli occhi, abbagliandolo per una cruciale frazione di secondo. Dal bagliore scoppiò un'informe esplosione violacea simile a un'immagine residua della luce solare, poi un altro e un altro ancora, e rumore dappertutto.

Le ginocchia di Hickle cedettero. Barcollò all'indietro verso il primo corridoio e si accasciò contro una parete. La carabina gli scivolò dalle mani mentre cercava di aggrapparsi al cartongesso liscio. Scivolò lentamente verso il basso, lasciando una striscia di sangue lungo il muro, finché non si sedette a terra in una pozza di sangue, tremando come una foglia.

Travis si rannicchiò al suo fianco tenendo in mano la torcia che illuminò il corpo di Hickle crivellato dalla raffica di colpi. «Sei un perdente nato, Raymond.» Non lo disse in tono sgarbato. Stava persino sorridendo. «Non ne combini una giusta. Non sei riuscito a uccidere Abby. Strike uno. Non sei riuscito a uccidere Kris. Strike due.»

Hickle voleva dire qualcosa, protestare o giustificarsi, ma non aveva più scuse, e poi aveva la bocca piena di sangue.

«E non sei riuscito a uccidere me.» Travis gli si avvicinò, facendogli scivolare dolcemente la pistola liscia e lucente sotto il mento. «Strike tre. Eliminato.»

Bang, pensò Hickle del tutto indifferente.

L'ultima cosa che vide fu il glaciale sorriso di Travis.

57

Abby sentì il colpo di grazia inferto fuori dall'ufficio.

Il suo piano aveva funzionato. Non erano più due contro uno. Aveva fatto uccidere Hickle. Avrebbe dovuto ritenersi soddisfatta, ma l'unica sensazione che provava era un profondo senso di nausea che la faceva ribollire e che, allo stesso tempo, le raggelava il sangue.

Ci avrebbe pensato più tardi. Doveva ancora occuparsi di Travis. Se voleva sopravvivere, doveva sbarazzarsi anche di lui.

«Ben fatto, Abby» disse Travis. La sua voce si udiva forte e chiara attraverso la parete. «Scommetto che gli ultimi pensieri di Hickle sono stati per te.»

Non rispose. Se avesse parlato si sarebbe tradita e avrebbe rivelato a Travis la sua posizione. Sapeva che non poteva manipolarlo come aveva fatto con Hickle. Travis era troppo furbo e la conosceva troppo bene.

«A dire il vero mi hai dato una grossa mano. Mi stavo domandando come avrei fatto a spiegare alla polizia la presenza di una mia pallottola da nove millimetri nel tuo corpo. Di sicuro mi avrebbero posto questa domanda, ma non sarà più un problema. Vuoi sapere perché?»

Per quanto la provocasse, Abby non gli avrebbe mai risposto. Rimase in attesa.

«Che c'è? Il gatto ti ha mangiato la lingua? Te lo dico io. Vedi, quando la polizia ti troverà, avrai la Beretta in mano, senza le mie impronte. Non è la mia arma personale; la mia è stata confiscata dallo sceriffo per l'analisi balistica dopo gli scontri di Malibu. Questa l'ho presa dal magazzino della TPS. Ma quando la polizia controllerà il registro delle armi prese in prestito, vedranno la tua firma. So falsificarla.»

Abby sapeva che ne era in grado. Aveva molti talenti, molti dei quali aveva ignorato fino a quel giorno.

«Crederanno che volevi un'arma di scorta oltre alla tua Smith e che hai fatto un salto alla TPS per procurarti un'altra pistola. Poi sei andata a caccia di Hickle per vendicarti. L'hai trovato ed è scoppiata una sparatoria; proiettili dappertutto, sparati dalla sua carabina e dalla tua Smith e dalla Beretta di scorta. La Scientifica non sarà mai in grado di ricostruire il puzzle e di certo la polizia non si prenderà la briga di condurre indagini approfondite, dato che la conclusione sarà ovvia. Duplice omicidio. Sarò inconsolabile quando il telegiornale diffonderà la notizia.»

Tutto quel discorso era inutile, tranne che per una cosa. Travis le aveva rivelato che avrebbe utilizzato la carabina. Era l'unico modo per ucciderla e imputare l'omicidio a Hickle.

La carabina ormai doveva essere a corto di munizioni. Anche se Abby aveva perso il conto, Hickle doveva aver sparato almeno sei o sette colpi e quel modello conteneva dieci pallottole. Forse Hickle aveva delle munizioni di scorta in tasca, ma era altrettanto possibile che le avesse lasciate nel borsone e lei dubitava che se lo fosse portato con sé mentre correva. C'erano buone probabilità che a Travis fossero rimasti solo tre colpi. Non poteva sparare all'impazzata. Si sarebbe dovuto avvicinare e, se lei fosse scappata, avrebbe dovuto inseguirla per avere una buona visuale.

«Abby» esclamò adesso, «ti ho mai detto quanto ti amo?» Scoppiò a ridere.

Lei ignorò quelle parole. Non significavano niente. Ma sentendolo parlare aveva intuito che era più vicino al secondo ingresso. Non le serviva sapere altro.

58

Travis impugnava la carabina con entrambe le mani, pronto a far fuoco. Aveva legato la torcia alla lunga canna del fucile con una striscia di stoffa della manica della camicia; il fascio di luce puntava nella stessa direzione in cui puntava la bocca dell'arma. La Beretta era stata riposta nella fondina. In un secondo momento l'avrebbe pulita e lasciata nelle mani di Abby una volta morta.

Era pronto. Sarebbe entrato nell'ufficio e il suo destino si sarebbe ridotto a un'unica alternativa: uccidere o essere ucciso. O Abby ammazzava lui o lui ammazzava Abby. Non poteva sperare che lei abbandonasse il nascondiglio, né poteva obbligarla a sprecare altre munizioni. Anche se fosse stato disposto a usare la Beretta, non avrebbe potuto sparare da un ingresso senza lasciare incustodito l'altro. Ci sarebbero voluti due uomini, e lui era solo.

Però era comunque in vantaggio. L'istinto di sopravvivenza di Abby era forte, ma la sua coscienza lo era di più, e sarebbe stata la sua coscienza a farla esitare prima di spargli. Lui, invece, non avrebbe esitato.

Trasse dei brevi e rapidi respiri, come un tuffatore che si accinge a lanciarsi dal trampolino, poi si preparò a entrare.

Nel corridoio adiacente, rumore di passi. Qualcuno stava correndo. Era fuggita dal primo ingresso.

Con uno scatto girò intorno all'angolo. La torcia, puntata sul corridoio, avvistò una figura dai contorni sfumati che spariva nell'ombra. Stava per sparare ma non si fidò della sua mira, poi lei si voltò e gli sparò un colpo, facendolo indietreggiare dietro la parete. Quando si sporse per guardare, era sparita.

Poteva uscire solo da una direzione. Dalla porta che conduceva alle scale. Stava cercando di lasciare l'edificio.

Aveva commesso un errore però. Lui lo sapeva. Si precipitò lungo il corridoio, mentre la torcia ondeggiava sulla canna del fucile.

Scendendo giù per le scale sarebbe diventata un bersaglio facile. Lui avrebbe goduto di una visuale dall'alto. Avrebbe potuto spararle dal pianerottolo e ucciderla prima che potesse trovare riparo.

Raggiunse le scale. Come un vero professionista indugiò un attimo sulla soglia del pianerottolo. Puntò la carabina verso il basso e la torcia colpì un oggetto familiare sui gradini che portavano al piano inferiore.

La borsa di Abby. Le era caduta durante la fuga.

No, aspetta. Troppo ovvio.

La borsa non le era caduta. L'aveva lasciata lì intenzionalmente per sviarlo, per fargli credere che fosse scesa quando in realtà…

Era salita.

Era una trappola.

Aggrappandosi al telaio della porta, Travis puntò la carabina verso l'alto e sparò due volte, ipotizzando che lei si trovasse nel punto esatto in cui era lui ma al piano superiore, sporta in fuori per sparare.

Un grido e un rumore di metallo contro metallo: la calibro .38 di Abby era caduta sulle scale d'acciaio. L'aveva beccata.

Balzò sul pianerottolo e fece i gradini due alla volta fino al decimo piano, aspettandosi di vedere il corpo. Ma Abby non c'era.

La torcia scandagliò la zona. Nessuna traccia di sangue.

Non aveva fatto centro, però Abby non aveva più la pistola. Era disarmata e indifesa. Non aveva più scampo.

Travis corse lungo il corridoio buio. La partita era alle battute finali. Il decimo piano sarebbe diventato il suo terreno di caccia.

59

Abby pensò di aver avuto fortuna, ma questa fu la sensazione che provò prima che Travis intuisse che voleva tendergli un agguato e le facesse letteralmente volare via la pistola dalle mani con uno sparo. Non credeva di essere stata colpita, ma non aveva più la pistola, non aveva più idee ed era a corto di tempo.

Corse lungo un corridoio del decimo piano, allontanandosi dalle scale ed entrando in un secondo corridoio che portava in un locale open-space che occupava la porzione frontale dell'edificio. Alte vetrate partivano dal pavimento sino a toccare il soffitto lungo la parete più lontana. Dalle finestre filtrava il bagliore irradiato dalle luci dei lampioni, delle stelle e della bruma luminosa che inghiottiva la città. Quella luce tenue le consentì di orientarsi e di avere una vaga idea dello spazio attorno a lei. Una volta che l'edificio fosse stato completato, la zona in cui si trovava sarebbe diventata un'ampia zona lavoro divisa in piccoli cubicoli. Ma adesso era ancora uno spazio aperto, con pavimento in cemento, senza pareti né mobilio.

Non c'era nessun posto in cui nascondersi. Corse verso le finestre. Forse morire alla luce sarebbe stato un po' più semplice.

Nel corridoio alle sue spalle sentì dei passi pesanti correre verso di lei.

Raggiunse le finestre. Al di là del vetro c'erano Wilshire Boulevard e il suo condominio. Davanti a una di quelle finestre Hickle aveva atteso invano di ucciderla. In attesa e impugnando la carabina, la stessa carabina che ora era nelle mani di Travis.

In fondo al locale, nella penombra, c'era un tavolo da lavoro dai contorni indistinti.

Hickle doveva averlo trascinato vicino alla finestra per sedercisi sopra. Doveva essere stata la sua postazione di tiro.

«*Abby!*»

Travis piombò nella stanza, la torcia attaccata alla carabina come fosse una baionetta. Il fascio di luce pugnalò l'oscurità mentre vagava da parte a parte.

Non l'aveva ancora avvistata. Abby si abbassò e continuò a correre, pensando di poter usare il tavolo come riparo. Avrebbe guadagnato un po' più di tempo.

Il fascio di luce puntava nella sua direzione, scivolando sulle ampie vetrate. Si mise in ginocchio e strisciò sotto il tavolo per nascondersi.

La torcia scandagliò il pavimento, rischiarando gli angoli più remoti della stanza, poi finì per posarsi sul tavolo, illuminando la piccola sagoma accucciata.

«Sei morta, puttana» sussurrò Travis con tono inquietante e avvolto nell'ombra. Iniziò a camminare verso di lei.

Abby balzò fuori dal nascondiglio e inciampò su una massa pesante e informe.

Il borsone di Hickle. Pieno. Dentro c'era qualcosa.

Sulle scale lui aveva utilizzato la carabina, ma era il fucile l'arma migliore a una distanza ravvicinata. Perché non l'aveva usato? Perché l'aveva lasciato lì, nel borsone?

Con mani tremanti aprì la cerniera e afferrò la canna lucente.

Travis avanzava. La luce si faceva sempre più vicina.

Con un gesto rapido Abby estrasse l'arma, si appoggiò il calcio contro il petto, si voltò rimanendo rannicchiata e azionò la pompa. Le dita cercarono il grilletto ma, all'improvviso, la torcia la scovò.

Non riuscì a vedere Travis, solo un bagliore accecante. Così era persino più semplice.

Sparò alla luce.

Il rinculo le fece perdere quell'equilibrio precario, sbalzandola all'indietro e facendola cadere sul coccige. La stanza iniziò a girare in un vortice luminoso. Pensò che di lì a poco avrebbe sofferto un tremendo attacco di vertigini, ma poi si rese conto che quel turbinio giallognolo altro non era che il fascio di luce della torcia che roteava sul pavimento insieme alla carabina.

Il fucile infine si fermò, andando a sbattere contro una parete, la torcia puntata su Travis, disteso inerte a terra.

Anche senza avvicinarsi Abby sapeva che era morto. Gli aveva sparato da neanche due metri. La pallottola l'aveva quasi tagliato in due. Non riusciva a vedere come l'avesse ridotto e non ci teneva nemmeno. Si immaginò che l'ultima espressione che gli si era disegnata sul viso fosse di sorpresa.

Era sempre stato convinto che nessuno l'avrebbe potuto battere, tanto meno lei. Era il suo mentore, dopotutto, e lei era solo la sua dotata *protégée*.

Abby si alzò in piedi, lasciando il fucile dov'era. Non ne aveva più bisogno. Non c'erano altri cattivi da uccidere.

I primi passi furono un po' barcollanti e quasi cadde in ginocchio prima di riprendere l'equilibrio. Mentre si incamminava verso l'uscita, si fermò a staccare la torcia dalla carabina. Il fascio di luce la guidò verso le scale. Sugli scalini che conducevano all'ottavo piano trovò la sua borsa con dentro il cellulare.

Prese il telefono e si sedette, prendendosi un momento per ricomporsi prima di chiamare Wyatt alla stazione di polizia.

«Hickle è morto» disse quando l'uomo rispose. «E anche qualcun altro. Io sto bene, volevo solo avvisarti.»

«Abby, di che diavolo stai parlando? Dove sei?»

«Dove sono non è importante. Dopo chiamerò il 911 e loro si occuperanno di tutto. Tu però devi starne fuori, ok? Dico sul serio. Non cercarmi, non telefonarmi, almeno per un po'. Non voglio che il tuo amico, il detective Cahill, metta insieme i pezzi... E ce la farà se mi collega a te.»

«Non mi hai ancora detto cosa è successo.»

«Prometti di starmi alla larga?»

«Sì, cazzo, lo prometto. Che cosa è successo?»

Appoggiò la testa contro la parete di cemento. «Niente, Vic, davvero. Un'altra giornata di lavoro.»

Terminò la chiamata prima che Wyatt potesse farle altre domande.

60

I paramedici portarono Abby all'UCLA Medical Center, dove fu visitata e poi dimessa. Fuori dagli ambulatori c'erano due detective che la aspettavano. Le chiesero di accompagnarli alla centrale di West LA. Abby tirò un sospiro di sollievo quando scoprì che nessuno dei due si chiamava Cahill.

Il primo interrogatorio fu breve. Era talmente stanca che riuscì solo a fornire una scaletta degli eventi accaduti, accuratamente modificata. Però diede in regalo ai poliziotti il nastro del suo microregistratore. Ne aveva inserito uno vuoto prima che Travis arrivasse a Westwood.

Alle otto di mattina la lasciarono andare. Erano settimane che non vedeva il suo condominio alla luce del giorno. Dormì fino alle due, poi si fece qualcosa da mangiare. Alle tre le guardie dell'atrio le dissero che c'erano due agenti di polizia che volevano vederla.

Questa volta raccontò loro tutta la storia, omettendo solo una piccola parte di verità. La stanchezza la faceva mentire meglio, era come se il suo corpo fosse troppo esausto per percepire il disagio che una macchina della verità o un osservatore allenato potessero rilevare.

«Paul Travis mi aveva assunto per trasferirmi nell'appartamento accanto a quello di Hickle. Ero lì per monitorare le sue mosse, annotare quando usciva e quando rientrava. Volevamo farci un'idea della sua routine quotidiana. Mi era stato detto così, ma in realtà mi hanno incastrata. Travis ha detto a Hickle che lo stavo spiando e Hickle ha dato di matto. Ha cercato di uccidere Kris. Dopo il tentato omicidio, Travis gli ha dato il mio indirizzo di Westwood. Immagino sappiate già cosa è successo in seguito.»

Le chiesero cosa l'avesse spinta a entrare nell'edificio in costruzione e lei rispose che aveva iniziato a sospettare di Travis. Temendo che volessero tenderle un'imboscata, era andata a controllare il quartiere e aveva scoperto che qualcuno si era introdotto nel palazzo. Aveva pensato che forse era stato Hickle a entrare.

«Avrebbe dovuto chiamare la polizia una volta scoperta l'effrazione» disse il più anziano dei due, in tono quasi paterno.

«Non ero certa che Travis fosse colpevole. Volevo delle prove. Volevo registrare la sua confessione.»

Il più giovane, meno comprensivo, le fece notare che ciò che lei stessa aveva detto nella registrazione e il ritrovamento della pistola di Howard Barwood, recuperata dal corpo di Travis, costituivano le prove che si era introdotta illegalmente nel bungalow di Barwood a Culver City e che aveva frugato in giro.

Abby non negò. «Se il signor Barwood vuole sporgere denuncia, ne ha tutto il diritto.» Sorrise con gentilezza, rivolgendosi principalmente al detective più anziano «Pensa che lo farà?»

«Considerando che l'ha scagionato da capi di accusa multipli, credo che quella dannata pistola gliela regalerà, e anche il bungalow.»

L'altro però non mollava. «Dalla registrazione si evince che Travis la riteneva responsabile della morte di Devin Corbal. Cos'ha da dire a tal proposito?»

«Travis mi aveva assunto per seguire Sheila Rogers, la stalker di Corbal, e di comunicargli i suoi spostamenti. Proprio quella sera ho perso le sue tracce. Non sapevo dove fosse andata e così non ho potuto aggiornare gli uomini di Travis sulla posizione della ragazza, né dire loro che era entrata al *Lizard Maiden*, un locale spesso frequentato da Corbal. Travis non mi ha perdonato per quella svista.»

«Ma non era presente sulla scena del crimine, vero?» le domandò il detective più giovane.

«Se chiedessimo a un paio di persone che erano lì quella sera e mostrassimo loro una sua foto, cosa pensa che direbbero?»

«Probabilmente che il locale era buio e gremito di gente e che sono passati quattro mesi dall'incidente e che, date le circostanze, i loro ricordi sono un po' offuscati. Questo è ciò che direbbe un avvocato difensore, o mi sbaglio?»

Il poliziotto non rispose. Lui e il suo collega uscirono dopo poco. Prima che se ne andassero, Abby gli fece promettere di non dare ai media il suo nome.

Nei due giorni successivi tornarono a farle visita per chiarire un paio di dettagli. All'inizio Abby pensò che la stessero ingannando, fingendo di credere alla sua versione dei fatti mentre si preparavano a incriminarla per l'omicidio di Travis o per il caso Corbal. Ma alla fine capì che la verità era un'altra. Non le credevano completamente ma, allo stesso tempo, non avevano ben chiaro fino a che punto lei li avesse ingannati, e in fondo non gli importava.

Un mercoledì mattina andarono a casa sua per l'ultima volta e le dissero che stavano per chiudere il caso. La sua identità era in salvo.

«C'è mancato poco» disse il poliziotto più giovane. Era diventato più amichevole, Abby gli piaceva un pochino di più. «*Channel Eight* era riuscita a scoprire il tuo nome a causa di una fuga di informazioni alla centrale. Stavano per mandare il servizio, ma qualcuno li ha bloccati. Credo che tutti qui sappiano chi ti ha fatto questo favore.»

«Probabilmente non Amanda Gilbert.»

«Amanda Gilbert non lavora più per la KPTI. Kris Barwood sì.»

Il resto della giornata Abby lo trascorse ascoltando musica soft e mangiucchiando qualcosa di tanto in tanto. Dopo averci riflettuto un po', decise di staccare il poster del *Regno della pace* e metterlo nell'armadio. L'immagine del leone raggomitolato vicino all'agnello non le piaceva più.

Il venerdì mattina andò a casa di Travis.

Parcheggiò la Miata a un isolato di distanza e da lì continuò a piedi, portandosi uno zaino. Attese un paio di minuti finché non arrivò una

Lincoln Town Car. Al volante c'era Kris. Non aveva più bisogno di una guardia del corpo ormai.

«Abby» esclamò mentre scendeva dalla berlina. «Volevo solo dirti... Insomma, dopo tutto quello che hai fatto per me... be', forse non proprio tutto, ma molto...»

«Figurati, Kris.»

«Grazie. Ecco quello che sto cercando di dire. Grazie di cuore.»

Abby sorrise. «Forse non lo capirai, ma tutto quello che ho fatto... non l'ho fatto per te. L'ho fatto per me. Quindi non c'è bisogno di ringraziarmi.»

«Ti ringrazio lo stesso. Allora, perché mi hai fatto venire qui?»

«A casa di Paul c'è qualcosa che devi vedere. E anche io.»

Kris guardò il nastro giallo della polizia fissato al cancello. «Sai, è illegale violare una scena del crimine.»

«Dai, saremo come Thelma e Louise. Andiamo.»

Nessuno le vide scavalcare il nastro e dirigersi all'ingresso. Nello zaino Abby aveva i suoi attrezzi. Entrare fu un gioco da ragazzi, così come disattivare l'allarme; aveva visto Travis comporre quel codice molte volte. Non si curò di indossare dei guanti, visto che la polizia aveva già perquisito la casa.

«Come ti va la vita?» domandò a Kris mentre camminavano lungo il corridoio dirigendosi verso il retro.

«Sta migliorando. Ho chiesto il divorzio.»

«Immaginavo che l'avresti fatto.»

«Howard può anche non aver voluto la mia morte, ma ha cercato di derubarmi ed è un traditore incallito. Posso meritarmi di meglio.»

«Come darti torto.»

Condusse Kris nella camera padronale. I cassetti del comò erano stati aperti e svuotati, così come la cabina armadio, ma, come Abby aveva immaginato, i tecnici della Scientifica non avevano dato troppa importanza all'impianto televisivo. Durante un'ispezione ordinaria nessuno avrebbe mai potuto scoprire che in realtà si trattava di una cassaforte.

Digitò la combinazione sul telecomando e il pannello frontale della TV si aprì di qualche centimetro, mostrando i CD. Prima prese quello dei Barwood e lo diede a Kris.

«Là dentro c'è tutta la tua vita» disse, «e anche quella di Howard. I soldi che ha cercato di nasconderti... qui troverai il modo di rintracciarli. Chiama un bravo commercialista.»

Kris giocherellò con il CD inserito nella custodia di plastica. «Travis aveva indagato su di noi?»

«Non solo su di voi. Su tutti, anche su di me.»

Abby trovo il CD con su scritto il suo nome. «Ecco cosa voglio vedere.»

Dallo zaino estrasse un PC portatile, lo accese e inserì il CD con la scritta SINCLAIR, ABIGAIL.

«Forse non dovrei guardare» disse Kris mentre lei navigava tra i dati.

«Non essere timida. Non ci sono segreti tra noi due. Travis ha cercato di usarci entrambe. Non facciamo niente di male se vediamo quello che aveva in mente.»

Il CD conteneva dozzine di articoli scannerizzati sul caso Corbal. Travis li aveva collezionati ossessivamente. Sembrava che con tutti gli insulti e le allusioni rivolti alla TPS alimentasse le proprie frustrazioni.

A Abby però quegli articoli non interessavano molto. Lei cercava delle foto. Le trovò in una cartella nominata JPEG, il formato per la compressione delle immagini. Quando aprì la cartella, dozzine di immagini in anteprima comparvero a scacchiera. Di immagini di lei.

Eccola mentre usciva dall'atrio del Wilshire Royal per un giro, mentre cenava in una caffetteria a Westwood Village, mentre passeggiava in un parco di Beverly Hills, mentre giocava a tennis una domenica pomeriggio. Mentre lavava la macchina, faceva la spesa in un centro commerciale, camminava sul molo di Santa Monica, faceva un'escursione nel Will Rogers Park. Una foto la ritraeva sul balcone di casa sua, scattata dal palazzo al di là della strada, dallo stesso punto che aveva scelto Hickle per spararle.

Non c'era quindi da stupirsi che Travis fosse riuscito a guidare Hickle nei meandri della Torre Nera. C'era stato di persona. A guardarla, a fotografarla, proprio come Hickle aveva scattato delle polaroid di Kris mentre faceva jogging sulla spiaggia.

«Ti stalkerava» bisbigliò Kris. «Come faceva Hickle con me.»

Abby annuì. Non era sorpresa. Travis le aveva detto che la stava spiando la notte che aveva cercato di annegarla. Aveva avuto il presentimento che quella non fosse stata la prima volta che il suo odio ossessivo l'aveva spinto ad avvicinarla.

Aveva scattato le foto con un obiettivo lungo, utilizzando probabilmente una macchina digitale, poi aveva semplicemente salvato le immagini su CD. La sua collezione privata. Le vennero in mente le centinaia di foto di Kris che Hickle aveva ritagliato dalle riviste, dai giornali, e con cui aveva tappezzato le pareti della sua stanza. Travis aveva fatto più o meno la stessa cosa, spinto dalla stessa ossessione.

«Avrebbe potuto spararti in qualsiasi momento» disse Kris. «Quando eri sul balcone, o nel parco...»

«Sono sicura che è stato parecchio tentato, ma era un uomo cauto per natura. Era in attesa dell'occasione migliore. Aspettava il momento giusto.»

«Come Hickle» sussurrò Kris.

«Pare che fossero più simili che diversi.»

«Ma perché? Perché ti odiava così tanto?»

«Perché l'ho deluso. Mi ha addestrato, è stato il mio mentore. Io ho fatto un errore che gli è quasi costato tutto quello che aveva. Questa casa con la vista sul canyon, la sua sede al Century City, i suoi amici importanti, le feste di classe... Ha visto tutto questo scivolargli tra le dita e ha dato la colpa a me.»

Kris scosse la testa lentamente. «Tutte e due sappiamo come sceglierceli, eh?»

«La prossima volta saremo più fortunate.» Abby sorrise. «Peggio di così non può andare.»

Prima di uscire raccolse gli altri CD e li gettò in un sacco della spazzatura che portò con sé una volta salutata Kris all'esterno.

«Grazie per non aver reso pubblico il mio nome al notiziario» disse Abby.

«Era il minimo che potessi fare, e dico sul serio. Grazie, Abby. E… sii prudente, ok?»

«Lo sono sempre. È per questo che sono ancora viva.»

Sulla via di casa Abby si fermò in una stradina a West Hollywood e seppellì il sacco sul fondo di un cassonetto. Su quei CD c'erano segreti che nessuno aveva il diritto di conoscere.

Quella sera fece un giro per Westwood Village, passeggiando senza una meta e guardando le vetrine dei negozi. A un certo punto vide il bar in cui preparavano quelle ottime Piña Colada. Decise di entrare. La Piña Colada rimaneva la sua unica debolezza o, per lo meno, era quello che le piaceva credere.

Si sedette al bancone e avvicinò il calice alle labbra, pensando a Travis e ai suoi segreti.

«Ti offro da bere?»

Alzò lo sguardo. Era Wyatt e non era in servizio. Non indossava l'uniforme. Si mise a sedere sullo sgabello accanto al suo e ordinò una birra.

«Questa è la seconda volta che ci incontriamo qui» disse Abby abbozzando un sorriso. «Non mi starai mica seguendo, vero?»

«Se così fosse, lo sapresti. Sei tu l'esperta.»

«Già, anch'io lo credevo» disse Abby ripensando alle foto sul CD.

La birra di Wyatt arrivò. Passarono un paio di minuti a sorseggiare i loro drink, senza parlare.

«A essere sincero» disse lui, «è da un po' di tempo che frequento questo quartiere più del solito, nella speranza di incontrarti.»

«Ha funzionato, spero non ti abbiano seguito.»

«No.» Ruotò sullo sgabello per guardarla in faccia. «Allora come stai, Abby?»

«Mai stata meglio.»

«Non sono sicuro di crederti.»

«Be', sono viva e vegeta. Tu, come te la passi?»

«Non mi lamento.»

«Nessuna scocciatura da parte del tuo amico Cahill o di qualcun altro?»

«Niente di niente. Non c'è motivo che qualcuno colleghi il caso Hickle al caso Emanuel Barth, e non c'è ragione che qualcuno mi colleghi a te.»

«Sempre che a qualcuno non venga in mente che ero venuta a trovarti subito prima che scoppiasse tutto il divertimento.»

«Non verrà in mente a nessuno. Hollywood è un quartiere affollato. Gente che va e gente che viene. Siamo al sicuro, Abby. Il caso è chiuso. È finita.»

«È finita» ripeté lei. Era bello poter dire quelle parole.

Wyatt distolse lo sguardo. «Capisco che tu voglia tenere la storia fuori dai canali ufficiali, ma mi piacerebbe che ti confidassi con me. Quando sei venuta alla centrale, avevi già dei sospetti su Travis, non è vero?»

«Sì.»

«Avresti dovuto dirmelo.»

«Volevo cavarmela da sola.»

«Già.»

«Tipico mio, vero?»

«Sei stata tu a dirlo, non io.» Wyatt si passava il bicchiere di birra da una mano all'altra, agitando la schiuma. «Sai, vorrei continuare a vederti.»

«Per forza. Sei la mia principale fonte di informazioni a Hollywood. Dipendo da te.»

«Intendevo dire… non per lavoro.»

«Ah.» Abby rimase in silenzio per un attimo, fissando lo specchio che, alle spalle del bancone, le ricambiava lo sguardo, calmo e contemplativo. «Non lo so, Vic.»

Lui la osservò, mostrando un'espressione più perplessa che offesa. «Andiamo parecchio d'accordo, e non dovresti tenermi più all'oscuro dei tuoi segreti. Quindi… perché no?»

«Forse per quello che hai appena detto… Finirei per rivelarti i miei segreti. Vedi, non mi piace stare con chi sa troppe cose di me. Preferisco rimanere un po' nascosta e avere i miei spazi. È da quando sono una ragazzina che mi comporto così. Tengo le distanze, sempre.»

«Non è il modo giusto di vivere, Abby.»

«Ma è un modo per sopravvivere.»

Wyatt pose delicatamente la mano sulla sua. «Non voglio metterti fretta. Se cambi idea, chiamami. Pensaci però, d'accordo?»

«Va bene. Te lo prometto.»

Abby fu la prima a lasciare il locale. Quando si voltò sulla soglia, vide Wyatt seduto da solo al bancone.

Il sole stava tramontando mentre tornava a casa. Sul balcone si mise a osservare quella palla rossa nel cielo. Ripensò ai giorni in cui si sedeva accanto al padre davanti all'ennesimo tramonto, molti anni addietro, e si chiese se la sua solitudine, quel bisogno di stare da sola, fosse una cosa positiva. Suo padre avrebbe detto di sì, se l'avesse sfruttata a suo favore. Quelle parole erano un indovinello che non era mai riuscita a risolvere.

"Chiamami" le aveva detto Wyatt. Chissà se l'avrebbe fatto.

In salotto squillò il telefono. Entrò in casa per rispondere. Per qualche strana ragione si aspettava di sentire la voce di Wyatt, invece era Gil Harris, il consulente della sicurezza del New Jersey che l'aveva assunta per il caso Frank Harrington. «Abby, come va?»

«Bene, Gil. Sto una favola.» Con il cordless tornò in balcone.

«Mi pare di capire che ti sei ripresa dopo l'incidente con quel pazzo» disse Gil.

Abby si domandò come facesse a sapere di Hickle, ma poi capì che si stava riferendo a Harrington. «Certo» disse semplicemente. «È incredibile come dieci giorni di vacanza possano rimetterti in sesto.»

«Ecco, spero che tu ti sia riposata abbastanza, perché ho qualcosa che fa proprio al caso tuo. Ti interessa?»

Esitò solo un attimo. «Quando ti servo?»

«Il prima possibile.»

«Prendo il primo volo domani mattina. Sarò da te nel tardo pomeriggio. D'accordo?»

«Va bene. Ah, devo avvertirti... questo qui potrebbe essere un po' più complicato.»

«Sono tutti complicati, Gil.» Si appoggiò alla ringhiera e sorrise. «Anche se devo ammettere che alcuni sono più complicati di altri.»

Dopo la chiamata rimase un altro po' in balcone a vedere gli ultimi attimi di tramonto. Sentì la sua vecchia amica, l'adrenalina, scorrerle nel corpo e capì che era quello di cui aveva bisogno. Wyatt poteva aspettare. La sua vita privata, o quello che ne rimaneva, poteva aspettare. Era il suo lavoro a mantenerla viva e in forma. Viveva per il suo lavoro. Il lavoro era ciò che lei era.

Le persone erano sempre alla ricerca di ciò che non avevano: fama o ricchezza, giovinezza o amore, vittoria o vendetta. Inseguivano i premi che avrebbero riassunto la loro vita nel tentativo di sentirsi completi. Era così facile rimanere incastrati in quell'inseguimento. Facile ma del tutto superfluo, almeno per lei, almeno in quel momento.

"Se sai sfruttarlo a tuo favore" le aveva detto suo padre.

Quando il sole sparì e vi fu solo buio, Abby rientrò in casa per fare le valigie.

RINGRAZIAMENTI

Invito i lettori a visitare il mio sito web michaelprescott.net, dove troveranno maggiori informazioni sugli altri miei libri e le ultime notizie riguardo ai miei progetti presenti e futuri.

La prima versione di *A caccia di ombre* (*The Shadow Hunter*), pubblicata nel 2000, ha beneficiato delle opinioni e dell'assistenza di molte persone, inclusi Joseph Pittman, Carolyn Nichols, Louise Burke, la mia agente Jane Dystal e la sua socia Miriam Goderich.

Jane e Miriam hanno accompagnato anche la nuova edizione. I miei ringraziamenti vanno inoltre all'editor Maria Gomez per aver acquistato il romanzo e a tutto il team di Amazon Publishing che mi ha fatto sentire a casa e ha svolto un lavoro eccezionale.

Michael Prescott

40375375R00236

Made in the USA
Middletown, DE
10 February 2017